KB007220

'한국근대문학과 중국' 자료총서 5

시 I

장영미·김 강 엮음

역락

『'한국근대문학과 중국' 자료총서』 편찬위원회

위원장: 김병민

위　원: 이광일 최창륵 최　일 장영미 박설매 김　강

편찬자 소개

김병민 연변대학교 조선언어문학학과 교수. 문학박사.

이광일 연변대학교 조선언어문학학과 교수. 문학박사.

최창륵 남경대학교 한국어문학과 교수. 문학박사.

최　일 연변대학교 조선언어문학학과 교수. 문학박사.

장영미 연변대학교 조선어학과 교수. 문학박사.

박설매 연변대학교 조선언어문학학과 부교수. 문학박사.

김　강 연변대학교 조선언어문학학과 전임강사. 문학박사.

배　홍 연변대학교 조선언어문학학과 전임강사. 문학박사.

김은자 하얼빈이공대학교 조선어학과 전임강사. 문학박사.

조영추 연세대학교 국어국문학과 박사.

박미혜 성균관대학교 국어국문학과 박사과정 수료.

'한국근대문학과 중국' 자료총서 05

시 I

장영미·김 강 엮음

역락

한국근대문학과 중국체험서사

— 서문을 대신하여 —

김병민

1. 중국체험의 의미

한·중 문화 교류는 수천 년의 유구한 역사를 가지고 있다. 특히 한국은 한자, 유·불·도, 각종 문물제도를 중국으로부터 수용함으로써 한(漢)문화권에 편입된 뒤 한(漢)문화를 중심으로 한 동아시아문화권의 형성과 발전에 중요한 역할을 하게 되었다. 따라서 한국문학의 발전 역시 중국문학 및 문화와 불가분의 관계에 놓이게 되었다.

한국문학의 발전에 있어서 역대 한국인들의 중국체험은 한국 한(漢)문학 전통의 확립에 결정적인 역할을 했다. 한국문인들의 중국체험은 다양한 양상을 보이고 있는바 최치원 등을 비롯한 문인들의 유학(留學)체험, 혜초, 의상 등을 비롯한 불교 문인들의 구도(求道)체험, 정도전, 허균, 김만중, 홍대용, 박지원 등을 비롯한 문인들의 사행(使行)체험 등을 들 수가 있다. 이들은 중국을 체험하는 과정에 중국의 문인들과 다양한 교류를 진행하게 되었고 한중 문학의 쌍방향적 영향관계를 밀접히 했다. 실제로 한국문학에서 굴지의 작가로 불리는 최치원, 이제현, 허균, 김만중, 박지원 등의 문학은 중국 문학 및 문화와 깊은 연관성을 보여주고 있다. 한국문인들은 중국체험을 통해 자신들의 창작을 전개해갔고 또한 창작을 통해 그들의 문화의식 즉 세계인식과 시대인식을 구축해 가기도 했다. 최치원의 한시가 『전당시』에, 이제현의 사가 『강촌총서』에 수록되었으며 김만중의 경우 중국체험과 중국문화 수용을 통해 세계적 영향을 지닌 『구운몽』을, 박지원의 경우는 사행체험을 통해 세계 기행문학의 백미로 불리는 『열하일기』를 창작했다. 최치원, 이제현, 김만중, 박지원의 문학이 세계적인 명작이 되기에 손색이 없다고 할 때, 한국문학 발전에 있어서 중국체험은 큰 의미를 가진다고 할 수 있다.

중국체험은 한국 문인들에게 시간과 공간에 대한 새로운 인식을 심어주었고 자아와 타자에 대한 새로운 인식을 불러일으키기도 했다. 예를 들어 18세기 후반기 '북학파'의 맹주들인 박지원, 박제가 등이 중국체험을 통해 전통적인 문화의식에서 탈피하여 자본시장의 형성과 과학문명에 대한 인식을 얻고 중세의 몰락과 근대의 여명을 확인한 것은 시대를 앞서나간 문화적 초월이라고 할 수 있다. 그것은 말 그대로 국가 간의 경계, 문화 간의 경계, 민족 간의 경계를 넘어설 수 있었던 탈경계 체험의 산물이라고 하겠다.

20세기를 전후하여 한국은 근대 식민지체계에 편입되기 시작하여 1910년 '한일합방'으로 일제의 식민지로 전락되고 말았다. 망국을 전후한 시기부터 중국은 한국독립투사들의 항일투쟁의 정치적 공간과 근대적 이민의 생활공간이 되기도 했다. 따라서 한국근대문학은 중국의 문학 및 문화와 더욱 밀접한 연관을 맺게 되었고 보다 더 새롭고 다양한 발전 양상을 보여주게 된다.

따라서 한국근대문학과 중국과의 관련양상에 대한 연구는 비단 한·중 근대문학교류사 연구뿐만 아니라 한국문학사 연구에 있어서도 지극히 중요한 가치가 있다고 할 수 있다. 현재까지 이에 대한 한국 학계의 연구는 대체적으로 한국근대문학의 공간적 이동이라는 시각에서 접근하여 중국에서 벌어졌던 한국문인들의 문학을 '이민문학' 혹은 재외 한국근대문학의 범주에 두고 고찰하였다. 반대로 중국 학계에서는 중국에 이주한 한국문인들의 문학을 '조선족문학' 혹은 그 전사(前史)로 범주화하고 연구를 해왔다. 이러한 연구는 한민족문학의 연구에서 극히 중요한 작업임이 분명하며 또한 현재까지 괄목할 만한 성과를 거두었다. 하지만 한국문학의 공간적 이동으로만 접근하게 되면 인적 교류, 이론과 사상의 유동 내지는 상상력의 탈경계 등 한·중 근대문학 교류의 보다 다양한 차원의 문제들을 간과하게 된다. 한 마디로 한·중 근대문학 교류는 문학의 공간적 이동의 시각보다는 탈경계 연구(Border—crossing studies)의 시각에서 접근하는 것이 더 효율적이라고 할 수 있다. 이른바 탈경계 연구는 민족, 국가, 언어, 문화, 이데올로기 및 윤리 등의 탈경계 그리고 그 과정에서 문화적 재건, 융합 및 가치창조를 밝히는 새로운 연구 시각이다.

근대 전환기 및 근대과정에서 이루어진 한국문학의 중국과의 교류는 고금의 인류문학사에서 보기 드문 문학적 현상이었으며 일종의 '증후성(Symptomatic)'을 가진 문학적 사건이라고 할 수 있는바 다음과 같은 특징을 띄고 있다. 우선, 교류의 지속시간이 길고 방대한 양의 텍스트를 형성하였다. 다음으로 그 교류는 일방적인 영향관계가 아닌 쌍방향적인 상호작용의 관계였다. 끝으로 그 교류는 '중심'과 '주변'의 관계가 아닌 '주변'과 '주변'의 관계였다. 그중 탈경계 서사(beyond boundaries narrative)로 특징지어지는 한국근대문학의 중국체험서사는 한국문인들의 중국을 매개로 한 전통, 근대 그리고 미래와의 대화였다. 바로 이러한 의미에서 한국근대문학과 중국과의 문학·문화적 대화는 지극히 생산적인 것이었으며 근대 동아시아의 정신적 가치를 보여주는 소중한 유산이라고 할 것이다.

한국문학의 근대화 과정에서 일본을 통한 서양문학사조, 유파, 관념, 형식 등의 수용이 큰 역할을 하였음은 분명하나 식민지 출신의 한국문인들에게 있어 식민 종주국 일본이 생산적 가치를 가진 이상적인 공간이 될 수는 없었다. 오히려 비슷한 운명에 처한 중국이 생산적인 정치·문화공간이자 생존·생활공간이 될 수 있었다. 중국에 대하여 느낄 수 있었던 시대적 동질감과 유대감은 일본이 갖추지 못한 요소들이었다. 따라서 한국인들은 중국을 독립투쟁의 전장, 근대문명의 '박물관', 평등한 대화와 교류의 장소로 인식하였던 것이다. 한국근대문학과 중국과의 교류는 한국문학의 근대화 과정을 이해하는 데 있어 중요한 가치가 있을 뿐만 아니라 나아가 오늘날 한국과 주변의 관계를 이해하는 데 있어서 상당한 현실적 가치가 있다고 해야 할 것이다. 이에 『'한국근대문학과 중국' 자료총서』는 한국문인들이 중국과의 교류과정에서 생산한 중국서사와 한국문인들에 의한 중국문학 번역과 소개 등 텍스트를 그 대표성과 중요도에 따라 선별적으로 수록하였다.

2. 저항과 항일체험서사

항일서사는 한국의 독립투사들이 중국에서의 반일활동에 근거한 탈경계 서사로서 의열단(義烈團), 한국애국단(韓國愛國團), 독립군(獨立軍), 유격대(遊擊隊), 조선의용대/의용군(朝鮮義勇隊/義勇軍), 한국청년전지공작대(韓國青年戰地工作隊), 한국광복군(韓國光复軍), 중국국민군(中國國民軍), 팔로군(八路軍), 항일연군(抗日聯軍) 등 항일부대의 활동과 밀접히 연관되어 있으며 소설, 시, 수필 등 장르를 포함하고 있다.

소설로는 중국에서 전개된 한국의 반일독립운동을 소재로 한 신채호, 최서해, 강경애, 심훈, 장지락 등의 작품이 있다. 우선 아나키즘계열의 항일투쟁을 반영한 소설로는 신채호의 「용과 용의 대격전」, 장지락의 「기묘한 무기」 등이 대표적이다. 신채호의 소설 「용과 용의 대격전」은 환상적인 구조 속에서 일제 침략자를 상징하는 미리와 한국 민중을 상징하는 드래곤 사이의 격전을 그리면서 민중의 승리를 확인하고 있다. 「꿈하늘」(1916)에서 신채호가 국민국가 상상을 보여주었다면 「용과 용의 대격전」에서는 무산민중 주체의 민족국가 상상을 보여주었다고 할 수 있다. 장지락의 소설 「기묘한 무기」는 1922년 김익상 등 한국의 반일지사들이 상하이 황포공원에서 일제 육군대장 다나카를 저격한 사건을 다룬 단편소설로 1930년 북경에서 창작된 작품이다. 이 소설에는 사회주의, 아나키즘, 인도주의 등 다양한 사상들이 혼재되어 있다. '만주'지역에서 전개되고 있던 독립투쟁을 소재로 한 소설로 최서해의 「해돋이」와 강경애의 「모자」, 「축구전」 등이 있다. 「해돋이」는 생활에 시달리다 독립운동에 투신한 주인공 만수의 형상을 통하여 '만주' 지역 한국 이주민들의 일제와 그 주구들에 대한 분노와 항거를 보여주고 있다. 강경애의 「모자」는 간도지역에서 벌어진 항일유격투쟁을 배경으로 하면서 희생된 남편의 못 이룬 뜻을 어린 아들로 하여금 이어가게 하겠다는 한 어머니의 불굴의 의지를 보여주고 있고 「축구전」은 일제의 주구들이 조직한 축구경기에 참가하여 경기는 졌지만 민중들에게 반일정신이 살아있음을 보여준 진보적인 한국 이주민 중학생들을 그리고 있다.

반일투쟁 승리의 강력한 의지를 표출한 시작품으로는 신채호의 「매암의 노래」, 이육사의 「청포도」, 김창숙의 「넋이여 돌아오라」, 이두산의 「당신은 의용의 전사래요」, 문정진의 「4명의 열사를 추모하여」 등을 들 수 있다. 이두산의 시 「당신은 의용의 전사래요」는 중국에서 활약하고 있는 항일부대 '조선의용대'의 영용한 모습과 필승의 신념을 노래하면서 항전의 승리와 조국 귀환의 절절한 정감을 읊고 있다. 김창숙의 시 「넋이여 돌아오라」는 중국

하르빈에서 독립운동을 지도하다 일경에 체포되어 옥사한 독립투사 김동삼을 기린 시로 일제에 대한 불타는 적개심과 구국의 염원을 노래했다. "신계(神溪)는 목 메이고/ 한수(漢水)는 슬픈데/ 한 치의 묻을 땅이 없어/ 다비(茶毘)에 부치더니/ 아, 나라 찾을 그날/ 다가오리니/ 넋이여 돌아오라/ 주저치 말고"라고 하면서 전편에 걸쳐 혁명동지에 대한 뜨거운 애도 그리고 원수격멸의 의지를 그려내고 있다.

이밖에 항일투쟁의 제일선에서 싸운 군인들의 실기, 수필 등은 실제적인 체험을 기록했다는 의미에서 상당한 가치를 가진다. 예를 들면 '조선의용대' 대원들이 창작한 「전선에서의 조선의용대」, 「중국 전장에서의 조선의용대」, 「화평촌통신」 등은 항일전장에서 조선인 대원들의 대적 무장선전, 중국 항일부대와의 협동작전, 민중교육 등 상황을 그려내고 있는바 한국 근대 독립투쟁의 역사와 한중관계를 조명함에 있어서도 중요한 가치를 가진다고 할 수 있다. 중국에서 전개된 한국인들의 독립투쟁을 반영한 작품 『청산리 혈전실기』, 「조선혁명일사」 등과 신채호의 수필 「단아잡감록」, 「조선의 지사」, 이두산의 연작수필 「억(憶)」(「산중 40일」, 「중국 항전에 참가하다」 등 11편) 등 작품들은 중국에서 한국 독립지사들의 투쟁과 생활 그리고 그들의 정신적 궤적을 반영하고 있다는 의미에서 높은 문학적 가치를 가진다고 할 수 있다.

3. 정착과 이민서사

한국근대문학의 탈경계 서사에서 가장 많은 비중을 점하는 작품은 한국 이주민들이 중국에서의 생존체험을 소재로 한 이민서사로 그 주제적 경향에 있어서도 다양성을 보이고 있다.

우선, 한국 이주민과 중국인들과의 갈등은 이민서사에서 가장 많이 보이는 소재이다. 토지의 주인인 중국인들은 '지주'의 신분으로 등장하여 민족·계급이라는 이중적인 갈등구조를 이룬다. 최서해의 소설 「홍염」, 강경애의 소설 『소금』 등이 대표적이다. 「홍염」의 중국인 지주 '은 서방', 『소금』의 중국인 '팡둥'은 토지의 주인이라는 절대적 우위를 이용하여 한국 이주민들을 억압하고 있고 극한적인 생존환경에 처한 한국인 이주민들의 자연발생적인 항거가 계급적 인식으로 나아가게 된다. 이런 의미에서 중국으로의 이주는 한국작가들로 하여금 계급적 대립에 의한 억압의 보편성을 확인할 수 있게 하였고 나아가 현실 인식에 대한 깊이와 정확도를 획득할 수 있게 하였다.

다음으로, 중국에서 새로운 삶의 터전을 건설하려는 정착의식을 그린 작품들이 많이 있다. 안수길의 「벼」, 「북향보」 등과 현경준의 「선구시대」, 이기영의 『대지의 아들』, 『처녀지』 등 소설이 대표적이다. 안수길의 「북향보(北鄕譜)」는 주인공 정학도를 비롯한 이주민들이 어려운 여건 속에서 '북향농장'을 운영하는 과정을 통해 '만주'에 뿌리를 내려야 한다는 정착의식 혹은 지역의식(locality)을 상징적으로 보여주고 있다.

하지만 '만주'의 실질적인 지배자가 일제였기 때문에 '만주'를 향한 정착의식은 '상상적인 탈식민'으로 흐르게 되고 자칫하면 '만주'에서의 일제의 식민주의 담론에 포섭되게 된다. 마약중독자들을 '만주국' 건설에 필요한 인재로 '갱생'시키는 과정을 그린 현경준의 「유맹」, '내부 식민주의'적인 시각에서 원시적인 초원에 사는 몽고인들을 '개량' 하는 주인공의 노력을 그린 한찬숙의 「초원」 등이 대표적이다. 이러한 정착의식은 일제에 대한 철저한 순응으로 타락하는 경우도 있어 박영준의 「밀림의 여인」과 같은 노골적인 친일문학작품을 낳기도 했다. 그럼에도 이러한 작품들은 '태평양전쟁' 이후 일제의 전시총동원체제 등 특수한 시대적 상황 속에서 한국문학의 현실대

응의 다양한 예시를 보여준다는 점에서는 상당한 가치가 있다.

중국 도시에서의 한국 이주민들의 삶을 그린 작품으로는 주요섭의 「봉천역식당」, 김광주의 「북평서 온 영감」, 「남경로의 창공」 등 소설이 있다. 주요섭의 「봉천역식당」은 화자가 봉천역 식당에서 우연하게 만난 한 한국 여인의 10년간의 변화를 그리고 있다. 처음 만났을 때 이 여인은 행복이 넘쳐흐르던 처녀였으나 점차 남성의 노리개로 전락하여, 나중에는 우울한 모습으로 목석처럼 변해버리고 만 비참한 운명을 그리고 있다. 김광주의 「북평서 온 영감」은 살 길을 찾아 '만주'와 북경 등지를 전전하다가 상하이에 온 한국 이주민의 정신적 소외를 보여준 작품으로서 식민주의와 봉건주의의 이중적 억압 하에 놓인 한국 이주민의 삶을 그리고 있다.

한국 시인들의 중국체험도 주목되는 바이다. 백석, 유치환, 이용악, 서정주 등은 중국체험을 통해 상상력의 확장, 이미지의 다양화 나아가 민족적, 시대적 인식의 전환을 이루게 되었다. 백석은 「조당(澡堂)에서」란 시에서 목욕탕의 벌거벗은 중국인들을 보면서 이방인인 '나'와 중국인들 사이의 역사와 문화, 언어와 몸짓, 그리고 표정 등의 차이를 느끼다가 인간은 결국 벌거벗은 우스운 몸에 지나지 않는다는 초월적 인식에 이르고 있다. 서정주는 취직을 위해 8~9개월 간 중국에 있었던 체험을 바탕으로 "저 만치의 쑥대밭 언덕에서는/ 역시나 때 절은 靑衣의 한 滿洲國 아줌마가/ 누구의 것인가 새 棺널 하나를 앞에 놓고/ <끅! 끅! 끄르륵……/ 끅! 끅! 끄르륵……>/ 꼭 그런 소리로 울고 있었다./ 우리 단군할아버님의 아내가 되신/ 그 잘 참으신 암곰님처럼/ 씬 쑥과 매운 마늘 많이 자신 소리 같었다."(「만주제국 국자가(局子街)의 1940년 가을」) 등 살아서 숨 쉬는 이국 이미지를 창조했다. 또 이용악은 중국 '만주'에서 목격한 망국노의 슬픈 모습을 "울 듯 울 듯 울지 않는 전라도 가시내야/ 두어 마디 너의 사투리로 때 아닌 봄을 불러줄게/ 손때 수집은 분홍

댕기 휘 휘 날리며/ 잠깐 너의 나라로 돌아가거라."(「전라도 가시내」)와 같은 주옥같은 시구에 담아내고 있다. 그런가 하면 유치환은 중국체험을 바탕으로 대체로 여성적인 한국 근대 시단에서 「생명의 서」, 「바위」와 같이 단연 돋보이는 역동적인 시를 써낼 수 있었다.

4. 타자와 중국서사

한국문인들의 중국체험은 중국과 중국인을 소재로 한 다양한 문학작품들의 출현을 가능토록 하였다. 이러한 작품은 중국에서의 전통문화체험을 통한 동양문화의 가치에 대한 재인식, 자본주의적 근대체험을 통한 서양적 가치에 대한 비판, 반식민지 반봉건 사회체험을 통한 현실사회의 부조리에 대한 비판, 항일투쟁체험을 통한 한·중 연대의식 등 다양한 주제를 표현하고 있다.

우선, 전통문화체험을 통한 동양적 가치의 재발견을 보여준 작품으로는 정래동의 수필집 『북경시대』, 한설야의 수필 「연경의 여름」 등과 주요섭의 소설 「진화」, 「죽마지우」 등을 들 수가 있다. 정래동과 한설야 등은 수필창작을 통하여 중국 전통문화의 거대한 힘에 대하여 예찬하였고 주요섭은 소설 「진화」에서 중국문화의 전통성을 인정하면서 동양의 정신적 가치를 발견하려고 했으며 소설 「죽마지우」에서는 북경을 자신의 정신적 고향으로 묘사하는 등 다원적인 문화정체성을 보이기도 했다.

다음으로, 반식민지 반봉건 사회체험을 통한 현실비판을 보여준 작품으로 심훈, 피천득, 박세형 등의 시편들과 최독견의 「벌금」, 주요섭의 「살인」, 「인력거꾼」, 강노향의 「상해야화」 등 소설 작품들을 들 수가 있다. 심훈은 시

「북경의 걸인」에서 걸인의 형상을 통해 하층민에 대한 동정을 보여준 동시에 동등한 운명에 놓인 자기 민족의 고통도 하소연하고 있다. 피천득의 시 「1930년 상해」는 옷을 전당 잡혀 먹을거리를 사야 하는 현실과 곧 팔려갈 어린 생명을 시적 대상으로, 하층민들의 비참한 생활에 대해 공소하였고 박세영의 시 「북해와 매산」은 군벌혼전으로 피폐해진 북경의 암울한 현실을 비판하였다.

이와 더불어, 최독견과 주요섭은 소설 창작을 통해 제국주의 침략과 문화 헤게모니로 하여 식민지화된 상하이 도시문명의 가치결손에 대하여 비판함과 동시에 하층민들의 소외를 적나라하게 폭로하고 있다. 이러한 소설들은 참신한 시각과 심각한 문제의식을 보여주고 있는바, 최독견은 소설 「벌금」에서 중국옷을 입고는 공원으로 들어갈 수가 없는 현실과 서양 여인이 개에게 먹이던 빵조각을 고맙다고 받는 중국인 여성을 통해 굴욕적으로 살아가야 했던 하층민에게 연민의 정을 보이고 있으며 중국의 반식민지 사회현실을 신랄하게 비판하고 있다. 또한 강노향은 소설 「상해야화」에서는 조계지 프랑스인 집에서 노예살이를 하는 중국인과 프랑스 여인의 부정당한 관계 등을 통해 서양의 가치결손과 식민지 조계지에서의 남성의 소외 내지는 타락을 보여주기도 했다. 한편, 주요섭은 소설 「살인」에서 도시 최하층 기생인 우뽀의 형상을 통해 버림받고 소외당한 하층민들의 운명을 보여주면서 그들의 각성을 촉구하기도 했다. 작가의 다른 한 소설인 「인력거꾼」 역시 자본주의 문명이 최하층 인간에게 들씌운 불행에 대하여 묘사하고 있다.

이처럼 상기 다양한 소설작품들은 근대 도시인 상하이를 배경으로 그 속에서 살아가는 하층민들의 불행한 운명, 특히는 생존권을 박탈당하고 소외되어가는 인물들을 통해 식민주의의 죄행을 공소하고 있다. 물론 이러한 문제의식은 한국문인들의 중국에서의 근대적 도시체험에서 얻어진 것이라 해야 할 것이다.

또한, 유자명, 이두석, 이관용, 문일평, 이광수, 최남선, 주요섭, 김광주, 정래동, 강경애 등 쟁쟁한 한국문인들의 수백 편의 기행문들에서는 중국체험과 시대인식이 다양하게 보이고 있다. 즉 이러한 기행문은 중국전통문화와 서양문명에 대한 새로운 인식, 시국에 대한 인식과 비판, 망국 국민으로서의 애환, 민족에 대한 뜨거운 사랑, 민족독립에 대한 열망 등으로 일관되어 있다. 특히 이러한 기행문들은 근대 중국사회를 인식하는 역외시각(域外視角)으로서 귀중한 문헌적 가치가 돋보이는 바이다.

5. 가치 수용으로서의 번역과 비평

한국근대문학과 중국의 관련 양상은 중국근대문학에 대한 번역과 비평에서도 잘 드러나고 있다. 한국에서의 중국근대문학작품에 대한 번역은 주로 양건식, 정래동, 유수인, 이육사, 김광주 등 중국 유학경력이 있는 문인들에 의해 전개되었다. 소설로는 루쉰의 「아Q정전」, 「광인일기」, 「고향」, 궈모뤄(郭沫若)의 「목양애화(牧羊哀話)」, 딩링(丁玲)의 「떠나간 후」, 위다푸(郁達夫)의 「피와 눈물」, 린위탕(林語堂)의 「북경호일」, 샤오쥔의 「사랑하는 까닭에」 등이 있으며, 시작품으로는 후스(胡適)의 「등산」, 「11월 24일 밤」, 궈모뤄(郭沫若)의 「봄 맞은 여신의 노래」, 「죽음의 유혹」, 쉬즈모(徐志摩)의 「가거라」, 「우연」, 주즈칭(朱子淸)의 「잠자라, 작은 사람아」, 저우쭤런(周作人)의 「소하」 등이 있으며, 연극으로는 궈모뤄(郭沫若)의 「탁문군 삼경」, 톈한(田漢)의 「상상의 비극」, 어우양위첸(歐陽予倩)의 「반금련」 등이 있다. 그 외에도 루쉰 등의 산문이 번역 소개되었다.

이외, 중국근대문학과 관련된 비평으로는 양건식의 「호적 씨를 중심으로 한 중국의 문학혁명」(1920, 번역문), 김태준의 「문학혁명 후의 중국문예관」(1930), 정래동의 「중국 양대 문학단체 개관」(1931, 번역문), 「노신과 그의 작품」(1931), 「중국문단의 신작가 파금의 창작태도」(1933), 김광주의 「중국 좌익문예운동의 과거와 현재」(1931), 이육사의 「노신 추도문」(1936) 등이 있다.

이러한 중국근대문학 작품의 번역과 비평을 통해 한국 근대 문인들의 중국문학에 대한 인식과 수용 자세, 한국 근대에 있어서의 중국의 사회사상과 미학사상이 미친 영향, 나아가서 한국 근대 문학번역사와 문체의 변천과정도 이해할 수가 있다. 주지하다시피, 한국 근대 문인들은 대부분 일본을 통해 서구문학을 수용하였고 또한 서구문학에 대한 번역과 소개도 적지 않게 진행한 바이다. 그럼에도 프로문학 등 특수한 영역을 제외하고는 한국 근대문단에서 일본문학이 별로 번역·소개되지 않았음은 주목이 필요한 대목이다. 이에는 식민지시기라는 특수한 시대적 상황 속에서 형성된 이질감과 거부감이 작용했을 것이다. 이러한 점을 염두에 둘 때 한국에서의 중국 근대문학의 전파와 수용은 근대 한국 문인들이 중국 근대작가들과 함께 20세기의 동아시아적 가치를 창출하고 공유하고자 한 시대의식과 무관하지 않을 것이다. 바로 이런 의미에서 중국근대문학에 대한 번역·소개와 비평은 한국근대문학과 중국근대문학, 나아가 중국과의 관련을 해명하는 데 불가결한 중요한 영역이기도 하다.

6. 편찬 동기와 총서의 구성

일찍 2014년 연변대학 통문화센터에서는 중국어로 된 『'중국현대문학과 한국' 자료총서』(1~10권)를 간행한바 있다. 베이징에서 열린 이 총서의 출판기념 좌담회에서 중국의 근대문학 연구자들은 필자에게 『'한국근대문학과 중국' 자료총서』를 편찬할 것을 제안한 바가 있다. 이에 상기 자료집 편찬의 중요성과 절박성을 깊이 인식하게 된 나머지 편찬위원회를 묶어 총서의 편찬사업을 시작했다. 한국근대문학과 중국 관련 자료는 이미 적지 않은 자료집에서 수록되기도 한 바이다. 예하면 연변대학 문학연구소에서 편찬한 『중국조선족문학대계』, 북경민족출판사에서 편찬한 『중국조선족 문학유산 정리편찬』 등에 수록된 적지 않은 작품들은 편찬자 나름의 시각에 따라 중국조선족문학의 출발점으로 인식되어 중국 조선족문학 권역에 귀속시켰지만, 한국근대문학사에 있어서도 중요한 작가와 작품들이다. 물론 상기 자료집들은 한국근대문학과 중국 관련 연구를 위해 정리된 자료 총서가 아니며 한국근대문학과 중국과의 관련 양상을 살피기에는 전체적이지 못함도 짚고 넘어가야 할 것이다.

한국근대문학과 중국 관련 연구는 1990년대부터 학계의 주목을 받기 시작하여 적지 않은 연구 성과를 내고 있다. 그럼에도 아직까지 중요한 자료들에 대한 발굴과 정리가 진일보 요청되고 있으며 일부 연구들은 충분한 자료적 검토가 확실하지 못한 점도 없지 않다. 이러한 상황은 한국근대문학과 중국 관련양상의 전반적 검토와 연구의 심화에 장애로 작용하고 있으며, 이에 본 자료집은 그에 대한 극복을 목적으로 하고 있다.

『'한국근대문학과 중국' 자료총서』는 편찬 의도를 구현하기 위해 작품 선정에서 첫째로, 한국근대작가들의 중국체험을 바탕으로 중국의 시간과 공간에서 벌어진 인물과 사건들이어야 하며, 둘째로, 중국인들의 생활 혹은 중국에서의 한국인들의 생활을 소재로 해야 하며, 셋째로, 중국체험을 기반으로 하는 동서양 관련 문화인식을 다룬 작품도 가능하다는 원칙을 지키고자 했다. 한편, 편찬과정에서 적지 않은 애로에도 봉착하였는바, 일부 작품들은 당시의 중국 경내에서 꾸려진 신문, 잡지들에 발표되었으나 신문과 잡지의 보존상태가 완전치 못하여 그 전모를 알 수가 없으며, 아울러 신문, 잡지의 경우 여러 곳의 도서관과 서류관에 분산되어 있었다. 또한 일부 작품들은 유고로서 분실된 것도 있었기 때문에 편집자들은 이러한 난제를 풀기 위해 국내외 도서관들을 찾아다녀야 했고 따라서 관련 인사들을 찾아 방문하기도 해야 했다. 비록 편찬자들이 많은 노력과 심혈을 기울였지만 아직 미비한 점이 적지 않다.

본 총서는 총 16권으로서 창작편 11권(소설 4권, 시 3권, 기행문 2권, 정론·실기·수필·희곡 2권)과 비평집 5권이다. 편집과정에서 편찬자는 발표 당시의 원본 형태를 그대로 보여주기에 노력을 경주하였으며, 섣불리 개정이나 첨삭을 시도하지 않았다.

본 총서는 편찬과정에서 국내외 많은 한·중 문학관계를 연구하는 전문가들의 열정적인 관심과 도움을 받았으며 특히 국내외 도서관, 서류관의 지지와 성원을 받은 바 있다. 총서의 편집에 도움을 주신 모든 이들에게 진심으로 되는 감사를 드리는 바이다. 앞으로 본 총서가 한·중 문학관계 연구자들과 독자들에게 도움이 되기를 진심으로 바라며, 미진한 점에 대해 전문가들과 독자들의 기탄없는 비평을 기대하는 바이다.

2020년 2월 1일

차례

유치환(柳致環) 편

윤동주(尹東柱) 편

윤봉길(尹奉吉) 편

윤영춘(尹永春) 편

윤해영(尹海榮) 편

이설주(李雪舟) 편

한죽송(韓竹松) 편

향산(向山)편

허문일(許文日) 편

허준(許俊) 편

황순원(黃順元) 편

황재건(黃載健) 편

일러두기

1. 본 총서는 1919년 중국의 '5·4운동' 전후시기부터 시작하여 1948년 남북한 단독정부 수립에 이르기까지 중국인 및 중국에서의 체험을 소재로 창작한 문학작품 중 문헌적, 문학적 가치가 높은 작품들을 수록하였다.
2. 본 총서는 총 16권으로 구성되었는바 소설(1~4권), 시(5~7권), 기행문(8-9권), 평론(10-14권), 정론·실기·수필·희곡(15-16권)으로 나누었다.
3. 초간본을 저본으로 하여 원본의 표기를 최대한 보류하는 것을 원칙으로 하였으나 일부 초간본을 확인할 수 없는 작품의 경우 초간본에 가장 가까운 판본을 수록하였다.
4. 독자들의 읽기와 이해를 돕기 위하여 표기법은 아래와 같은 원칙을 적용하였다.
   - 근대 모음을 현대 모음으로 바꿨다.

     예: ·→ㅏ
   - 근대 겹자음을 현대 겹자음으로 바꿨다.

     예: ㅺ→ㄲ, ㅽ→ㅃ
   - 띄어쓰기는 현행 한국어 표기법의 기준을 따랐다.
   - 소설의 경우 문장부호를 현행 한국어 표기법의 문장부호로 통일하였다. 대화는 " ", 간행물과 단행본의 명칭은 『』, 기사와 작품의 명칭은 「 」, 음악작품의 제목은 < >, 연극작품은 ≪ ≫로 통일하였고, 명확하지 않으면 ⸨ ⸩를 사용하였다.
   - 기행문, 평론, 수필, 정론, 시가, 희곡의 경우 원본의 문장부호를 보류하였다.
   - 원본에서 판독이 불가한 문자는 □로 표시하고 판독 불가한 문자가 1행 이상일 경우에는 주해에 "이하 × 자 판독 불가"를 밝혔다.
   - 원본의 오탈자, 오식은 보류하고 해석이 필요한 경우에는 주해에 "편자 주"를 밝혔다.

     예: 1) "浙江"은 "浙江"의 오식 — 편자 주
5. 외래어는 원본의 표기를 보류하였다.
6. 인명, 지명 등 고유명사는 원본의 표기를 보류하였다.
7. 한자는 원본의 표기를 보류하였다.
8. 잘못된 인명, 작품명, 신문·잡지명 등과 한자들을 중국어 원문과 대조해 바로잡았다.

시 I

강경애(姜敬愛) 편

오빠의 편지 회답

오빠!

오래간만에 보내신 당신 편지에

“사랑하는 누이야 어찌 사느냐?”고요

오빠!

당신이 잡혀 가신 뒤 이 누이는

그렇게 흔한 인조고사 댕기 한 번 못 드려 보고

쌀독 밑을 긁으며 몇 번이나 입에 손 물고 울었는지요

오빠! 그러나 이 누이도

언제까지나 못나게시리 우는 바보는 아니랍니다

즈김은 공장 속에서 제법 고무신을 맨든답니다

오빠 이 팔뚝을 보세요!

오빠의 팔뚝보담도 굳세고 튼튼해졌답니다

지난 날 오빠 무릎에서 엿 먹던 누이는 아니랍니다

오빠! 이 해도 저물었습니다

거리거리에는 바람결에 호외가 날고 있습니다

오, 오빠! 알으십니까? 모르십니까?

오빠! 기뻐해 주세요 이 누이는

옛날의 수집던 가슴을 불쑥 내밀고
수많은 내 동무들의 앞잡이가 되어
얼골에 피가 올라 공장주와 ××답니다.

『신여성』, 1931.12.

참된 어머니가 되소서

어머니
인편에 들으니
어머님께서는 마침내
쫓겨나셨다고요

어머니
작년 이때
우리집 울 뒤 대추나무 가지에는
대추가 조롱조롱 빨갰을 때
눈등이 붓도록 우시면서도
나를 민며느리로 보내었지요

그때에 어머님께서는
어머님의 머리 쪄서 판 돈으로
얼빗과 참빗을 사서
이 딸의 곳침 속에
깊이깊이 넣어주시며
가서 잘 살어라! 부대 배 곯지 말어라!

이것이 마즈막 부탁이었지요.

어머니 이 집에 온 후로 이 딸은
꿈이면 어머님과 대추나무를 보았지요
그리고 일하다가도 멍 하니 행길가를 바라보았답니다
지나가는 낯선 손이
행여나 어머님이나 아닌가 하여서……

어머니
지금에 알고 보니
빚값에 이 딸을 파셨다고요
삼백 냥에 이 딸을 파셨다고요
그러고도 그 돈 한 푼 어머니 손에
못 쥐어 보셨다고요!

오! 어머니
저 푸른 하늘을 우러러 물어보세요
그리고 이 땅을 구르며 물어보세요
이런 억울한 일을 언제까지나
받아야 옳겠느냐고요?
어머니
이 딸은 ××회의 한 사람이 되었답니다
그래서 이젠
어머님도 대추나무도 그립지 않아요?

이 눈은 ××회 때문에 빛나고요
이 팔 이 다리는 굵어지고 있답니다.

어머니
며칠 후에 내 동무가
그 곳 갈 테니
부대 잊지 말고 회에 들어주세요
그래서 나의 참된 어머니가 되어 주세요.

『신여성』, 1932.12.

숲속의 농부

김 매던 농부
허메자루 목침 삼아
개미들이 토굴 파는
숲에 누웠소

끊었다 이어지는
샘물소리에
포루루 졸음이 오나
어젯밤 동무가 주던
종이조각 잊지 않었소

짙은 풀내에 입맛 당겨
스르르 눈 뜨니
밭이랑에 조싹이
파랗게 보이우

『신동아』, 1933.6.

오늘 문득

가을이 오면은
내 고향 그리워
이 마음 단풍잎같이
빨개집니다.

오늘 문득 일어나는 생각에 이런 노래를 적어보았지요.

『신가정』, 1934.12.

강문수(姜文秀) 편

黑龍江

大陸의 曠野로 불어오는 싸늘한 바람
나그네의 끗업는 憂愁와 함께
薄暮의 水面으로 떠흐르는 여기가
일흠만 들어도 어이업는 黑龍江이다。

그리운 님을 차즈려 헤매는 마음
車窓에 기대여 시름업는 마음
안개에 눌닌 水面 우흐로 달아나는 여기가
일흠만 들어도 어이업는 黑龍江이다。

『조선문단』, 제10호, 1925.7.

봄龍井

머-ㄴ산에 남엇든 눈은
따스한 봄해에 사라지고
나무 업슨 산에는
북풍에 먼지 날린다

海蘭江의 맑은 물은
바람 심한 龍井市 가슬
옛과 다름업시
끈침업시 줄기차게 흐른다

市街 여긔저긔에
푸른 실 길게 느러진 버들에
먼지 석긴 바람은
이리저리 흥크리고 갈 뿐이다

『조선문단』, 제13호, 1925.11.

권성욱(權成郁) [01] 편

懷

孤獨히 즐거히 선 들菊花 밑에
네가 고요히 침묵을 찾었을 적에
나 홀로 여름밤 무더운 길을
네 옛 그림자를 찾어가든 것이어!

푸른 안개 욱어진 수풀 그윽한 속에
네 쌔근거리든 숨소리
숨소리마저 죽어가면서
金싸래기 뿌려진 차거운 蒼空을 안은
네 靜謐의 가슴속에、아픈 가슴속에

花園의 찰란한 꿈과!
별……은은한 星座를 그려라!

01 권성욱의 두 편의 시는 작자명을 '滿洲國 權成郁'이라고 밝혔다.

수없는 버레들 노래하든 밤에
아련히 삽붓히 가버린 너!
香氣는 잠든 아득한 나라로
말없이 즐겨 울며간 너!
하이얀 꽃다발 즐겨 안고서
자최없이 간 네 맘의 슬픈 길이어!

너는 어느 먼 永劫의 길거리에서
끼리끼리 맞쫓는 별나라에서
억맨 가슴 반짝이든 閃光을
즐거히 즐거히도 펼쳤으리

『조광』, 1942.11.

鄕愁

동배꽃 칠죽이 함박 피인
北村마을 東뚝 우을 넘어가면서
적은 초롱 속에 반듸불 범나비
잡어 넣으면서……
춘희는 뒤따러 오고 봉이는 앞써
우리 서로 즐거히도 걸어가던 옛 저녁

춘희는 제대로 동뚝에 나려
나는 나대로 동뚝에 올나
날어가는 반딧불 부르고 있노라면
개울물 말없이 흘러가고 ……
꽃닢을 물고서 흘러가고 ……

개골이 개골개골 물속에 울면
湖水가 별들이 龍宮 간다고
옛 어른 하시던 말씀 생각하면서
넘치는 오솔길을 걸어가오
나는 논뚝에 웃으면서

들녁□□□헤어지는 내 고향

『조광』, 1943.2.

김광균(金光均) 편

埠頭·여름

埠頭- 이 거리의 입은
어제 밤도 오늘 밤도 배가 다가올 때마다
歌樂, 憂鬱, 陰謀, 自殺……모든 생활의 斷片들을
땀 흘려 가며 커다란 입으로 훅훅 내뿜습니다.

그 斷片中의 한 토막은
香氣로운 異怪의 肉香과 强烈한 알콜을 찾아
레스토랑, 빠-, 카바레-, 그리고 野洞窟의 門을 녹크합니다
거룩한 이 거리의 紳士, 숙녀!
그러나 可憐한 理性의 喪失者!
그들에게 裸體로 거리를 헤매지 못하는 理性
이나마 아직 남아있는가 봅니다
수선스런 人形들의 狂亂이어!

그 斷片中의 다른 한 토막은
飮氷室 좁은 테불에 가슴을 펴헤치고 앉았습니다.
빈대와 싸우는 좁은 방의 더위-그리고 밤 都市의 憂鬱!

다만 한 잔의 아이스크림으로 그것을 녹여버리려는
안타까운 마음이여!

그 斷片中의 다른 한 토막은
성냥匣을 놓은 것 같이 무너지지 않을까 겁나는
열 層-스무 層 뽀족한 아파-트의 密會室
어슴푸레한 푸른 불빛 아래에서
罪 없는 담배만을 征服하고 앉았습니다
(人生이 本來 담배 煙氣거니 어떻게 하면 돈이나 맘대로 잡아볼고?)
國籍을 無視하는 거룩한 코스모포리탄들의 密會이외다
노란 멀리-검은 머리-높은 코-얕은 코-
一攫千金! 귀여운 人間 所有慾의 國際會議여!

그 斷片中의 또 다른 한 토막은
黃浦江의 누런 물을 凝視하고 섰는지 오랩니다
(人間生活이 本來賭博이거니-)
競馬가 그의 愛人이었습니다
(來日 朝刊은 나의 죽음에 對하여 무엇을 쓸 것인고-?)
그러나 텀벙 뛰어 들어가지 못하는 어리석은 生의 未練!
賭博의 룸펜이어! 理性의 自殺病者여!

埠頭-이 거리의 입은
더위와 疲困에 못 이기어 긴 한숨을 내뿜습니다
비오는 듯 흐르는 땀을 씻을 줄도 모르고……

『동아일보』, 1934.7.25.

都心地帶

滿洲帝國領事館 집웅 위에
노-란 기ㅅ발
노-란 기ㅅ발 우에 따리아만 한 한 포기 구름

로-타리의 噴水는 우산을 썼다
바람이 고기서 조그만 카-브를 돈다

帽子가 없는 포스트
帽子가 없는 포스트가 바람에 불니운다

그림자 없는 街路樹
뉴-쓰 速報台의 목쉰 스피-커

흐로도 없는 電車가 그 밑을 지나간다
조그만 나의 봐리에테여

英國風인 공원의 時計塔 우에
한 떼의 비둘기 때무든 날개

크라쓰컾 속 조그만 都市에 밤이 켜진다

『인문평론』, 1939.12.

魯迅

시를 믿고 어떻게 살어가나
서른 먹은 사내가 하나 잠을 못 잔다.
먼-汽笛 소리 처마를 스쳐가고
잠들은 아내와 어린 것의 벼개 맡에
밤눈이 내려 쌓이나 보다.
무수한 손에 뺨을 얻어맞으며
항시 곤두박질해 온 生活의 노래
지나는 돌팔매에도 이제는 피곤하다.
먹고 산다는 것.
너는 언제까지 나를 쫓아오느냐.

등불을 켜고 일어나 앉는다.
담배를 피워 문다.
쓸쓸한 것이 五臟을 씻어 내린다.
魯迅이여
이런 밤이면 그대가 생각난다.
온-세계가 눈물에 젖어 있는 밤
上海 胡馬路 어느 뒷골목에서

쓸쓸히 앉아 지키던 등불
등불이 나에게 속삭어린다.
여기 하나의 傷心한 사람이 있다.
여기 하나의 굳세게 살아온 인생이 있다.

『신천지』, 제14호, 1947.3./4. 합병호

김광주(金光洲) 편

黃浦灘의 黃昏

잔잔한 水平線 저편에서
고요한 어둠이 기여듭니다
港口의 人間들의
악착한 삶의 싸홈을
곱게곱게 덥허버리랴는 듯이-。

그러나
배는 닷습니다
배는 떠남니다
바람에 나붓기는 數없는 旗ㅅ발들!
「뛰-」-끈칠 사히없시 울니는 汽笛!
그들은 소곤대입니다
「임자 일흔 이 따를 하로바삐 집어삼키자」고。

鄕愁를 가삼 깊이 부둥켜안고
江邊을 거니는 「코스모포리탄」!
-黃昏은 그에게도 잠자리를 생각게 함니다

-黃昏은 그에게도 愛人을 생각게 합니다.

하로 일에 疲困한 水夫들은

甲板우에 安息을 찾습니다

-안해의 따듯한 품을 꿈꾸면서……

-아들의 귀여운 눈동자를 생각하면서……

별! 갔나온 귀여운 별 하나이

그것들을 우수면서 날려다 봅니다

『신동아』, 제4권 제4호, 1934.4.

한숨 지는 楊子江

무쇠라도 녹일 듯한 八月의 아츰
해발이
저 건너 아득한 水平線 위로
총각의 情熱 같은 씩씩한 우슴을 퍼붓건만
이 따의 한복판을 말없이 흐르는
楊子江의 누런 물은 왜 기-ㄴ
한숨만을 내뿜는고!
왜 그 넓은 두 가삼을 두다리기만 하는고!

山뗌이라도 흘려 내려고
바위 덩어리라도 굴려 내릴 억세인 그대의 몸이거던 한낮 微弱하고
간사스러운 人間들의
英雄的 닷홈을 씨서 버리지 못한단 말인가!
자최도 없이 깨끗이 깨끗이 씨서 버리지 못한단 말인가

불덩어리라도 삼켜 버리고
火山이라도 가라앉힐 그대의 용솟슴치는 情熱이거던 한낮 微弱하고 간사스러운 人間들의

솟곱질같은 집안싸움을 씨서 버리지 못한단 말인가?
자최도 없이 깨끗이 깨끗이 씨서 버리지 못한단 말인가?

듯고도 말이 없는 楊子江! 보고도 말이 없는 楊子江!
그대는 그 巨大한 두 팔을 힘것 벌려
人間生活의 모든 惡臭를 모든 虛僞를
정말로 정말로 집어삼키지 안으려나 집어삼키지 안으려나!
씩씩한 大陸의 八月의 아츰에
밝은 그대의 머리 위로 또 한번
우렁찬 우숨을 던지나니……

그러나 안타까운 楊子江의 마음이여!
조고마한 생쥐 한 마리를 마음대로 못하야
기삼 태우고 눈물 지는 코끼리의 안타까운 마음이여!
憤怒와 憂鬱에 젖어 말없이 한숨 지는 楊子江이여!
그대는 정말로 정말로
언제나 그대의 억세인 물줄기를 내뿜어 보려는고!
좀 먹어 드러가는 大陸의 넓은 天地를 向하야
마음대로 내뿜어 보려는고!

『동아일보』, 1934.9.6.

새벽 都市의 一角에서

새벽을 노래하는 닭의 소리─이 都市는 그것을 잊은 지도 오래외다.
數千數萬의 喜悲劇이 亂舞한 어젯 날의 발자욱들이 사라지기도 前에
舞蹈場에서 허트러저 나오는 自動車의 바퀴가
새벽 에스팔트 위에 또다시 수선스러운 「삶」의 첫 曲線을 그립니다.
警笛─그것은 이 都市의 새벽의 序曲이외다
하로의 눈물과 웃음을 가득 실은 序曲이외다.

虛榮心을 醸造하기에 疲困한 쇼─윈도우─
그는 또다시 睡眠不足한 두 눈을 뜨기 始作합니다

十字街頭─하로 밤을 거리에서 새운 交通巡査!
(그에게는 아들과 딸들이 몇이나 잇는고-?)
기─ㄴ 하폄이 껌벅어리는 街路燈과 身勞恨嘆을 시작합니다.
하폄─그것은 이 偉大한 國際都市의 倦怠이외다.

아파─트의 窓과 窓이 또다시 하로 날의 數없는 朔漠한 炎情을 吐합니다
紅焰에 웃는 金髮女의 얼곤─귀여운 人形!
(그대는 오늘 무엇으로 그대의 虛榮心을 滿足시키려는고?)

머리를 점잔케 쓰다듬는 英國젠틀맨의 얼골—이 都市의 偉大한
名門紳士!
(그대는 오늘의 生活을 爲하야 몇 個의 詐欺와 陰謀를 準備하엿는고?)
窓과 窓으로 내다보이고 웃음과 우름! 嘆息과 嘲笑! 不滿과 咀呪!
그것은 이 偉大한 國際都市의 複雜한 새벽의 表情이외다

저기—— 새벽 하늘에 높이 솟은 十字架!
진흙 속에 파묻친 眞珠같이 그 흘로 힌 옷 입은 聖스러운 信徒들을 불러들입니다.
아담한 聖門으로 새여나오는 새벽의 불빛!
그러나 들어갈 때 가라앉은 湖水같은 마음이 나올 때 怒濤로 변하는 都市의 사람들이외다.
새벽! 都市의 一角에 섯노라면 數없는 캐리커쥬어가 차례없이 그려
젓다가는 지워지고 지워짓다가는 그려집니다.

『동아일보』, 1935.3.2.

三月의 鋪道

겨울(冬)을 막고 잇든 季節의 보가 一時에 터젓습니다。

터진 보위로 넘처흐르는 물결!

鋪道 위로 물결같이 氾濫하는 사람! 사람!

三月은 얌전하면서도 심술 사나운 아가씨외다。

都市—이 人生의 쓰레기통을 그는 해마다 한 번식 까뒤집어 가지고

따뜻한 鋪道 우에 陳列해 놉니다。

鋪道—따뜻한 鋪道를

만일 끝없이 넓으러진 한 幅의 하얀 畵幅이라고 假定한다면

아침 저역 쉬일 사이 없이 찍히는 뭇사람들의 발자욱! 발자욱!

성큼성큼—春窮을 못 이겨 남의 물건을 훔처 가지고 지나간 사람들의 발자욱!

아장아장—世上의 괴로움을 모르고 지나간 얌신한 아가씨들의 발자국

그리고 그 위로 점잔케 걸어간 修身先生님의 발자욱!

(이것을 다만 어리석은 詩人의 고양이의 눈 같은 神經過敏이라 하리까?)

(나外에 누가 또 잇으랴?)

(못 나기는 햇지만 그래도 나는 나다!)

아프오、슬프오、괴로웁소、안타깝소、그리면서도 그들은 이런 未練과 愛着이 잇기 때문에 이 鋪道一이 人生의 陳列場에 내 몸을 出品하지 안코는 못 견딥니다。

三月의 都市一人生의 쓰레기통!

三月의 鋪道一冬眠에서 깨여난 버레(蟲)들의 展覽會!

그 위에 汎濫하는 다리와 다리一 발과 발一

저것이 체바퀴를 뱅뱅 도는 개아미떼 갇지 안흡니까?

『동아일보』, 1935.3.17.

病床에서

陰曆年末-窓밖에 요란한 爆竹소리!
밥을 굶어도 舊習을 버리지 못하는 이 나라 사람들!
지난 해 이때에도 자리에 누어 저 爆竹소리를 들었거니 ……
오는 헤- 또 오는 헤…… 이 衰弱한 몸을 어데까지 끌고 가려나?

거미줄 낀 천정 우에 떠오르는 아득한 追憶!
追憶 속에서 비웃는 옛날 그 女人의 두 눈瞳子!
半쯤 먹다 남은 藥瓶을 天井을 向하야 힘껏 던저보네
孤獨을 사랑하면서도 孤獨을 못 이기는 얄미운 내 마음아!
-낡은 日記帳을 다시 뒤적어리네

한때도 쉴 줄 모르는 都市의 아우성 소리!
아픈 胃을 부둥켜쥐고 두려누은 文學中毒者!
두 눈을 감아버리면 무엇이 또 남으리
바람 앞에 초불 같은 사람의 목숨아!
-처량한 胡弓소리 黃昏을 재촉하네

药잔에 빠진 파리 한 마리

죽기 싫다 간얄핀 나래로 바둥거리네-안타까운 삶의 愛着아!

[그래도 살어야 한다 살어야 한다 피를 吐하고 쓰러지는 날까지 배워야 한다 써야 한다]

손까락으로 파리를 건저내고 쓴 약을 한 목음에 드리마시네

알맞은 形容詞를 찾기 어려운 病든 내 마음아!

(昭和 九年二月)

『조선문단』, 1935.4.

人生

까닭없이 사람의 얼골을 對하기 싫은 날-
나의 이즈러진 主觀은 가만히 두 눈을 감고 人生을 생각하오

나는 새(鳥)를 籠 속에 잡어넣고 그 悲鳴을 드르며
즐겁다 귀엽다 손벽치는 人生이오
네발 가진 즘생의 行動을 殘忍타 하지만 이보다 더 殘忍하리까!

애꾸눈이 -그래도 내 아들이오 언겡이-그래도 내 딸이오
世上에 둘도 없는 바보-그래도 나의 남편이오 나의 안해요
그렇나 이 마음은 한편으로 博愛를 말하고 社會를 말하고 民衆을 말하오
어느 聖者-어느 偉人이 정말로 「나」라는 「나」를 完全히 저바리고
남을 위하야 몸을 빛엇던고!
虛僞自人生이란 虛僞의 뭉텅이요

언제 부러질지 모르는 외나무다리
그 위로 列를 지어 行進하는 무리-그들은 이 위험한 다리 위에서
돈과 名譽를 생각하고 사랑과 地位를 생각하고 때로 울고 때로 웃소!
남보다 聰明하다는 것을 말하랴고 서로 물고 뜻소

英雄-그는 이 싸움터에서 가장 물고 뜯기를 잘하는 사람이오
그러나 그들은 「곰」(熊)을 가르처 미련하고 어리석다 하오

까닭없이 사람의 얼골을 對하기 싫은 날
나는 남을 비웃소! 나는 나를 비웃소!

『조선문단』, 1935.5.

初夏感覺

街路樹—
오른 일. 그른 일. 즐거운 일. 괘씸한 일
발 믿에서 무슨 喜悲劇이 演出되던지
偶然히 自己의 자리를 지키고 서서
속으로만 비웃는지 입 한번 열어본 일이 없는
이 都市의 늙은 沈默主義者—
그는 해마다 한 번식 갈어입은 新綠의 盛宴을 또 가추엇습니다

쇼오 윈도우—
그 큰 四角形 눈을 부릅뜬 채 시침을 딱 때고
코가 묻엇거나 흙이 묻엇거나 돈이란 돈은 모조리 긁어 들이는
이 都市의 巨大한 吸血鬼—
그도 때를 따러 어여뿐 海水浴服을 陳列햇습니다。

아가씨들의 마음—
自然의 變化를 제일 먼저 느끼시는 都市의 아가씨들의 마음
그 속에는 무엇이 가득 차 잇다고 생각하십니까?
海水浴服이 한 벌. 파라솔이 한 개. 香水가 한 병— 그리고 모기약과 빈대

약이 한 통식一

그럿습니다 一그들의 마음은 벌서 避暑地의 地圓을 샷습니다。

한 방울의 땅을 生命같이 애끼는 까닭으로……

-二五年.六月-

『동아일보』, 1935.6.9.

湖畔에서

무르녹었오이다-아침(朝)을 呼吸하는 저 新綠의 입사! 입사!
여기-내 數없는 우슴과 우름을 循环小数같이 굴리며
아침 저녁으로 허매는 異域의 湖畔!
青春-그는 오늘도 水面에 뛰노는 金붕어와 함께
이 길손의 쓰데 쓴 삶(生)을 집씹소

물 우에 비최인 저 입사! 입사!
첫 여름 微风에 고요히 하느적어릴 때
新綠의 薰香에 诱惑 받어 湖畔으로 나온 異國處女
아침 化粧에 가느러진 손까락으로
거울 같은 水面 위에 哀愁를 波纹지오
-그의 愛人은
一金八圓이라는 月给을 위하야 兵士志愿을 하였다하오

푸른- 기맥히게 푸른 이 新綠-湖水의 얼골
그 위를 點치는 인생의 喜悲劇의 속삭임
아! 당신은 무슨 公式으로 이 人生과 청춘을 結論지랴 하오?
어젯날에 이 湖畔에서 계집의 背叛을 비웃든 동모

이즈러진 人間生活을 바로 잡겠다 맹세한 동모
오늘 하로 세끼의 밥을 위하야 生命 같은 主義를 放賣하였거니……

그러나 때를 따라 싻트지 않고는 못 백이는 저 新綠의 입사! 입사!
우리는 물속에 뛰노는 金붕어의 繁殖을 믿어야 할 것인가?
創造의 真理를 저버리지 못할 것인가?
그렀오! 첫 여름의 하늘은 오늘도 변함없이 青天白日旗요。

『신동아』, 1936.9.

黃昏이 올 때면

黃昏이 올 때면
情熱의 漂浪-저 집씨-들의 치마 자락이
하로 해의 告別을 거리거리로 꼬리 치고 지나갈 때면
아! 젊은 내 마음은
무엇을 찾어 이다지 서글프뇨。

내 땅에 삶을 두지 못할
人生의 얄궂은 旅程에 시달려
故鄕 老母의 품이 그리워 눈물 짐이뇨。
그렇지 않으면-
港口-浮雲 같은 길손의 漂浪의 거리거리에서
아침 이슬같이 반짝이다 사라진
어느 異國處女의 玲珑한 微笑를 못 잊어 가슴 태움이뇨。
또 그렇지도 않으면—
개와 도야지도 싫다는 저 돈과 地位와 名譽를
지니지 못하고 하로 해를 지움이 설어워 한숨 짐이뇨。

까닭을 캐라면 이도 저도 아니언만

아! 젊은 내 마음은
무엇을 찾어 이다지 서글프뇨。
때로 하날깉이 텅 뷔이고 때로 바다같이 꽉 차는
이 길손의 黃昏의 마음은
말 못하는 벙어리의 가슴속이 아니뇨。

黃昏이 올 때면
길손의 가슴속을 까닭없이 설레이는 저 港口의 고등소래
오늘은 몇 개의 悲劇을 실고 들어왔느뇨

『조선문학』, 1937.1.

김기림(金起林) 편

大中華民國行進曲[02]

大中華民國의 將軍들은
七十五種의 勳章과 靑龍刀를
같은 풀무에서 빚고 있습니다.

『엑 軍士들은 무덤의 方向을 물어서는 못써. 다만 죽기만 해. 그때까지는 鴉片이 여기 있어. 大將의 命令이야……
엇둘……둘……둘』

『大中華民國의 兵卒貴下
부디 이 빛나는 勳章을 貴下의 骸骨의 肋骨에 거시고
쉽사리 天國의 門을 通하옵소서. 아-멘.
엇둘
엇둘』

---

02 『김기림 전집』1(김학동, 김세환, 高麗書籍, 1988.1.)에서 뽑아낸 것이다.

屍體의 흘음

曠野는 그 無限 속에
情熱에 타죽은 靑春의 죽엄을 파무덧다

火葬場
아모도 記憶하지 안는 죽엄을 하나
曠野에 심것다-
生長하여라 曠野여

滿洲의 한울은
娼婦의 배ㅅ가죽처럼
풀어저 드리워 잇다
午後의 太陽이
벌거벗은 샛발간 心臟을 들고
彼女의 灰色의 寢室을 처저 단닌다

「우스리」 깁흔 下水道 속에
午後의 太陽이
혼자서 빠저죽엇다

大地에서 뛰여나온 어린 아회가
갈대를 붓잡고
물속에 떨어진 黎明의 太陽을
낙시질한다
갈대를 붓잡고-

그는 들가에서
꼬리단 胡賊의 大將을 붓잡엇다
『걸어오는 太陽을 본 일이 잇느냐』
胡賊의 머리꼬리가 胡賊의 작은 골과 가티 돈다

그의 발길에 채여
사나희의 屍體가 흙을 떨며 大地에 뒹군다
-四肢는 줄어 붓텃스나 머리가 업다-
머리 업는 귀신이여
머리 업는 귀신이여
『너는 地獄에서 너의 戀人의 얼골을 보아도 몰으겟지』
「오호츠크」의 穩順한 물결이 따뜻한 마음을 가지기 始作한다
「오호츠크」의 桃色의 心臟에서 華氏30度의 바람이
따뜻한 「키쓰」를 담은 바구미를 들고 말러부튼 온 生物을 손질하며 거츤 들 우를 나러온다

한 겨울 동안 監禁되엿든 눈 아래 파뭇친 忘却의 옛집에 「잘 잇거라」를 고하고

太陽은 어린 아이와 가티 어러부튼 江面을 구르며 쏴단인다
無邪念한 解放된 「큐핏트」여 꼴작에 잔긴 깁흔 잠에서 놀라 깨여 간
식검언 江물은 「憤怒」와 가티 밀려나온다
黑龍江의 五月-

떠나려 오는 어름덩이 사이에서
沙工은 올을 자버서 서른일곱 번재의 죽엄과 對面햇다고 안해의 마음
너흔 때ㅅ상(飯床)에도 도라안지 안는 밤 沙工의 마음을 밤을 밝히며
낫모를 죽엄을 에워싸고 江을 나려간다

이윽고 그의 꿈은 물박휘치는 黑龍江 우해서
또다른 죽엄에 부대처 깨여낫다
그것은 그 自身이엿다-그는 스서로를 의심햇다
『다음날 그는 도라올가?』

우리들의 沙工은 벌판으로 뛰여나왓다 길가에서 ××軍의 대장의 「카-키」빗 군복을 붓잡엇다
『자네 무엇하려 자네의 「모젤」 끗흐로
××人의 「노-르만」 코에 겨누고 잇는가 잡버진 놈의 心臟 속에 자네 「모젤」 끗흘 적시여내는 때 자네의 人生에 무엇을 「풀러쓰」햇는가?』
또다른 모퉁이에서 부들부들 이를 가는 젊은 兵士의 손목을 쥐엿다
『보앗지? 자네의 會社의 二層의 社長室의 空氣가 불러가는 社長의 배ㅅ장 때문에 壓縮을 늣길 때 자네는 빗나는 白銅훈장을 드리운 가슴을 내밀고 자네의 부러진 다리를 끌고서 자네의 國土를 밟겟지

아에 자네들의 胃臟과 가튼 「××主義」는 자네들의 背囊 속에 집어넛케』

이튼날 새벽 동트기 전에

묵어운 구두소리가 江가의 새 밧흘 쓸고 간다

沙工의 기-ㄴ 녯이야기와 남은 이야기들을 담은 거적이 江 우에 던저젓다-도라서는 발자취 소리

『다음날 그는 도라올가?』 기다리는 안해의 작은 오막사리로 黑龍江에는 五月이 도라왓다

『조선일보』, 1930.10.11.

날개만 도치면

大連行의 旅客運輸機는 彈力的인 어린 曲藝師입니다.

楕圓形의 飛行場의 가슴 우헤서 빽빽한 「레-몬」의 아츰 空氣를 「푸로페라」로 휘저으면서 포근포근한 구름의 휘장 속으로 뛰여들어 갑니다.

善良한 할아버지인 해는 빗나는 金빗의 손깃으로 이 작난군의 銀나래를 어르만지며 벙글거립니다.

地平線을 나려가는 希望의 새여.
孤獨한 「미이라」인 우리들의 「生活」을 건저 가지고 이 옹색한 宇宙의
博物館에서 우리도 뛰여 나가련다.
우리들의 등덜미에 날개만 도치면 우리들도 出發하련다.
地平線 저쪽의 「아지 못할 날」에로 向하야 우리들의 날개를 펴련다.

『신동아』, 제1권 제1호, 1931.11.

暴風警報

東北-
一萬八千「킬로」米突의 地點-
暴風이다.
사나운 몬지와 불길을 차이르키며
暴風을 뚤코 나가는 散兵線.

살과 살의 부대침 번적이는 불꽃-
群衆의 굼틀거림-웨침.
투닥 탁 탁
「저 兵丁 정신 차려라.
총알이 너의 귀밋 三「인취」의 空間을 날지 안니?」
亞細亞의 地圖는 戰慄한다.

투닥 탁 탁
으아-ㅇ 앙
ㄹㄹㄹㄹㄹㄹㄹㄹ
타당
탕-

「平和 올시다. 平和 올시다」
엑,「라우드 스피-커」를 부는 자식은 누구냐?
미친 소리.
「제네바」의 紳士는 거짓말쟁이다.
너는「발칸」의 녯날을 니저버렷느냐?
「훌룸바이트」의 上空에서
피에 저즌 구름장이 떠돈다. 또 저기-
沙漠을 짓밟는 大蒙古의 進軍을 보아라.

東北-
一萬八千「킬로」米突의 地點-
暴風이다 暴風이다.

투닥 탁 탁
이 兵丁 정신 차려라

用意 - 突擊

『신동아』, 제2권 제12호, 1932.12.

編輯局의 午後 한 時 半

編輯局의 午後
한 時 半
모-든 손가락이
푸른 原稿紙에
肉迫한다
突擊한다

가을 해의
삐뚤어진
노-란 얼골이
주름잡힌
「커-틴」을 밀고
編輯局의
마루판에
잡바저
낫잠 잔다
찌륵
째륵

찰각

철걱

工場에서는

活字의 悲鳴-

社會部長의 귀는

일흔 두 개다

젊은 見習記者의 손끗은

조히 우흐로 滿洲의 戰爭을 달린다

馮玉祥

蔣介石

動員令

霰彈의 비ㅅ발

투덜거리는 機關銃

彈丸과 生命의 抱擁

땅을 할튼 二等兵의 最後의 「키쓰」

『어머니인 大地. 아-멘』

『一將軍의 神聖한 名譽을 위하야. 아-멘』

分娩의 數分前

다름박질하는 輪轉機

벙글거리는 齒輪

다리 꼬고 의자에 잡바저

나는 눈을 감고 網膜 우헤 그려본다

汽車는 驛마다

우리의 아들-신문지를 뿌리워 주겟지

全朝鮮의 수그러진 머리 우헤서

웨치는

딩구는

그 자식의 모양을

『신동아』, 제3권 제11호, 1933.11.

豆滿江

大陸은 이 간사한 혀끝이 보기 시려서
스무나문 발 江물로 갈라 노았다.
그럴 바엔 아주 바다에나 집어던지지
그랫드면 오늘 와서 딴 소리는 없었을 것을-

『조선일보』, 1936.3.18.

國境(가)

저렇게 털모자를 쓰고 나서면
短砲쯤 엽꾸리에 차고 시풀 걸
저렇게 다리 굵은 아기네가 목도리를 감아주면
이만쯤 눈포래엔 幌馬車ㄴ들 못 달리랴

國境(나)

車에서 나리자마자

어느새 寒帶가 코를 깨문다

國境(다)

살진 華僑가 나무 床에 기대서 「라디오」를 틀어놓고
祖國의 騷亂을 걱정스레 엿듣는 거리-

國境(라)

地圖를 펴자

꿈의 距離가 갑자기 멀어지네

『조선일보』, 1936.3.18.-19.

김덕흥(金德興) 편

高安村

고안촌 산채거우의 高安村
마을의 아낙네 맨발 벗고
우물가에 물 길으며 짓거리는 소리
그것은 낯익은 리웃집 아낙네의 소리러라
나무가지의 지저귀는 가마귀
西山 우에 지는 해
겨울의 저녁 바람 마을가에 감돌아들 때
동리 아희들의 짓거리는 소리가
물 깃는 아낙네의 소리와 석기여 들리어
아! 그곳은 따뜻한 곳이여라
情깁고 그리운
땃듯한 긔운만히 떠도는 故鄕이어라
그러나 뉘라서 조와하랴 태산준령인 험로
산채거우의 高安村 태평령 넘어
高安村 산채거우의 高安村
太平嶺 넘어의 高安村이것만
아! 그리워 목동의 피리 소리가

오늘 저녁도 물 깃는 아낙네들 지껄일 테지.

(太平嶺을 엄으면서)

註「산채거우」吉林省一地名

『동아일보』, 1926.7.27.

김동환(金東煥) 편

先驅者

눈이 몹시 퍼붓는 어느 해 겨울이엇다、
눈보래에 우는 당나귀(驢馬)를 잇끌고 豆滿江녁까지 오니、
江물은 얼고 그 우에 힌 눈이 석자나 싸엿섯다。

人跡은 업고、해는 지고—
나는 몃 번이고 도라서 망서리다가
大膽하게 어름장 깔린 江물 우를 건넛다。

올 때 보니
北塞으로 가는 移徙들 손에
넓다란 新長路가 맨들어 노엿다、
지난 밤 건너든 내외곡 길 우에다—

김동환, 『국경의 밤』, 한성도서주식회사, 1925.3.

눈이 내리느니[03]

北國에는 날마다 밤마다 눈이 내리느니
灰色 하늘 속으로 흰 눈이 퍼부슬 때마다、
눈 속에 파뭇히는 하-연 北朝鮮이 보이느니。

각금 가다가 당나귀 울니는 눈보래가
漠北江 건너로 굵은 모래를 쥐여다가
치위에 얼어떠는 白衣人의 귀뽈을 때리느니。

칩길래 멀니서 오신 손님을
부득히 挽留도 못하느니
봄이라고 개나리꼿 보려온 손님을
눈발귀에 실어 곱게 南國에 돌녀 보내느니。

白熊이 울고 北狼星이 눈 깜박일 때마다
제비 가는 곳 그립어하는 우리네는

---

03 이 시와 같은 내용으로 잡지 『금성』 3호(1924.5.)에 「赤星을 손가락질하며」라는 제목으로 게재되었다.

서로 부득켜 안고 赤星을 손까락질하며 어름벌에서 춤추느니
모닥불에 빗최는 異邦人의 새파란 눈알을 보면서
北國은 춥어라 이 치운 밤에도
江녁에는 密輸入馬車의 지나는 소리 들니느니、
어름짱 깔니는 소리에 쇠방울 소리 잠겨지면서。

오호、힌 눈이 내리느니 보-얀 힌 눈이
北塞으로 가는 移徙꾼 짐짝 우에
말업시 함박눈이 잘도 내리느니。

김동환, 『국경의 밤』, 한성도서주식회사, 1925.3.

松花江 뱃노래

새벽 하늘에 구름짱 날린다
에잇, 에잇, 어서 노 저어라 이 배야 가자
구름만 날리나
내 맘도 날린다

돌아다 보면은 고국이 천리런가
에잇, 에잇, 어서 노 저어라 이 배야 가자
온 길이 千里나
갈 길은 萬里다

山을 버렸지 정이야 버렸나
에잇, 에잇, 어서 노 저어라 이 배야 가자
몸은 흘러도
넋이야 가겠지

여기는 松花江, 강물이 운다야
에잇, 에잇, 어서 노 저어라 이 배야 가자
강물만 우드냐

장부도 따라 운다.

『삼천리』, 1935.3.

김두봉(金枓奉) 편

진단을 빌다

더 함을 너르힐가마 뫼 그늘에 누리야 아홉 번 바꾸이든 말든
큰 짐을 메고서 너 일어낫으니 거륵한 그 뜻은 이루고 말리다

『진단』, 제13호, 1921.1.1.

김로야(金露野) 편

东京城(渤海廢都)

빛난 塔은 어디메뇨 王都記 무친 곳은 어대멘고
가을벌레의 自由로운 管絃樂은 밤하늘 머-ㄹ리 鏡泊湖에 흘으는데
까마귀의 애처러운 울음소리 老松에 걸리여
廢都의 長恨이 移民의 가슴속에 고요히 깊어가네。

熱情과 榮華를 꿈속에 埋葬한 渤海여!
丹青으로 꿈인 宮殿은 어대메에 꺾울어지고
낡은 磐石밑에서 가을벌레만 구슬이 울고 또 슲어울가
그 平靜한 心臟의 鼓動에 異國의 젊은 放浪者의 마음은 失望되여
말러가는 그 가슴 우에 歎息과 哀愁의 诗篇을 조심히 묻으려 한다

『신인문학』, 1936.1.

김룡제(金龍濟) 편

종달새[04]

支那大陸의 結固한 凍土가
太陽과 地熱로 무녹어 왔다。
地上에 물 드리는 누르고 푸른 싹
하늘에 불타는 金色의 아지랭이
山 그늘의 積雪까지 바람을 타고 살아지고
골짝에 흐르는 새로운 시내가 바다로 간다

征馬의 넉소리 勇敢스럽고
防寒外套를 버슨 輕快한 억개
山櫻을 發見하는 즐거운 깃븜
大氣를 비고 나르는 彈丸의 音響까지
웃전지 피리 소리와 같기도 하다

戰鬪가 끝나고 쉬이는 겨를에

---

04 『조선문학』, 1939년 4월호에 발표된 김룡제의 시들은 "战争文学 亞細亞詩集"(第一回)라는 제목하에 실린 계열 시들이다.

저것! 하고 들이는 종달새의 노래야
너를 들으면 깃붐에 지저 울 듯 하고나!
가슴이 선뜻한 氣分에 爽快하다

종달새를 들으매
故鄕 생각이 무뜩 떠오른다
푸른 故鄕의 보리밭에는
父母와 女便네들이
銃後의 괭이를 元氣 차게 번쩍이고
사랑스러운 村색씨들이
배추씨 꽃밭에 나비를 좇아 날뛸 것이다
그 우에도 종달새는 노래하리니
食後의 談笑가 언뜻 끝이고
너의 노래에 귓뿌리를 세운다
다 태운 卷煙의 불꽃에
손가락 끝이 데이는 것도 있고
너의 노래에 恍惚해 버린다
晴明히 개인 하늘의 푸른 빛보다도
훨신 더 明朗한 珠玉을 굴이는
그 自然의 아름다운 音律에
砲聲에 귀먹은 귀가 시원이 티고
너의 사랑스러운 가벼운 날개가
높으게 얕으게 춤추는 탓일 게다

兵隊들은 너의 그림자를 찾으랴고
눈을 종지와 같이 크게 뜨고
空中을 向하야 한눈만 파고 있다
敵機의 爆音보다도
너의 노래는 참으로 偉大한 힘이

저것 보아라!
그것을 생각하면 더욱 아련하고나

江南의 종달새야
뭇노니 너는 아마도
故鄕의 使者나 아니더냐?
제비와 같이 바다를 건너 돌아가
戰勝의 消息도 傳하야 다고!

너의 노래가 멀었다 갓가웠다 하는 것은
봄바람이 물결치는 탓일
젊은 將校가 望遠鏡을 번쩍인다
너의 偵察이 始作되었다
그러나 너머 근심은 하지 말아
나는 너의 편이니
無線電信으로 가만히 일너주마-
高射砲가 참으로 쏘기 前에
可憐한 종달새야

兵隊 옆으로 삽분 내려 앉으라!

『조선문학』, 1939.4.

꽃

上海에서 南京에로
南京에서 漢口에로
漢口로서 다시 支那奧地로-

軍旗는 肅然히 烈烈히
連勝의 바람에 휘날이고
大陸의 地圖에는
無數한
日章旗를 樹立해 왔다

오오 萬里征路의
벌판을 넘고
江건느
싸홈의 자최는
三冬을 넘어 進行해 왔다。

戰의 가슴에는
두 번째 봄바람이 끌어 오르고

生命의 꽃이 자랑스럽게 빛난다
光明은 東方에서 와서
봄은 허울차게 天地에 가득하다

破壞된 古城의 그늘에
일흠도 없는 꽃이 아름답게 핀다
新綠에 펴오르는 숲을 그늘에
새의 무리가 즐겁게 운다
오오 華麗한 봄이여!
自然의 世界에는
참으로 奇蹟이 나타났고나!

「봄이 왔다
봄이 왔다
嶄壕의 꽃에 봄이 왔다
나의 코에도 봄이 왔다」
진달내 香氣를 맡으면서
步兵은 노래하듯 군소리한다

壯大한 戰爭의 想念 속에서
死를 두려워 않고
生을 믿는
銅錢 같은 가슴속에
한 떨기의 꽃을 사랑하는

상약한 마음이 있으랴고는!
그것은 自然의 꽃보다도
훨신 아름다운 마음의 꽃이다

꽃과 새를 질겨하면서
아련한 故鄕을 꿈꾸는 것은
어찌 갑싼 感傷뿐이랴
그리고 殺伐한
戰塵를 씨치는 慰安은 좋다

꽃에다 뜻을 맷기여
봄消息을 쓰는 사람도 있을 게다。
詩를 쓰고 노래를 짓는 사람도 있을 게다
사랑하는 이 片紙 속에
塹壕의 꽃을 삼못이 넣는 사람도 있을 게다

꽃을 사랑하는 상약한 마음은
꽃과 같이 피고
꽃과 같이 떨치는
武士道의 마음이기도 하다
그것은 또-
이 亞細亞大陸의
花園을 荒廢시키는
亂暴한 者를 휘꺾는

正義의 士의 마음이기도 하다

華麗한 自然의
꽃에 題하야
戰捷의 봄을 높이 讚美하라!
그리고 戰士의 頭上에
最後의 花冠을 빛내여라!

『조선문학』, 1939.4.

靑春

싸홈의 막다른 마당
나는 只今 익은 보리밭에 업대고 있다
銃身이 달토록
血盟의 彈子를 쏘고 있다

鋼鐵의 破片이 亂飛하고
無氣味한 死의 暴風이 휘날여 온다
한 個의 彈丸이
한 個의 生命을 노리고
하아의 瞬間이
한아의 運命을 飜弄하고 있다。

우리 편을 狙擊하는
橫暴한 敵彈이
悲壯한 吹雪을 덮씨워
보릿대 密林을 빗질하듯 태워 뉘킨다
익은 보리알이
銃火에 복기여서 地上에 허터진다

나의 눈앞에 掩護物은
平和스럽게 耕作하든 날
農夫의 괭이에 찍혀 패내킨
一塊의 褐色한 돌이 있을 뿐
이 나의 조고만 城壁에
벌서 몇 개의 彈丸이 부닥처서
불꽃과 함께 紛碎되는 돌의 煙氣가
나의 눈을 송도리 빼스랴 한다

나의 다음 瞬間이
저 한 줄기 보리의 運命과 같이
이 보리밭 한 구석에
虛妄에 살어저 갈지도 모른다
그러나 靑春의 불꽃이
燦然히 빛나는 瞬間의 繼續이다
저곳의 無心한 꽃과 같이
나는 아직 明日의 生命을 믿고 있다

나는 只今 아모 것도 생각할 餘地는 없다
그런 必要가 또한 어듸 있으랴
그러나 나의 것은 안인 듯한
어떤 神聖한 목소리가
아렴풋이 이같이 속삭이고 있다-

「生命이란 모든 것의 全部일까
生命의 저쪽에
生命의 모든 價値를 보라」

「生命이란 最後의 것일까
그의 아름다운 歸依의 彼岸에
永遠의 소리를 들으라」

「破滅과 墓標의 가운대서
生命을 믿는 것은 참으로 굿센 일이다
또는 創業의 土臺가 되어
死에 瞑目함은 더욱 아름답다」

「죽어서 가죽을 남기는 호랭이는 대견하다
그러나 美名조차 超越한
無念한 生과 死의 態度는
싸흠의 神의 마음인 걸 생각하라」

이같은 속색임을 듯는 瞬間에도
나는 이같이 싸호고 있다
現實의 나를 직히고 있다

나는 다만 無念하게 銃을 쏘며
벌서 銃 끝에 칼을 꼽고

肉彈의 覺悟는 되고 있다
突擊의 命令을 기대할 뿐이다

敵彈의 吹雪은 아직도 억세고
나는 靑春의 彈子를 쏘고 있다。
彈丸은 줄어서 얼마 남잔 았다
앞 뒤의 戰友가
넘어지고 傷해여간다
우리 部隊는 只今 苦戰中이다

나는 말꼰친 戰友의
彈丸을 모아서 銃에 재인다
사랑하는 戰友의 瞑福을
그의 復讐 가운대 盟誓한다

내가 쏘는 彈丸은
한아씩 한아씩이
반듯이 敵에 命中할 것을 믿는다
나의 生命을 노리는 敵彈을
한아씩 한아씩
반듯이 맛춰 떠러트릴 것을 믿는다

나는 이 숨차는 瞬間
生死를 不顧하고

다만 靑春의 불꽃을 헛트리면서
싸울 뿐이다!
싸울 뿐이다!

『조선문학』, 1939.4.

揚子江

萬里長城은
東洋最大의 建築이나
그것은 一時의 榮華를 이야기 할 뿐
오오 揚子江이란-
무어라 할 巨大한 佳人의 일흠일까
彼女의 가슴의 깊이를 모르고
彼女의 두 손의 널피를 모르고
어듸로 와서 어듸로 가는지
그의 목음을 모르고
그의 젊음을 모르고
오날도 悠悠히 大陸에 脈치고 있다

揚子江은
三千年 支那學의 어미
그의 文化는
流域인 沃野에 洵爛히 꽂피여 있었다
그곳에 春秋時代의 太平이 讚歌되었고
通鑑十五卷의 歷史가 째였었다

許多한 王朝가 興亡하고
幾百의 英雄才士가 日月을 닷투었었다
그 傳統의 언덕에서
幾十億의 生이 産湯을 길고
幾十億의 死가 輓歌를 흜었던가
只今 또 幾億의 民衆이
苦力의 運命에 呻吟하고 있는가
揚子江아
너의 묵음과 젊음은 알 수 없으나
如何튼 오날은 넘어도 無智하다
支那自體의 未來를 爲하야
全東洋의 幸福을 爲하야
너의 無智는 넘어도 恨嘆스럽다

不幸한 佳人의 運命이여
너는 아직도 放浪의 悲哀를 모르는가
사랑스런 故鄕을 생각치 안는가

그러나 揚子江아
너에게는 아직도 歷史의 記憶이 있을 것이다
堯舜이 愛賞하든 저 별 그림자는
아직도 너의 거울 속에 아름답건만……
그리고 이것은 넘어도 쓰아린 追憶이다
유니옹쟉크의 西方의 旗가

너의 處女性을 犯하고
阿片戰爭의 魔藥을 注射 받은 以後
너의 純潔한 혈액은 汚濁해 버렸다

東洋의 佳人아 可憐한 일흠아
阿片注射에 中毒되어
汚濁된 너의 피는 다시 狂亂해 갔다
모든 碧眼紅毛의 旲放蕩兒에게
속는 줄도 뺏기는 줄도 몰으고
領土를 주고 靈稅를 주고
鐵道를 주고 鑛山을 주고
입술도 乳房도 다 밧처 버렸다

오오 滿身創痍한 揚子江아
너는 무어라 할 무서운 賣笑婦냐
너의 運命의 末路를 생각해 보아라
스스로 欧米의 植民地가 되랴고 한다
四百餘州를 그들에게 割與하고
四億의 民衆을 奴隷로 팔야고 한다

神經이 腐爛한 너에게는
揚子江에 빠저서 呻吟하는
無數한 生靈의 눈물 맛도 모르느냐
너는 支那事變의 砲聲에도 잠깨지 못하느냐

醉에서 썩었느냐 귀먹었느냐
그러나 너의 自然과 傳統의 흘음은
西方의 高原으로 溯流치는 못할 게다
自古 그대로 東方으로 흐르고 있다
그곳에 새로운 亞細亞史의 코-스가 있고
너의 故鄕에의 永遠한 길이 있는 것이다

支那의 어미인 揚子江아
同文同種의 友邦은
亞細亞의 大同團結을 부르짖고 있다
四億의 民衆은 그의 握手를 바라고 있다
母性愛의 옛 노래를 다시 부르라!
只今야 말로 깨여서 끌어 오르라!
只今야 말로 東洋의 建設을 부르짖으라!

『조선문학』, 1939.4.

少女의 嘆息

길도 없고 집도 먼 깊은 山속
靑銅色 나는 바위 그늘 밑에서
白樺나무를 부둥켜 안고
可憐한 十六七 먹은 支那少女가
어린 톡기와 같이 떨며 혼자 울고 있다
여윈 볼과
깡마른 입술과
이마를 휘덮은 머리칼에는
少女의 모든 것을 일코
풀닢과 같이 푸르게 떨고만 있다
絶望의 잠긴 눈은
하늘 저편만 물끄럼이 怨망코 있다
鄕愁의 눈물은 붉에
시드른 佛桑花를 적시고 있다

사흘이나 못 먹고
사흘이나 못 자고
낮에는 砲聲에 몸을 조리고

밤에는 늑대 울음에 솔음 지치면서…
다만 嘆息하고 다만 우는 少女야

이곳이 어디일까
他國의 나보다도
너는 모히려 모를 것이다
너의 嘆息만에도
적은 가슴은 터질 것 같으리라
너의 일흠이 무었이냐
말도 모르는 내가
말도 못하는 너에게 물어 무었하리

可憐한 少女야
그러나 너의 그 고흔 입성은
너 같은 避難民의 채림으로는
넘어도 동떠러지게 훌륭하지 않으냐

或은 이상하게도 運이 不吉하야
祝福스러운 結婚하는 날
戰爭의 暴風에 휩쓸여서
新郎과 그냥 갈여 버린 채
이곳까지 내빼와 숨어 있는 게냐
아니다 그런 것도 안일 게다
臙脂와 粉 티 없는

흙냄새 나는 너의 얼골이 말하고 있다
너의 그 고흔 옷은 아마도 이렇겠지
出嫁할 때의 유렴으로
죽은 어머니가 해 두고 간
그 單 한 벌을 愛惜하는 마음으로
匪賊의 掠奪을 두려워 하야
奔走히 벽장에서 차저내여
떨이는 몸에 입고 주춤거릴 적에
너는 어느듯 避亂하는 사람에게 뒤처저
혼자 떠러저서 이같이 우는 게 안일까
무어라할 可憐한 少女의 마음이랴

안탁가운 少女야
너 같은 낫세의 處女를 보면
나에게는 故鄕의 누이 동생이 생각난다
고만 울음을 끈치고 安心하여라
나의 이 日本軍服을
조곰도 무서워할 必要는 없다

너의 少女의 嘆息이
더구나 그의 깊은 슲음이
國家나 民族이나 政治이나의
그러한 큰 意味의 嘆息이 안인 줄을 나는 안다
다만 죽엄 앞에서

戰爭을 무서워하는 너며
너의 집안 食口의 安否를 몰나서
그같이 嘆息 悲哀하는 것을 나는 잘 안다
그러할사록 너의 마음이 더 애처럽다

내가 只今 여기서
이 戰爭의 東洋理想과
皇軍의 良心을 이야기 하야도
너에게는 바로 알아 듯지는 못할 것이다
나의 軍服을 두려워 말고
이 빵을 받어 먹어라
이 水筒의 물을 따러 마셔라
인제는 그같이 歎息할 必要는 없다

너의 洞里로서는
匪賊은 벌서 다 쫓아 버렷다
避難民들도 벌서 돌아와 있다
너의 집도 食口들도 다 無事하다
나와 같이 너의 집으로 돌아가자

애처로운 少女야
나의 손짓하는 마음의 말을
겨우야 너는 알어 들었너냐
그 눈의 微笑가

나에게는 누이동생의 친한 동무와 같으다
너의 悲嘆이 가벼워지매
나는 나 自身이 살듯이
親愛한 마음이 문득 솟는다

『조선문학』, 1939.4.

爆擊[05]

工兵들의 神速한 作業이
볼 동안에 荒野를 골너서
새로운 飛行場이 닥거저 간다

검정 살결을 내놋는
肥沃한 大地 우에는
꽃씨를 뿌리면
아름다운 花園이 금방 날아날 듯
生生한 흙의 香氣가
하늘의 勇士들 가슴속에 풍겨든다

멧臺의 爆擊機에는
까소린 이 멕히고
爆彈이 滿載되여서
荒鷲의 銀翼은 待機하고 있다

---

05 『조선문학』, 1939년 5월호에 발표된 김룡제의 시는 "战争文学 亞細亞詩集"(第二回)라는 제목하에 실린 계열 시들이다.

가죽 軍服에 몸을 武裝한
젊은 乘組員들은
벌서 天上의 空氣에 가슴을 불이키며
出動의 信號旗만 기대리고 있다

푸로페라가 도는 소리를 내고
機體는 새로운 根據地를 끼처서
鮮明하게 離陸을 한다
自由러운 空中의 壯途로
爆擊隊는 勇敢스럽게 날너간다

높이 그러고 멀어 지자
世界는 眼下에 展開되고
한 장의 軍用地圖가
無限하게 移動해 온다
이便과 敵便의 戰列이
개미장과 같이 分布되여 보이고
塹壕와 크릭크가
지렝이 線을 不規則하게 그리고 있다

敵의 飛行隊와 막다쳐서
空中戰의 불꽃을 날이는 것도
只今은 벌서
上海戰의 追憶만 되고

機上의 機關銃은
低飛行때에
地上의 敵을 猛射하는
그것만으로는 不服스럽게 沈黙만 하고 있다

우리의 荒鷲는
벌서 敵의 頭上에 날개를 뻣이고 왔다。
高射砲의 彈道가
당치 않은 空虛를 쏘는 것은 좋으나
꼴구진 小銃彈丸이
멧個의 구멍을 날개에 뚤흔 듯 하다
機體와 人間은
한 줄기 神經에 향 緊張을 한다
爆擊할 戰機는 왔다!
大膽한 低飛行을 敢行하야
地上의 偵察를 한다
敵의 集中點을 견우워
爆彈의 急雨를 퍼붓는다

投下器를 뛰여 내리는 爆彈은
彈藥을 싼 굵은 鋼鐵의 화살!
重量의 加速度로 빠르고 적게 되어
검정 콩톨이 地下에 落下되는 瞬間
굉장한 噴火山이 터저 올은다

무서운 勢力으로 命中破裂하는 爆彈은
城壁을 粉碎하고
砲臺를 爆破하고
敵의 모든 것을 破碎해 버린다

한個의 爆彈이 爆發하면
幾千의 새로운 破片이 發言을 한다
爆煙이 올으고
불꽃이 벌어지고
모든 것을 燃燒해 버린다

爆擊의 任務를 다하고
悠悠히 機翼을 돌이키는 길에
陸上의 友軍이
빨이 그곳을 占領하도록 빈다

묵어운 爆彈을
앳김없이 선사한
凱旋의 機體는 개볍고 神速하다。

『조선문학』, 1939.5.

戰車

大空을 制壓하는
飛行隊가
空軍의 荒鷲라 하면
大地를 席捲하는
戰車隊는
陸軍의 荒獅子다

戰車는
바야흐로 不死의 鐵의 怪物
車輪의 鐵帶가 무서운 잇빨로
地上을 색여가며 猛進하면은
向하는 곳에 山도 없고 江도 없고
敵의 자최도 없다

鋼鐵의 心臟이
機關의 戰意를 沸騰식히면
岩石과 같은 怪常한 體軀가
地球를 울이며 달어난다

보아라!

草木을 짓발버 눕키고

驗한 山을 타울너 간다

濁流를 내뿜으면서

크릭크를 훌 건너간다

敵兵을 生理하면서

塹壕을 발버 부시고 넘어간다

鐵條網을 빠리켄

까짓건 모다 발밑의 먼지

城壁의 鐵門을 대갈 바지해

와직끈 부시고

突擊隊의 血路를 맨늘어 준다

鐵壁의 隊列이

前線을 나서는 壯觀은

海洋을 壓倒하는 艦隊와 같으다

機關銃의 猛射를 開始하면

銃眼의 戰火가 烈烈히 激怒한다

오오 戰車의 偉力이여

이 大陸의 戰線에

獅子와 같이 싸우고

말과 같이 갈어라

東洋의 길을 開拓하고

明日의 建設의 씨를 뿌리는

트락타의 코-스를 引導하여라!

『조선문학』, 1939.5.

步哨의 밤

새로 막 占領한
山上陣地에
입김이 하얏케 어는 겨울 밤을
步哨는 홀로 黙黙히
戰線의 神經을 직히고 섯다

風蕭蕭而易水寒이라
이 땅의 옛 詩는 을프고 있으나
只今은 바람도 물도
大地의 死와 같이 모도가 얼어 붙었다

밤은 駿駿히 지태가고
四邊의 山들은 寂寥한 한 빛
얕은 소나무 그림자가 다만
黙黙히 바우 살결에 滲透하야
累累히 버리고 간 敵의 屍體를 吊喪하고 있다

鬼氣가 迫到하는 瞬間의 흐음이

步哨의 心臟 속과
손時計 쎄콘드에만 살아 있다

눈앞에 왈칵 닥친 듯한
山脈의 暗黑한 絶壁이 荒城과 같고
그 등에 기우러진 쪼각 半달이
靑龍刀같이 서실이 서서
슲은 듯한 光線을 淡白히 내고 있다
먼 하늘 저便에서는
밤의 戰鬪가 벌어졌는지
探照燈의 光芒이
銀白한 무지개를 移動식히고 있다
소리도 들이쟌는 榴散彈이
華麗한 煙火와 같이
無數한 星宵을 내리고 있다
步哨의 눈과 귀는
銃口과 같이
날카롭게 緊張해 있다
防寒外套를 째고 뎀비는 寒氣가 모질어
間或 三步를 前後하는
操心하는 내 구두 소리가 작건만
엣!
그 소리조차 敵의 氣척인가 하야
어느듯 銃身을 꽉 쥐어 보기도 한다

山上의 밤步哨는

다만 黙黙히

無名한 銅像과 같이 서서 있다

戰友들의

今宵의 고요한 꿈을 빌면서

銃口와 같이 眼孔을 꼰워 뜨고

前線의 神經을 줄곳 직히고 섰다

『조선문학』, 1939.5.

笑話

激戰한 뒤에
능꾼이 된 古參이
언제 없던 우지 얼골로
계 가랑이로 기듯이
크릭크 물가로 내려간다

「妙한 곳을 맞었으면
네 마누라한테 一生 원망을 듯는다」
누군가 말하야 一同을 웃기인다

「고마운 참견마라
이 으른이
彈丸에 맞일까 분냐」
苦笑하면서 그는 댓구한다

「彈丸에 안맞고
똥 벼락을 맞은 자랑이냐
앗까 것은 大砲소리가 앓이고

너의 방구 퉁탕히엿단 말이지」
「戰爭은 방구 만치도 안역이지만
무서운 뱃病엔 똥을 지렸다」
능청스러운 古參이
亦是는 멀이를 긁는다
그래서 또다시 同情의 爆笑가 일어났다

『조선문학』, 1939.5.

김명순(金明順) 편

勞動者인 나의 아들아

-어느 아버지가 아들의게 보내는 片紙 -

아들아 여기는 滿洲
至今은 비 오는 밤이다
쭈룩쭈룩 슬픈 者의 눈물 갓흔 비빵울이
찬 바람에 휘불이고 잇다。

아! 아들아 이 밤은 참말노 寂寞하고나
여기저기선 無智한 地主님들이 내어쫏느라고
회차리질을 한 다발 노찬다 주먹으로 부신다
야단법석이고
한편에서는 골이 터진다 다리가 부러진다

病身이 된다 죽는다 왁짝벅짝 뒤끌코 잇다
그리하여 우리 貧弱한 農民들은
갈바 올바를 아지 못하고
눈물을 뿌리며 가삼을 치며 大聲痛哭을 하며
운다……。

쭈룩쭈룩 빗소래 눈물 겹고
고요한 밤우름소래 처량한대
압흔 가삼을 어루만지며 우는
아! 불상한 푸로레타리아야
너의들의 갈 곳은 어대 잇느냐?。

아들아 너도 每日 報道되는 新聞을 보고도 알겟지만
한 줄기 生命을 건저내기 爲하야
우리 貧弱한 農民들이
피땀 흘녀서 水田을 開拓하여 놋치 안엇드랫나……
그런 中 까닭업시 안인 밤중에 내여 쫏츠니
아! 우리는 어대로 가겟느냐?。

사랑하는 아들아
너는 工場에 일을 맛치고
오늘밤 客窓에 누어 北滿에 잇는 父母와 불상한
朝鮮同胞을 爲하야 눈물을 뿌리지!
아들아 우리의 압길은 이와 갓치 망연하고나

아! 아들아 참자 그래도 우리는 참자
(此間二行削除)
터저나오는 우름소리 소사나오는 눈물
그놈의 賤待 그놈의 虐待 모도 다 참고 익여 싸호자!
아! 아들아 工場의 勞動者인 나의 아들아

싸호자 힘써 싸호자……

일하자 힘써 일하자……

七月十日 아츰

『비판』 7-8월 합호, 1931.

김북원(金北原) 편

大陸의 小夜曲

초ㅅ불이 혼자 정적을 안ㅅ고
초ㅅ불이 혼자 애수를 품ㅅ고
기-인 밤을 타노니
기-인 밤을 이약이 하노니。

천정-
思索의 마라손、
오오 曲藝師 재주넘는 香煙의 연기여!
(마도로스 파이푸)
傳統은-
노스탈챠-우리의 보배러냐?
鄕愁는-
노스탈챠-우리의 곻은 宿命。

오오 거리의 빠-여 그문을 닫으라
異國의 기집애야! 가락(胡弓)을 놓아라、
大陸은 차거웁다

달빛도 흐리고 ……。

『시인춘추』, 제1호, 1937.

김성진(金聲振) 편

福童이 어머니 눈물

때는 지내간 二月 어느날
꿈속 갓흔 훤한 새벽
자진달이 哀愁를 부를 때
北쪽나라로 떠나간 福童이
참아도 내 맘에 이즐 수 업다.
어서 가요 하는 男便의 소리에
떨니는 소리로 福童을 달내며
악아 福童아 엄마게 업혀라
한밤 잣스니 간도로 가자
철업는 福童이 울멍거리며
엄마 나는 가기 실허으
압집 壽童이도 갓치 가야지
오냐 壽男이는 내년에 온단다.
그리고 間島에도 만흔 壽男이가 잇단다.
아니야요 그럼 나도 내년 가요
간도잇는 壽男이는 나는 몰나요
그 소리를 듯는 福童 어머니는

福童이 머리 우에 흐르는 그 눈물
아직도 내 맘에 어리여 잇서서
이날 이때도 이즐 수 업고나.

『조선시단』, 1928.11.

김성호(金誠鎬) 편

北京의 追憶

초롱가치 발근 가을달이
燕京의 거리를 비치고
北쪽 저- 北쪽에서 부러오는 싸늘한 바람이 살 속으로 숨어든 저녁에
中央公園 나무 사이를 시름업시 거니르며
故鄕의 아득한 생각을 뒤푸리하든 것도
오날에는 옛님이 되엿구나 追억뿐이라

깔깔한 모래 우를 삽분삽분 거러보며
하나 둘 셋 발자국을 세이면서
몹시도 울엇다 울긴들 오죽햇나
只今에는 엣닐이로구나 생각조차 아득해라。
함박눈 쏘다지고 찬바람 부든날 저녁에
눈먼 소경이 어린 아들 데리고서
身勢타령 아울너치는 四絃琴소리가
고요한 저녁 하날에 처량하게도 사모치더니
只今은 그것도 옛닐이 되엿구나 追억뿐이다。

『조선시단』, 제2, 3호합본, 1928.12.

김억(金億) 편

東路坊川[06]

東路坊川 넓은 벌은
물도 많고
땅도 좋소。
東路坊川 내 坊川아。

西間島를 내가 왓네
西間島를 웨 왓든고。
와서 三年
눈물이라。

東路坊川
좋은 벌이
출렁출렁 물이 닿고
건들건들 바람이라。

---

06 "金岸曙"란 이름으로 발표함.

노래 노래
기심 노래
坊川벌은 웃음이라
잘 살앗소 잘 살앗네。

東路坊川 친고네야
只今 어이 지내느냐。
西間島를
내가 왓소。

坊川벌에 금실물은
가을마다
豐年이라。
西間島를 웨 왓던고。

『농민』, 1932.9.

滿洲서[07]

1

와서 보니 넓구나 南北滿洲는
눈가는 곧 모도다 들에 들이라。
天下벌판 이곳에 뫃엿단말가
가도가도 끝없는 질펀한 벌판。

볼지어다 돋는 해 들 위에 돋고
지는 해는 들 위에 지지 안는가。
바람은 山이 없어 쉴 곳 없다고
넓은 들을 휘돌며 쓸쓸이 울고。

말몰이 胡人들은 제멋 제格의、
채직 둘너 空中에 딱 소리 내나
죽은 듯이 눕엇는 넓은 들에야
反響이나 잇으랴、그저 고요타。

---

07 "金岸曙"란 이름으로 발표함.

거츨대로 거츨은 生疎한 곧에
人家라고 여저긔 한둘 잇으나、
딴 나라의 사토리 귀에 서툴고
만나 나니 胡人은 시컴할네라。

世上樂土 滿洲라 찾아온 것이
쓸쓸하다 이 꼴은 참 못 보겟네。
보습이란 한번도 대인 적 없는
예대로 누워 자는 거츤 荒蕪地。

2

곧 달으면 物色도 달나진다고
아모리 니르는 말 잇다 하여도
이렬 變야 또다시 어듸 잇을고
눈에 설고 귀설은 남의 나라땅。

살 수 없어 故鄕을 등진 身勢에
좋다마다 할 것이 못 된다 해도
힘에 넘는 이 일을 어이 當하며
먹어갈 길 당장에 氣가 막히네。

食口라야 세 사람 많지 않대도
아츰 저녁 지내기 難處도 하건
파리한들 거츤 땅 어이 갈으랴

생각하면 가슴을 두들고 싶네。

農事라고 빗내어 덥은 녀름에
피땀 흘녀 간신히 지어섯건만
가을 되야 農債를 갚고 나서니
남은 것이 무엇고 苦生뿐이다。

今時라도 생각은 모다 던지고
불야불야 고향을 가고 싶으나
날지 못할 몸에는 路資도 없고
시름만 한갓되이 구름 끝 도네。

3

錦衣還鄕 말마라 모다 꿈이요
갈스록 平安한 날 하로도 없네、
울며 오는 南녘의 저 기럭이야、
반갑다 故鄕 하늘 너 단녀왓네。

가는 歲月 덧없다 탄식는 몸은
잦은 離別 佳人의 뜬 시름이나
거츤 벌 외론 곧서 복기는 몸엔
노랑 별 지는 해가 三年잡이라。

하로 같은 苦役이 떠날 날 없건

가을달 밝은 빛은 어이 즐기랴。
거츤 벌에 봄들언 몸만 고단코
겨울밤 찬바람엔 생각 쓸쓸타。

야속타 이 목숨은 한 해 두 해의
가는 歲月 덧없다、발서 다섯 해。
이렁저렁 이대로 지대다가는
거츤 벌에 외론 몸 묻히나 보다。

먹는 둥 마는 둥은 살님사리의、
營養不足 가엽다、해슥한 얼골。
늙은 부모 여윈 양 무어라 하리。
푸른 하늘 우럴며 혼자 외칠 뿐。

—長篇叙事诗『지새는 밤』中의 一節

『농민』, 1932.12.

安東縣의 밤

安東縣에 하얀 눈이 밤새도록 내려옵니다。
고요히 오늘 밤은 눈 우에 누워 잠을 듭니다。
볼사록 캄캄한 밤은 볼사록 희여만 집니다。

安東縣에 보얀 燈은 밤 깊도록 깜박입니다。
苦力는 오늘밤도 눈 속에 쌓여 헤매입니다。
볼사록 희미한 불은 볼사록 꺼질 듯만 합니다。

安東縣에 소리 없이 내려오는 눈
安東縣에 속도 없이 반득이는 불
安東縣에 볼사록 까매지는 밤
내맘에는 하욤없이 눈물 집니다。

김억, 『안서시초』, 박문서관, 1941.

김영진(金永镇) 편

吊荆轲

秦宫에 남긴 자취 이러저러 말을 마소
燕京 떠나올 제 六國山河 삼킨 남아
어줍잔 咸阳娇兒야 있건 없건 하여라。

易水 찬바람에 壯士悲歌 읊었고나
鴻毛에 붙인 목숨 목숨 아껴 하였으랴
未盡한 人間苦恨을 잊고 가려 함일세。

燕市의 酒徒들아 丈夫魂이 어떠터이
當年의 意氣男兒 颜色 없어 하지마소
무지개 높은 하늘에 구름 흩어 지여라。

『문장』, 1939.9.

김용호(金容浩) 편

만주 가는 길

비스듬이 들어 누어
기차가 산모랭이를 지나면

거기에 꼬마손의 마을이 보이고
그 속에 어머니가 보이고

별은 가난을 안은 채
진물 나는 흠집을 갖고 북쪽에 흘러

눈 나리면 낮 서른 사이에도
함께 나누이는 슬픔

얄루강을 넘어 서면
콧물도 간간이 짜

우충충한 층계를 나려오는 하늘이
설레이는 마음과 어울려

백알을 마신 듯

가슴이 찌르려 하더라

김용호, 『해마다 피는 꽃』, 시문학사, 1948.

김우철(金友哲) 편

北國의 봄

오리(鴨)강 어름 풀려
흰 돛 검은 돛 오가는데
鎭江山 허리 벗꽃나무 가지마다
옹긋봉긋 방울 졌다니-
아하、北國에도 봄의 女新이 찾아왔읍네。

冊床머리 花甁에 꽂은 진달레。
온 아침 두 송이 피였어라。
거리의 女人이 선물로 준 꽃!
시들기 전 그윽한 香氣、마트려네。
아하、國境의 거리에도 봄이 깃드렸읍네。

四月의 잔디판에 반드시 누어
새파란 봄하늘을 바라보매。
땅에는 아즈랑이 사히로 새싹 엄트지만
하늘에는 希望의 女神、종달이 노래-
아하 北國의 하늘에도 봄은 피여올읍네。

마실의 꿈을 실고

흘러내리는 실溪川。

언덕에 느러선 수양버들 가지마다

파아란 물이 올랐음매。

아하、北國의 農村에도 봄은 나려왔읍네。

(昭和十年、三、二)

『신인문학』, 1935.6.

봄·물결을 타고

-새로운 樣式의 첫 시험-

(一)

봄一五月ㅅ달!

北國의 봄은 압록강으로부터…….

國境의 景槪——울렁한 濁流!

나는 大陸의 心臟인 네 품에 안겨 있고

네 그리운 가슴을 사랑한다.

國境의 草家에 파묻힌 北國의 女人 一

女人의 乳房에서 내뿜는 香그런 젖을 빨며

그의 너그런、젖가슴에 파묻혀 成長하야

오리(鴨)강 열두 간의 무쇠 다리 위에 泰然이선、

北國의 산애자식 - 내가 어찌

國境의 風致를 사랑하지 않을 건가?

(二)

順風에 돛을 단、우리들의 帆船은

지금 오리강 江幅 위에 고요히 떠서

白波靑海를 헤치며 흘러간다。

찰삭、찰삭 물결이 배ㅅ전을 따리면
배는 좌우로 한동안 까불린다。
그럴 때마다 우리들은 中心을 잃고、
물결의 노래에 취하야 흔들、흔들…
半醉한 사공의 입술에선
興에 겨운 코ㅅ노래가 새여나온다。
내 사랑하는 國境이여! 흐름이여-
가난한 사공이여! 國境의 거리여!
네 가슴에 파고 들어온 北國의 아들딸을
너는 왜、한번도 따뜻이 품어 주지 않었는가?
너는 왜、차디찬 입ㅅ김으로 그네들을 凍死로 몰았는가?-

(三)

點點이 구비처 흐르는 「아리나레」여!
生活의 悲哀를 실고 흘르는 얄룹江이여!
그대는 아는가-오눌、
黃金의 主人과 青春男女의 물결이
다리 건너 安東縣 鎭江山公園으로 밀려가는데、
이제 오늘 滿开한 벗꽃나무 밑에
幸福 받은 「삶」과 價値 있는 「青春」을
맘껏 享樂하려는 사내야、계집애야!
늬들은 대체 꽃求景을 가는 거냐?
챠으면 異性의 윙크를 찾는 건가?

(四)

물결 타고 흐르는 우리도 그렇다만
참으로 幸福받은 늬들은、오늘-
너무나 遊興에 興奮되였고
너무나 값싼 享樂에 醉해 있다。
벗꽃나무 밑에、쓰러졌다、술이 깨는 날、
늬들의 앞에는 色다른 國境이 있고
어둠에 잡혀 쭈그리고 있든 무리들이
라팔 불고、두리둥둥 북을 치며
새로운 봄동산으로 올라올 것이니、
오오、늬들은 오늘-
너무나 醉했고、너무나 興奮되였다。

(五)

偉大한 空想을 실고、
真理의 探求者-帆船은 前进한다。
勝利의 彼岸、黄金섬 柳草岛를 향하야-
바람이 거세고、
물결이 거칠게 일지라도、
꾸준이 前進한다。앞으로、앞으로!
「여보 사공친구……
배키를 돌리구려! 왼쪽으로 -」

(六)

저녁의 鴨绿江、물결은 높고
柳草岛의 渔船들 돌라도네。
사랑할 수 있는 자지빛 노을이여!
꿈ㅅ길로 誘惑하는 灰色、黄昏이여!
神秘스럽고 嚴肅한 밤의 黑幕이여-
하로의 水路에 피로한 우리는
네、포곤한 젖가슴에 얼굴을 파묻고저、
國境의 거리、色鄉村、百合花들!
붉은 입술의 유혹도、
푸른 술잔의 香氣도、
잊어버린지 오랜、지금-
港口의 게집애야!
埠頭에선 異國의 賣笑婦야!
늬들의「윙크」도 흘림도
北國男兒의 氣概만은 꺾지 못하거든。

(七)

우리들은 歷史의 江幅 위에
真理의 探求者 帆船을 띠운、
北國의 늠늠한 青年들이외다。
우리는 니히리스트도 아니다。
우리는 로맨티스트도 아니다。
-모던이스트도、쎈티멘탈이스트도 아니다。

우리는 真理의 探求者-
우리는 最后에 웃는 者……。
-그들의 使徒외다。
우리는 眞理로 안다-
眞正한 「사랑」이란 地球상에 없단 것을!
우리는 眞理로 안다-。
너、나、할 것 없이
地位慾、名譽慾、物慾、性慾、食慾의 奴隸란 것을!
洋服쟁이나、거지나、農事꾼이나
大學生이나 女給이나 로동자나
衣裳을 벗기고 가슴을 헤치고 보면
다 같은 社會的動物이란 것을!
다 같은 慾心의 權化이란 것을-

(八)

또다시 우리는 생각한다 ……。
異性의 길은 性慾의 墳墓으로 向해 있고
모든 動物과 人間은 自我에서 出發하야
共同墓地의 한 줌 「흙」을 봇탠다는 걸!
저잘란 자미에 사는 人生들이란 걸!
大陆이여! 北國의 엄마여-
오늘、眞實로 깨달었아외다。眞理로써。
眞理의 探求者-우리들의 帆船은
波濤와 싸호며 흘러간다。

(九)

그리운 柳草島-

너를 가르쳐 黃金섬이라 한다。

滿洲國、三頭浪頭(산다랑투)—

부두에 나와선 中國處女야!

누구를 기다리느냐?

누구를 보내는거냐?

너는 異國의 靑年을 사랑하고 싶지 안늬。

너는 北國男兒의 벅찬 가슴이 그립지 안늬。

港口의 女人-異國의 게집애야!

오늘밤、우리들은

네 포동포동한 젓가슴을 그리워한다。

(十)

봄. 물결을 타고

흐르고 흐르면

닿는 곳이 어디냐?

우리들은 眞理의 探究者-

나는 지금 게집의 「사랑」을 疑心한다。

나는 同志의 사랑도、엄마의 사랑도、

죄다、利己적 사랑이라고 생각하오。

相對的愛情은 있어도、絶對的愛情은 없다고!

그리고、人間社會의 單位를 「自我」라고、믿소。

나는 緊張된 生活의 雰圍氣에 쌓여

좀 더 強하게 빛나게 살어 보고 싶다。
自殺志願者, 戀愛落第生을 打殺하고
希望과 憧憬을 안고、突進하는
永遠의 青年을 나의 동무로 맞으려네。
그리하야 北國의 늠늠한 青年들과 함께
五月의 江幅에 배를 띠웠사외다。
찰삭、찰삭 … 물결이 배 ㅅ전을 따릴 때
새로운 地點에서 再出發한
우리들의 帆船「眞理」號는
버들숲 욱어진 黃金섬 柳草岛를 向하야
黃昏의 江幅에 금을 긋는다。

- 昭和九年五月二〇日-

『신인문학』, 1935.6.

김익부(金益富) 편

鴨綠江의 세레낫트

부서저 흐르고
구슬저 흐르는
물결치는 소래에
더구나 구슬피우노라
배 타고 이 浦口를 떠나신
알듯한 님을 생각하오매……

七月의 밤 江邊
고기잡이 홰ㅅ불
하나 깜박 둘 깜박
물그림이 바라보면
더구나 외로워 우노라
밤낫 손곱아 기다리는 날이
아직도 멀물 생각하오매
(一九二八.七.二七)

『조선시단』, 제3호, 1928.12.

사공의 밤노래

이 밤이 새면
이 비 오는 밤이 새면
배는 둥실 떠간다네
이 鴨川의 浦口를-

밤이 새면
가기는 가려니와
다만 안탁가움은
리별이 설업네
내 사랑 浦口의 處女-
오-내 사랑 처녀야
언제나 또다시 맛날가
네가 빨내하든 돌 우에
리별의 설어운 내 눈물
고요이 담고 가리라-

『조선시단』, 제3호, 1928.12.

김조규(金朝奎)[08] 편

懷鄕曲[09]

그리워、그리워 예살든 내 故鄕이 그리워
오날도 버들가지 푸른 언덕에 앉어
슲어、슲어 콧노래를 불으네
그리운 曲調、말조차 닞어버린 옛날의 그 노래를

애닲어、애닲어 내 가슴속이 애닲어
오날도 나는 시내ㅅ가 풀밭에 누워
늣겨、늣켜 회바람을 부네
어릴 때 흥겨워 불든 풀피리 곡조 그 노래 가락을!

아아 닞어버린 옛날의 노래가락이여
흔들니는 피리의 애닲은 音響이여

---

08 김조규의 시에서 발표지 미상인 시는 숭실어문학회에서 펴낸 『김조규시집』(숭실대학교 출판부, 1996년)에서 뽑아낸 것임을 밝힌다.

09 김조규는 1939년 만주로 건너와서 생활했다는 것이 정설로 되어 있지만 『신동아』지에 발표한 이 시는 間島 金朝奎라고 밝힌 것을 보아 만주에 다녀간 동안 지은 시임을 알 수 있다.

오날도 나는 창문에 외로히 앉어

붉은、붉은 저녁 한울을 바라보네

그 하늘 밑에서 뛰놀든 때를 머릿속에 그리며!

『신동아』, 제2권 제7호, 1932.7.

편지

달밤이면 너는 바다를 생각해야 한다
찬 가을이 가져오던 어린 鄕愁를 記憶해야 한다。

鍵盤 없는 피아노의 힌 손, 힌 손
슬픈 傳說을 말하는 늙은 樂士……바다
落漠한 바다의 構意를 너는 슬퍼하느냐
나는 지금 肉化하는 記憶의 道標를 직키고 잇다

아카시아 아베뉴를 걷던 네 푸른 치마자락이
追憶의 손手巾이 되어 가슴에 펄럭인다
내가 조와하던 바다의 廻廓엔 季節이 울리라
(안나 울어선 안 된다、조용이 南쪽 바라지를 닫어라)

담배를 피워 무니
밤은 차다
눈물을 香露보다도 즐겨 마시던 너와 나.
오오 煙環 속에 떠오르는 네 像이 슬프고나

아예 너는 南方을 그리워 해선 안 된다
외로우면 ……
네가 조와하던 머언 天使의 이야기나 읽으며
밤새 처량한 海潮音과 더부러 고이 잠들어라
바다를 일은 나는 白鳥보다도 슬프단다

『동아일보』, 1939.5.7.

疲困한 風俗

오늘도 해는 저무러
또 하나 기인 陰影을 끄을고……

나의 歸路에 나는 나의 年輪을 잊고
움직이는 한 그루 枯木을 構圖한다
담배를 피워라 여윈 손가락이다
나의 壁을 貫通하는 허이연 두 줄기 軌道

이제 남은 것은 喪失當한 나의 存在
憤怒도 섧음도 水晶이 되엿다
나의 感情이 葉綠素 같이 퍼지든 밤
너는 네 얼굴을 네온으로 染色하며 돌아갔거니

내 生活의 적은 餘白이 왜 이리 孤獨하뇨?
오늘도 層層階에서 病든 나의 思想을 보았다
十萬倍 擴大鏡 속에서 꼬리 저었든, 「볼리셀라」의 群像
오르고 내리고 가고 오고……

(부셔라 깨트려라。 담배를 던진다
허나 風船의 倫理다 남는 것은 또 하나의 自嘲)

오오 都府는 黙然히 暄目하는데
나의 넥타이가 海藻처럼 疲勞웁고나
- 己卯 四月 -

『조선문학』, 1939.6.

海岸의 傳說

北海岸 적은 港口에 사는 안나는 긴 行列이 海岸道路를 기든 날 반갑지 않은 地球의 딸이 되엿다.

水平線을 바라보며 자란 안나의 꿈은 海市인 양 恍惚하엿다.

林檎나무와 새벽 이슬을 조와하는 成熟한 少女 안나

밤 - 피아노의 臺에 안즌 힌 손은 물결을 옷 입다.

힌 모래알 새새로 어린 마음이 새고

머얼든 水平線이 壽命을 주름잡어 차차 가까워지고

풀은 硝子體. 水晶體.

魚族과 珊瑚와 온갖 神秘를 감춘 童話의 海心. 童心.

(그러기에 나는 안나의 시원한 눈을 가장 사랑하엿다)

하이얀 燈臺의 感情이 싸늘하게 식는 날이면

마음은 언제나 大理石 위에 墓誌銘을 색이는 ……안나!

슬픈 風俗이엿다. 부풀어 올으는 霧笛.

안나는 제집, 베란다에 앉어 알지 못할 鄕愁에 설허햇니 안개인 양 찾아왔다 病들어 돌아간 南方의 길손.
그날 밤 波濤는 울어 울어 울드니만
(車窓에 떠오르던 네 얼굴이 작고만 흐터지드라, 아듀!)

北海岸 적은 港口에서 자라난 바다의 女人 안나
머언 海洋을 旅行온 微風이 上陸하는 爽快한 어느 날
안나 아닌 다른 안나는 花香 풍기는, 아베뉴를 지나, 지나
故鄕 아닌 제 故鄕으로 海風에 餞送되여 돌아갓다드라.
- 戊寅 여름 -

『비판』, 1939.9.

病든 構圖

그날 밤의 記憶은 푸른 씩낼이다
弔服을 쓰고 夜霧 속으로 숨은 네의 슬픈 微笑다

그 후부터 나는 기울어지는 弦月을 가졋노니
强한 苦杯를 盞 가득 부어노코 간 너의 힌 손
밤이면 쓸쓸히 瞑目하여 본다
카나리아 너는 언제 子音 업는 노래를 停止하겟느냐?

들窓에 氾濫하는 것은 머언 記憶의 紅酒다
이 밤 나의 室內에 빨간 츄립은 어인 諧謔이뇨?
闇中을 摸索하면 떠오르는 絶望의 碑文-
차디찬 距離를 나의 位置에 두며
造化와 都府의 들窓。 어두운 構圖 속에 病든다

眞實을 虛構로 僞善하는 層層階의 論理
지금은 自嘲도 지쳣다
歪曲된 思索에 憤怒도 病들다
담배를 피여 물고

葬地를 머언 異域으로 選擇하여 보노니

法規의 피에로
오오 室內의 靜寂이 끝없이 무서웁다
너는 또 붉은 鄕愁를 불으라 하느뇨? 디오니쇼쓰
　己卯 여름

『비판』, 1940.1.11.

馬

1

네가魚族이되어보풀은여름밤을헤엽칠때나는네의華美를슬퍼할줄몰으는나를슬퍼하였다너는네皮膚를欺瞞하며네의肝線을異國産品으로封鎖하나네가먹는冷性飼料는花瓣과같은高熱을낮울수는있을망정레 - 쓰실같은네의血管을속일수는없다密生한羊齒類植物의불타올으는意慾。너는버얼서휘파람부는魚族일수는없다

2

날맑은날너는雨傘을들고채송花핀꽃밭을걸으며沈黙한것은네의四葉클로버를슬퍼함이냐네의裝飾한뒷발통이클로버의軟한잎새잎새를문질으며移動될때슈미 - 즈와바요렛뜨레스를입은젊은馬네의얼골은魚族을닮으려하나네의옷고름엔家具가記錄되였다너는네의四葉클로버의풀은血痕을디오니쇼스의思想이라하느뇨?

3

네가林間호텔의花崗石베란다에앉어꿈꾸는비이너쓰를조잘거릴때다리와다리속으로보이는달과驢馬의컴포지숀아카시아花香이昇華할려는네의脂粉을侮辱하는밤樹木이흔들릴때마다움직이는縞馬。머얼리구부러진외로운아

베뉴를걸어도네의기다리는思想은누어있지않었고네의뿌론드속에선誇張된종다리도울지않었다.

4

달빛에너를두고달빛속을旅行할때너는달빛보다시원한여름밤을가졌었다해가우리의思想을忘却한너는밤과낮을꺼우로서사는動物。칼피쓰를빠는네주둥이와수박의붉은살을깨무는힌이빨을너는보았니?한오리두오리天井에올을사이도없이파잎의구룸은흐터지고흐터지고芭蕉의설음을同情하는너는그實芭蕉보다슬프다

(뮤 - 즈여椅子와芭蕉잎사이에넘어진저馬의慾望은누구의것이뇨)

『단층』, 제4책, 1940.6.

室內

古風한 椅子가 한 臺。

庭園에는 달빛이 氾濫허고……

네 얼골이 湖面 우에 떠올을 때면

쏘 - 다水의 설음은 깔아앉는다

달빛이 찬 밤、

비인 寢室、만도링의 誘惑과 풀은 窓

傷心의 이야기도! …… 지금은……

아름다운 머언 童話다

힌 磁器와 深紅의 카 - 네숀

墳墓 우에 밧드린 한 폭 不忘의 선물이뇨?

葡萄송이의 味覺을 잃었고

이제 花瓣과 같은 네의 肉體마저 잃었으니

蛇의 思考가 달빛 같은 肉體에 남었을 뿐

테라쓰를 적시는 달빛 「쏘나타」

오오 郊外를 걷든 네 자욱 소리가

壁으로 壁으로 숨는다 밤새……

『단층』, 제4책, 1940.6.

壺 1

名匠의손으로된바도않인壺를나는寢室에두고바라본다내가壺를좋와하는 것은水平을가진美麗한파라솟파라솟은않이다、壺心않인壺心의風景은오므려 들고伸張되고萎縮하고……僞善하는壺는그實少女도않이요琉璃窓도않이요 壺다。

『단층』, 제4책, 1940.6.

壺 2

寢臺에 자빠진 淫女。花壺。

『단층』, 제4책, 1940.6.

壁

거울 속으로 힌 낯이 逃走한다。기우러지는 地球儀。하건만 나 앉인 나는 瞑目할 줄도 몰으고 슬퍼할 줄도 몰은다。牧歌的인 風景의 構意는 철없는 植物의 倫理다。내 오랜 記憶을 支持하고 있던 腦細胞의 分裂。

너의 肉體는 머언 山脈이 되고 기인 行列은 行列이 쓴 死面의 表情을 몰은다。거울은 거울의 思想을 忘却하였고 얼골 얼골은 제 얼골보다 行列의 얼골을 다 잘 안다。다리와 다리, 凱旋하는 類概念의 旗幟。

씰크햇을 쓴 紳士의 손이 발보다 길다。검은 禮服을 끌며 蒙古風인 손톱을 그래도 짧다 한다。네 손톱이 내 눈알을 파내였느뇨? 오오 지금 나의 壁을 받는다는 것은 生殖器와 사마구。사마구。개아미 같은 循環小數의 解答은 壁에도 없다。문허지려는 壁에 뮤 - 즈여 그림을 그려라。性畵를 그려라

『단층』, 제4책, 1940.6.

林檎園의 午後

붉은 庭園은 푸른 天井을 이고
바닷가에서는 少年이 白馬를 戱弄하고

바람이 풀피리를 불며 散策하는데 거울 속에서는 붉은 裸像의 女人이 午睡를 滿喫하고 있다 내가 좋와하는 氷酸의 味覺이 어느 헤바닥에 구으느뇨? 疏林 사이로 기일게 뻗친 힌 손手巾이 머언 記憶을 실고 櫓를 저어 櫓를 저어 찾어온다。바다 가까운 果樹園의 戀愛를 검은 思索으로 덮든 그날의 構圖。

웃는 草字의 얼골
端雅한 楷書의 모습

어느 가을날 붉은 만도링 있는 海邊의 風景과 함께
온하로 그려놓은 少年의 落書를 물결이 싳어갔다。

길손은 祖國의 한울이 나려덮이는 航室의 圓窓에서 밤마다 時計盤과 地圖를 드려다 보았고 園丁은 길손이 돌아오면 붉게 爛熟한 열매 열매를 고이려 하였는데 ……。오오 네의 풀은 잎새는 너의 엷은 嘆息이였드뇨? 붉은 肉體가 젖어드는 밤, 길손이 오기 前 讀本의 試饌은 물결 소리 유달리 처량한 밤 바다가였다。

지금 少年은 少年이 않이다。
언덕을 背景하고 少女들은 陳列되는데
林檎園의 午後에 돌아온 길손은
異國製 담배를 피우며 피우며 木馬의 表情을 짓고 있다。

『단층』, 제4권, 1940.6.

病記

흰 백합꽃이
내 병실의 쇠잔한 숨결을 지킨다

나의 꿈은
하늘 나는 수리개였고
나의 소망은
사막에서도 높이 솟은
太陽의 비라밋트였는데

지금은 한술 미음도 힘들다누나
記憶을 씹으며 연명하는 육체
꽃병과 마주하여 이야기한다
모두 돌아간 깊은 밤
병실에 홀로……

꽃을 보낸 마음은
꽃보다 아름다우련만
밤의 유리창

떠오르는 네 미소가 서그프다

포장을 치고
눈을 감어본다
등잔불이여 나의 臨終을
너만이 지켜다오
가는 길이 어두워서야 되겠니?

눈동자가 나의 육체보다도 더 커지는 밤
꽃은 초불처럼 병실에 가득 찬다

『조광』, 1941.10.

仙人掌

샤보뎅
빗방울 소리 난다

샤보뎅 속에 어린 鄕愁가 산다
鳥籠 속 보리밭이 머얼듯
샤보뎅의 鄕愁는 머얼다

한낮에도 꿈을 사랑하며
샤보뎅은 그저 외롭단다
年齡을 헤이며 한층 더 외롭단다

꽃 피면 꿈을 잃는-
그러기에 남모올래 피는 샤보뎅의 꽃은 남모올래 잃는
샤보뎅의 꿈이란다

샤보뎅
午後의 샤보뎅은 불쌍도 하다。
-辛已 八月-

『춘추』, 제10호, 1941.11.

南方消息

南쪽으로 뚫린 들窓 넘어로
머얼리 바다의 손님이 찾어온다

太陽이 水平線 밑을 기인다
蒼空을 덮는 嚴肅한 바다의 構圖

한 줄기 흘으는 거리의 感傷이 안이다
한 덩이 밋트로 깔어안는 茶盞의 倫理도 아니다

累累千年 흘러온 太平洋의 經綸
太陽을 더부린 宇宙의 旅行

작고만 南方손님이 들窓가에 설레인다
아이야 布帳을 들어라 우리 正坐하고
南쪽 消息을 듣기로 하자

『매일신문』, 1942.3.19.

茶店 <알라라드> 2章

(1)

흰 드레스에 금발을 곱실거리며 椅子와 食桌 새를 나는듯 새여 다니는 너는 한 마리 '슬라브'의 파랑새, 너의 부풀어 오른 가슴 우에서 한들거리는 꽃송이는 붉은 장미냐? 히어씬스냐? 北國의 밤은 白夜로 밝아 노을이 아름답게 피어 萬年 凍土帶가 녹아 흘러 오로라의 하늘이 붉게 타고 꽃이 피고……

봇나무 숲 새로 길은 아득히 뻗어 노을을 만진다는데 너는 그 봄 그 꽃도 모르고 異邦말을 서투르게 번지며 던져 주는 빵 조각을 게걸스럽게 받아먹는 강아지의 習性을 배우고 있으니 슬프다 너는 너를 낳아준 볼가강 잔디 푸른 언덕으로 다시는 돌아가지 못할 에미 그란드, 네 푸른 너 스스로의 날개로 날아야 할 애어린 파랑새 행복의 나라는 어느 하늘가 地平線 저쪽에 잠자고 있는 것이냐? 너의 純情이 大陸의 찬바람에 얼어들 때 悲哀의 季節은 네 집 문턱을 떠나지 않고 있으니 산 도야지가 밟고 간 네 가슴의 상처를 부등켜안고 비 내리는 한 밤을 울며 지새웠으나 슬프다 현대의 청년들은 모두 산 도야지보다 더 미욱하고 暴惡하거니 어찌할 것인가. 빨간 부리가 뾰족하고 귀밑의 솜털이 보얀 파랑새.

에트란제의 처녀야 너는 네 아름다운 청춘을 너 스스로 좀먹을 것이 아니라 땅속에서도 저 갈 길 찾아 흐르는 물줄기처럼 너는 네가 걸어야 할 너의 길을 네가 찾아야 될 것 아니냐? 너는 이 新 興都市의 우람한 국가 청사 密室

에서 무엇을 모략하고 있는지 季節風이 무엇을 쓸어 가고 있는지도 모른다. 창문 유리에 흘러내리는 것은 빗물이냐? 눈물이냐? 너는 네 가슴속에 새로 피어날 한 떨기 장미꽃의 이름이라도 유리창에 그려야 한다. 새겨야 한다.

(2)

벗은 벗 나름으로 나라 없는 청년의 슬픔을 가슴속에 묻어 두고 담배만 피우며 침묵하고 있었고 나는 나대로 추방당한 신세라 차잔을 앞에 놓고 창문밖 비에 젖는 행길을 虛寂하고 있었다.

'알라라드', 이 都市에 내리는 알라라드의 산비냐? 심장에 떨어지는 망국의 서름이냐? 우산 하나도 못 가진 우리는 이제 저녁 거리로 나서 뼈에 젖도록 찬비를 맞으리라.

茶店 알라라드의 가을비……가을비……

-1942. 9 新京에서-

발표지 미상

그 밤의 생명을

쓰러질 듯 비틀거리는 마음이
女人의 방문을 밀고 들어섭니다

못 견디게 서름이 북바칠 때면
아무나 붓잡고
통곡이라도 하고 싶은 마음에…

公園길의 오후에도
꽃은 없었습니다
산에도, 들에도,
락조 비낀 울바자 밑에도

젊음은 푸른 잎새 하나 없이
서리 바람에 시드니
希望이란 어데로 날아간
빛 잃은 落葉입니까?

라오콘의 배암처럼 칭칭 감긴

이 숨막히는 어둠을
혼자서는 견데 낼 수 없어
女人과 맞우 앉았습니다

죽음의 靜寂에 묻힌 듯한
분묘의 지붕 밑
女人은 말이 없고
나도 침묵하고……

永遠한 時間
오직 하나 벽시계의 초침만이
- 살아 있다
　　살아야 한다!
마치로 心臟을 내려치듯
그 밤의 생명을
지켜 주고 있었습니다

『맥』, 1942.12.

貴族

맑게 개인 蒼空이었고
언제나 푸른 바다이였다。
이 가운데서 마음은 머언 宇宙를 생각하며 살어왔다

오오 우러러 모시기에 高貴한 民族의 古典
信念은 물줄기로 흘러 永劫에 다었고
神話는 歲月과 함께 늙어 歲月처럼 새로운 東方의 이야기

흰 구름을 타고 東方에 내려왔노라
祭壇을 쌓고 나뭇가지를 꺾어 한울에게 焚香했노라

「데모그라시」의 騷動을 拒否한다
神의 冒瀆을 저들 ,「近代」의 群衆으로부터 奪還한다
「自由」의 賤民들의 跳梁을 抗拒한다。

맑게 개인 蒼空이였고
清澄을 자랑하는 天帝의 後裔이다。
그러므로 지금 東方은 손을 들었노니

「高貴의 破壞를 물리쳐라」

「東方을 擁護한다、반달族의 闖入을 否定한다」

(昭和 十八年 十月)

『조광』, 1944.4.

김준길(金俊吉) 편

北平의 봄

머쟎은 城밖에선

총칼을 마조 들고 피를 뿌리것만
못가에 선 버드남겐 포동포동 푸른 살찌고
검불을 헬이고 풀은 그래도 돋아났소.

산 하나 뵈잖는 먼 地平線엔

봄이 풀은 것을 내려 덮었소
내 몸은 봄의 품의 안기워 마비되었음인가?
못불이 제 먼저 바람을 안고 하늘하늘 잔질을 짛노니.

거꾸로 선 나뭇가지 아니 억센 줄기조차
춤을 추고
그 위론 님실은 배가 지나오!
노젔는 저이야 나서 첫일인가 보오.

人間놈이 빌버둥치지 봄의 정은
언제나 커-

熱河事變時, 北平海公園에서

『사해공론』, 1935.6.

겨울의 秦淮河岸

(一) 新民村의 아츰

아츰빛이 퍼졌네
大地에 자욱한 아지랑이 춤출 듯
秦淮河岸 오막사리
문 열고 해를 맞아 추위 내밀고
江 우에 누은 짐실이배엔
찬 잠 깬 사공들이 움즉이네。
落葉저도 두 언덕에 버들 푸른데
江 건너 아득히 엎어진 벌에
검정 옷에 채들고 몰고 가는 짐수레
쿵-쿵- 줄을 질어 땅을 굴르네。

(二) 四方城의 아츰

어머니와 아버지
종이 거풀 같은 오막 속에
눈 알는 어머님

갓난 애기 젓먹이며

도련님을 달내고 있다!

분수에 넘치는 청을 했는지?

그 곁에

희말건 얼골!

큼즉한 두 눈에 맥 풀린 아버지

담배만 피우며

□□을 말없이 보고 앉았다

저 아버지 가슴속에

무슨 생각이 뭉그는지!

볓 쬐는 저 아버지

『사해공론』, 1935.6.

김해강(金海剛)[10] 편

마음의 故鄕

나는

오날 밤도

높은 언덕에 올라

별들이 燦爛스러이 잔채를 버리고 있는

푸른 벌판

南쪽 머언 地平을 넘어다 본다。

내 아름다운 家族들이-

도란도란

아츰을 즐기며,

誼좋게 사러가는 太陽의 子孫들처럼……

내 아름다운 家族들이

10 여기에 수록된 김해강의 시는 모두 시집 『청색마(青色马)』(김남인, 김해강 시집, 명성출판사, 1940.8.)에 수록되어 있다.

시원시원
하늘과 더부러 커 가고 있는

故鄕!

내 마음의 푸른 旗폭을 달고

波濤처럼
어린 새벽들이 아츰을 準備하는
마음의 故鄕!
내 마음의 故鄕!

마음을 이저버린 내 歲月이
덧없이 흘러서 一年-
異域에서 또 一年-

마음의 故鄕이 그리워

오늘 밤도 높은 언덕에 올라
별들이 燦爛스러이 잔채를 버리고 있는

푸른 벌판
南쪽 머언 地平을 넘어다 본다。

내 詩와 내 家族

I

가난과 함께 사는 내 家族은
가난과 함께 살기 때문에 가난을 모릅니다。
가난하면 가난할쑤록 가난이 살쩌 오르고、
가난하면
가난할쑤록 가난이 여울 치고。

허지만 내 家族은
가난을 薄待한 일이 없고、
허지만 내 家族은
가난을 성내지도 않습니다。
그렇다고 내 家族이
가난을 사랑하는 건 아닙이다。
그렇다고 내 家族이
가난을 무서워한다는 건 더구나 아닙이다。

하거늘
이 세상엔

가난을 무서워하는
種族들만이 살고 있지 않습니까?

허길래 하늘도
내 집 뜰만은 구버다 본 일이 없고,
허길래 해빨도
내 집 문턱만은 넘어스질 못합니다.

II

그렇나 창살 없는 내 마음의 들窓엔
언제고 파랑 새떼들이
詩를 물고 찾아옵니다.
그러면 나는 옷자락을 움켜쥐고,
새들이 떨어트리고 간
詩를 조심조심 몽아 두지요.

결국 나는
가난과 함께 살면서 詩를 쓰기 때문에,
결국 내 家族은
더욱이 가난과 親케만 되는 갑니다.

나와 내 家族이
誼좋게 사라가는 것처럼,
내 가난과 내 詩도

誼좋게 사라갑니다。

더러는 夫婦처럼
다툼질이 있다가두、
내 가난과 내 詩는
고대 오누의처럼 誼가 좋아집니다。
그러므로 나는
내 詩를 내 家族과 같이 사랑하고、
그러므로 나는
내 家族을 詩와 같이 사랑하지요。

國境에서

I

물이 얼다。
國境을 흐르는 물이 얼다。

낮이면 구름도 떠돌지 않는
하늘이 멱을 감꼬、

밤이면
푸른 별들이 내려와
꿈을 파묻고 가는

國境
二千里를 흐르는
얄루江 물이 얼다。

II

한결
휘파람만 치는

朔北의 하늘!

아아 한 자락 하늘도 만저 볼 수 없는
내 마음이여!

어름을 깨트리고
떨어지는 하늘을 마시고 싶다。

한 오콤
두 오콤
싫도록 퍼마시고 싶다。

III

어제 밤
내 가슴이 얼마나 탓든고。

머얼리
발을 돋구고 섰는 帽兒山 중툭

초롱초롱
빨가케 불이 백인

오오 이저버렷든
내 戀人이 살고 있는 하늘 밑이 그리워

오늘

나는

江을 내닷는 썰매를 잡아 타다。

胡馬車

휘익
휘익

虛空에 뱀이 논다。
虛空에 뱀이 소리를 그린다。

쩟!
쩟 쩟 쩟 쩟……

눈 위에 굽이 튄다.
눈 위에 굽이 바람을 튀긴다.

『쾌쾌 취바[11]』
『어-이 쾌취!』

---

11 “쾌쾌 취바(快快去吧)”는 중국어 발음을 한국어로 적은 것이다. “빨리빨리 가라”는 뜻이며 “쾌취(快去)”도 “빨리 가라”는 뜻이다.

뒤우뚱
덜넘한 山이 말등을 넘는다。
고불탕
언덕길이 直線을 뻗고 뒤로 뒤로 다라난다。

짤
랑 랑 랑 랑 랑……

힌 하늘
힌 江
끝없이 퍼지는 地平-
힌 날개에 파묻힌
北方!

빨가케 뛰는 心臟이 박혀 있는 곳!

내가 탄 馬車는
방울 소리와 함께

고 뽀오얀 젖통이 밑에
까아만 사마귀 한 점을
콕 박아 준다。

멀리 머얼리
밤이 깃드리지도 않는-

帽兒山

I

아츰이면-

해가 눈 속에 파묻히는
아침이면 왕개미처럼 거리는 부즈런한다。

그건 食慾을 채우지 못한 野熊이든가?
뿔뿔이 몰리어 흐르는
너 帽兒山。

南國의 하늘이 그리워지는
내 마음은 제비 새끼들처럼、
옷자락을 물고 파둥거린다.

II

밤이면-

바람이 처마 끝에 꼬드러 느러지는

밤이면
술을 마시는 빨간 입술이
太陽보다도 뜨거웁고。
구렁이처럼 언 몸을 감어 주는
계집의 情炎은
능금을 깎어 주는 戀人보다도
고 맵씨가 고맙다。

그렇다。
술과 계집과 紙幣와
그리고 살 찐 밤(夜)을 먹고 살며
커가는 너。

III

오늘도
아츰은 눈 속에 얼고、
오늘도
밤은 입술에 타는데。

행걸
어름 보다도 찬
해볕이 안탁가워
幌馬車에 몸을 실꼬、帽兒山 이마를 노려보다。

北方은

-(푸른 紙幣가 나비의 나래처럼 가볍다)-

北方은
새빨간 불을 토하는
火山 같은 情熱을 사랑한다드라。
그러나 그보다도 푸른 知慧를 새끼 칠
푸른 나뷔를 더 사랑한다드라。

情熱이 타는 빨간 입술은
情熱이 타는 빨간 입술을 마실 수 있서도
덜걱 禁斷의 太陽을
물어 뗄 수는 없다드라。

푸른 나뷔는
푸른 匕首보다도 마음이 차기 때문에-
푸른 나뷔는
푸른 꽃뱀보다도 魅力이 맵차기 때문에-

天倫도 義理도

머리칼처럼 베일 수 있다고 허지 않든?
白痴도 꼽추도
英雄처럼 바뜰 수 있다고 허지 않든?

흰 이빠디로
情熱을 깨물어 먹은 계집애들에게는
푸른 나뷔가
故鄕 일가보다도 더 반갑더라지?

北方은
꿀 없는 花壇을
푸른 나뷔가 풀풀 나르는구나
푸른 우슴을 물고
푸른 나뷔가 풀풀 나르는구나。

異域의 밤

I

벗은

기다려도 오지 않고

별빛조차 언

異域 하늘에 떠도는 마음!

洋爐에

불만 지피다가 밤을 새이다。

II

또 巡警이 지나가나 보다。

쿵 쿵

壁을 울리는 구두ㅅ발 소리!

거리는 무덤처럼

人跡도 끊어진 지 오래어늘。

III

성엣발 돋는 琉璃窓에
서리는 鄕愁!

빨갛게 타는
장작불을 바라만 보다가

숫제
배갈을 세 병째 기우리다。

客愁

故鄕이 그리워
잠도 못 이루는 鴨江의 밤!

찬 달이 고요이 窓살에 서리는데、
靑銅火爐에
타다 남은 한 덩이 빠알간 숨결이、

머언 燈臺와 같이 외로운-

내 마음은
浦口를 잃은 쪽배처럼
섬도 없고 바다로 아득이 흘러만 갈 때-

탕!
누가 또 密輸를 하느라 江을 넘나 보다。

이윽고
별들이 푸른 鄕愁를 물고 날러와 박이는

내 마음의 寢帳!

피종을 태우는 착한 넋이
외줄 푸른 煙氣에 실려
솔솔 풀리어 갈 때
간간 들려오는
이웃집 病 알른 아가의 우름 소리는
匕首보다고 차겁게
내 心臟을 찔러 주는구나。

轉輾反側!
아아 한 밤이 길기도 하다。
-鴨江旅舍에서-

鴨綠江의 四月·봄

겨울이
썰매를 타고
嶺을 넘어 스면

봄은
눈을 밟고
사분사분 거러오는 ……

녹는 눈
풀리는 어름

봄이
山을 오르면
江은
江을 흐르고、

봄이 江을 건느면
山은

山을 업고。

그릇 江心에 박혀
애만 태이든 별 아가씨들은

밤도 아닌데
어느새
하늘로 다라나 버렸느냐!

봄이라지만
바람은 아직도 찬 鴨江의 아츰!

매앤 몬저
하늘을 뜨려고、
江 언덕을 넘어 스는
江村 색씨들아。

어깨 위로
떠오르는 太陽은
貴여운 머리칼을
올올이 물 드리고、

四月이
떡닢처럼 떨고 있는

선선한 치마폭 폭엔

고 따거운 입술이-
입술이
눈이 부시도록 부서지는구나。

長江
二千里에-

胡風이 부러 넘는 山峽
長江 二千里에-

다복다복 피여 피여나는 진달래
타는 진달래!
마디마디 느러、느러지는 버들피리
黃金 꾀꼬리!

마음도 탄다。탈대로 탄다。
노래도 녹아 흐른다。黃金옷을 입고 녹아 흐른다。

오오 봄이여!

당신은 어느 王家의 따님이기에
그렇게도 마음씨가 곻으십니까。

香氣롭습니까。

그렇게도 차림차림이 多情하십니까。

燦爛하십니까。

당신이 살고 있는 곳은

우슴만이 화안하게 터진

저어 별들이 살고

있는 푸른 하늘보다도 머언 곳이라지요?

김형원(金炯元) 편

鴨綠江畔에서[12]

늘힌메 나린 물이
오리강 되엿서라
이천리 멀고먼 길
꾸준히 흘너나려
사천 년 이 겨레의
새 넉슬 북도드네
내 사랑 내 사랑
오리강 내 사랑

뗏목에 실닌 노래
무엇을 말하느냐
지금은 오리강이
조선의 끗이라나
아득한 저 녯날엔

12 김형원의 필명 석송(石松)으로 발표했다.

여기가 복판일세
내 사랑 내 사랑
오리강 내 사랑

개화 후 이 강 건너
도난이 몃 만 명가
그들이 뿌린 눈물
네 품에 고엿스니
오리강 너 혼자서
속사정 알지 안늬
내 사랑 내 사랑
오리강 내 사랑

『삼천리』, 1933.9.

高句麗城址過次[13]

님의 터 잇다 함을
말로만 듯고 가네
예까지 지경임은
누구나 인정커든
엇지타 혈육 바든 이 몸이
이제 겨우 알니요。

타는 이 나리는 이
모도 다 새 얼골을
강낭이 밧은 뵈나
주인은 어대 간고
창파가 철뚝을 치니
상전벽해。

시악시의 한숨에는
강낭숩히 한들한들

---

13 석송(石松)이란 필명으로 발표했다.

나그내의 가슴에는
大陸熱이 푹푹 지네
언제나 님과 나와도
우서불 날 잇을가。

강낭밧테 부는 바람
시악시의 한숨이오
이 가슴에 타는 불은
고렷 적에 붓튼 불을
바람과 불이 합한다면
무엇인들 못 살느리。
(大連旅順間에서)

『삼천리』, 1935.1.

노자영(盧子泳) 편

豆滿江의 노래[14]

白頭山의 울고 흘닌
눈물 한 줄긔!
흐르고 흘너나려
豆滿江 줄긔!-

豆滿江의 흐르는
急한 물 줄긔!
白頭山의 떼목을 모라나릴 때
안개 속에 힌 달 우는 넓은 江岸엔
떼목 탄 樵夫의 설은 노래가
잠든 새의 조름까지 깨처 바린다

저편은 支那따 이편은 배달따
쪼기는 白衣人의 압흔 가슴이

---

14 춘성(春成)이란 필명으로 발표함.

豆滿江 건널 때면 눈물이 되야
주루루 주루루 물줄기갓치
그 江 우에 떠러져 거품이 된다고。

오! 白衣人의 눈물 담은 나의 豆滿江
아직도 네 가슴에 그 눈물 잇는가?
나도 역시 白衣人의 외로운 한 사람
同胞들이 울고 간 豆滿江에서
나인들 아니 울고 엇지 머치랴!

豆滿○의 물결을 손으로 웅키며
나도 역시 더운 눈물 떠러 치노라。
豆滿○아! 네가 만일 맘이 잇거든
同胞들의 눈물이 흘너간 곳에
이 눈물도 한 가지 심어다 다오?

(一九二五、八、一九日 豆滿江에서)

노자영, 『내 혼이 불탈 때』, 청조사, 1928.

豆滿江의 밤

江물을 껴안은 絶壁의 허리에
안개가 자자져 피어오르고
물결의 바람에 갈닙(蘆葉)이 울며
灰色의 밤은 꼬리를 치느니

밤 오고 별 우는 豆滿江에는
江물을 헤치는 떼목 소래가
樵夫의 부르는 설은 노래와 함께
江岸에 잠든 樹陰을 울니고 잇느니-。

검은 빗 左右치는 하날 우에는
螢火의 떼가 金실을 치나
河岸을 직히는 순사의 銃 끗은
그 빗에 비치어 怒氣를 吐한다

그러나 별들의 노래가 물 우에 나릴 때
銀빗의 새하얀 鯉魚의 손은
그 별의 노래에 춤을 추랴다

밤을 놀내는 圖們線汽笛에
그도 철버둥 물속에 잠기면……

밤 깁흔 豆滿의 물결 우에는
우는 江물과 뛰는 螢火만
별 뜨는 하날로 흘너가느니
(一九二五、八、一七日 圖們線에서)

노자영, 『내 혼이 불탈 때』, 청조사, 1928.

노천명(盧天命) 편

幌馬車 외 1편

汽車가 허리띄만 한 江에 걸친 다리를 넘넌다
여기서부터는 내 땅이 아니란다
아이들의 세간 노름보다 더 싱겁구나

幌馬車에 올라앉아 唐콩이나 까쟈
카-쥬-샤의 수건을 쓰고 이렇게 달니고 싶다
廿世紀의 公爵은 따라오질 안어 심심할 게다

나는 여기ㅅ 말을 모르오
胡人의 棺이 널늬 벌판을 馬車가 달리오
넓은 벌판에 놔줘도 마음은 제 생각을 못놔…

씨가-는 피울 줄을 모르오
휘파람도 못 하오
아가우나 씹자 唐콩이나 까쟈

슬픈 그림

보랏빛 葡萄알처럼 떨분 風景
애드발룬엔 「아담과 이브時代」의 사진 예고다
아스파라가스처럼 늘 산뜻한 걸 질기는 아가씨
오얏나무 아래서 차라리 낫잠을 잣다。

바느질 대신 아프리카種의 고양이를 데빌고 논다
구두를 벗고 芭蕉닢으로 발을 싸 본다

허나 아가씨는 문득 무엇이 생각킬 때면
붉은 珊瑚목거리도 버서 던지고
아무도 달낼 수 없이 우러 버리는 버릇이 있단다

『삼천리문학』, 1938.1.1.

낯선 거리

꿈에서도 못 본 낯선 거리엔
이 고장 말을 몰라 열없고
강아지 색기 하나 낯익은 게 없다
오라는 이도 없엇거니
가라는 이가 없어서 설단다

사람들이 흘너간 낯선 거리엔
네온싸인이 밤을 陰謀하고-
「무一라」의 매담은 잠이 왓다
강아지 색기 하나 낯익은 게 없다
가라는 이가 없어서 설단다-

노천명, 『산호림』, 한성도서, 1938.

國境의 밤

엊그제도 이 胡地에선 匪賊이 낫단다
먼 데ㅅ개들이 不安스레 짓는 밤
허-룩한 방안엔 사모와르의 끌른 소리가
火爐ㅅ가에 높고 ………………

잠은 머얼고 ………………
재도 작난할 수 없는 마음
온밤 사모와르의 물煙氣를 凝視하며
독수리 같은 어떤 人生을 푸러보다

노천명, 『산호림』, 한성도서, 1938.

모윤숙(毛允淑) 편

曠野로 가는 이

거칠은 들을 疾走하는 狂風
수업는 별 아레 反射하는 沙光
伴侶者 없이 길 가는 그윽한 두려움
몸부림치고 십흔 廣漠한 들이여-

높은 希求의 象牙塔 아레서
나는 道德이란 鍍金칠을 하고
宗敎라는 穩和한 가시숩 속에서
어색한 眞理의 奴隸엿노라

내 가슴에 타올으는 情熱을 뽑아서는
遊女의 鐘閣 밑에 부어 버리고
面紗 속에 빗나는 눈물을 감춘대로
勇敢스럽다는 大衆의 偉人이엿노라

盛飾의 饗宴 속에 쓸어지는 敗殘
회오리 바람 같은 理論界를 버서나

바람에 밀려온 참된 偉人을 보고저

世界의 流浪處 永久의 繼承地도 다름질하노라

『신동아』, 제2권 제6호, 1932.6.

봄 찾는 마음[15]

이슬 맺인 봄풀이 보고 싶어서
뒷山에 올나 푸른 잔디 뒤졌으나
널따란 들엔 눈보래만 날니고
봇다리 낀 늙은이가 고개 넘다 죽엇다는 悲聞이야

지내간 南쪽 봄이 하그리 그립건만
때아닌 눈발만 窓가를 두다리네
들창 엽헤 花盆마저 얼어죽인 四月이여
오늘도 깨여진 花盆 안고 우는 내 마음이야

시드러진 찬 가슴도 봄빛이 그리워
閑寂한 바람결을 찾어서 헤매건만
봄消息 웨안이 오나 찬바람 無情코나
치맛자락 꼭 붙안고 떨고 섯는 마음이야

---

15 「봄 찾는 마음」을 포함한 아래 모윤숙의 시는 그의 시집 『빛나는 지역』(조선장문사, 1933)에서 가려 실은 것이다.

봄노래 부르자 南쪽벗의 消息 왓네
창포꽃 메나리 개나리 할미꼿
실타고 안 피는 胡地의 四月이니
봄 찾는 그리움의 애타는 마음이여

봄을 찾다 시진 한몸 客窓으로 돌아드니
컴컴한 바람벽에 놓노섯는 아베매리
봄을 주소! 빌다가 천서름의 늣겨우네
無花春胡地에 봄 그리운 靈魂이야
一九三一年北域에서

曠野小曲

저녁 해가 구름새로 기여들고
草場에 흣허젓든 羊떼가 몰닐 때면
무덤의 소래 같은 바람이 불닙니다
소래 없이 눈물 지는 나그네의 뺨 우에

금빛에 물듸린 西쪽하늘에
조용한 어둡이 그림자 칠 때면
끝없는 앞길이 잇기에 덮이여
나그네의 갈길이 희미합니다。

一九三一年北域에서

그늘진 天國

저기저 無窮한 나라에
끌어 식지 안는 사랑의 샘이잇다
不滅의 젊은 權勢 歎息 없이 줄친 곧에
우리의 理想하든 未來鄕이 있다。

그 곧에 슬기로운 志士의 바른 저울 달여 있어
맑은 水晶江 우에 가벼운 그림자치고
앞에 올 人生의 길을 기다리고 잇나니
우리를 기다리는 동안 그 天國의 그늘은 떠나지 안으리。

燦爛히 꿈인 金寶石의 冕旗冠은
시달여 죽은 犧牲者의 머리 위로 날으고
殉教者의 반열 앞에 壯嚴한 노래
새 鄕土의 낡지 않을 넋을 울이리라。

라일江 언덕으로 始作된 때의 주름쌀은
錯亂과 矛盾의 어두운 고개를 넘어
고닯은 人生의 수레를 끄을어왓나니

가벼운 文化의 꿈은 人間을 지금 誘惑하도다。

저-生命의 江언덕 안개 낀 樹林새로
이 겨레 불으는 히미한 音聲
눈물의 저진 그 손길 아래
그 말슴 들으려 귀 기우립니다。

그 天國 높은 峯 우에 先祖의 同伴들이 노래하고
印찍은 팔둑의 約束을 굿세이 豫言하며
잘 살어 가는 子孫의 行列을 자랑하나니
先祖 모힌 天國아침은 빗날 때도 있으리。

오-그러나 할아버지 나의 先祖여
不吉한 安息에서 가슴 앞어하시는
그 발길 그 옷자락 거니시는 그 天國에
愁心 낀 어두움이 그늘저 따르옵니다。

목마르신 그 애탐 그 하늘에 샘 없이 그러하리
슬픈 그 音聲 그 하늘에 다른 恨 있아오리
오로지 病身이자식 멀니 歎息하시는
한 줄기 피ㅅ대 위한 슬픔이여이다。

이 마당에 꽃 피고 저 언덕에 새 울어도
하라버지 게실 적 그 花園만은

싯컴언 구름새에 잠겨 버렷읍니다
오호-生命의 燈臺는 어대 숨어 잇나이까?。

울 넘어 제 동무는 벌서 많이 갔어요
저의 탄식도 이제는 끈처야겠고
앞내에 울고 흘으는 시내도 처버려야겠어요
그래서 하라버지 등 위에 그늘이 가도록。

一九三三年三月

放浪

-北域C友에게

젊은 放浪兒의 길은
江 우에 흐르는
외로운 쪽배랄가요

젊은 放浪兒의 길은
沙漠으로 떠가는
가엾은 바람이랄가요。

풀길 없는 산란한 맘은
저 山에 날니는
하얀 구름이랄가요.

문허진 돌담 밑헤
상여 따르는 이 땅의 우름이랄가요。

一九三二年

北間島바람

문풍지 뜨더가는 바람 소리 들으며
낡은 옷 꿰매고 앉었노라니
수심은 끝없이 찬 하늘에 떠돌아
우는 바람에 얼어 찬 얼음 되여지네。

벽엔 灰色빛 風景畵 하나
그림 쫓아 사나운 둘판에 맘을 끄노나
니러나 옭힌 주먹으로 네모진 유리판을 두다리고
자리의 쓰러져 눈물 지는 밤。

여호의 呼哭인가 차고 매운 저소리
한없이 밀니다 휘감기는 저 바람
어제 밤도 너머 무서 일즉 잣는데
오늘 밤은 잠도 안 오아 어이 새이나。

一九三一年겨울

그리움

바람 소래 들우는 헤염질 치고
비인 방 설넨 가슴 홀로 떠돌아
어둠 우로 그 물결 가엾은 생각이여
北城이라 밤한눌은 쓸쓸도 하이

한숨 썩인 괴론맘 구름가에 떠돌 듯이
잃어진 녯벗의 마음을 뒤저 보노니
그녯날 정답든 내 어릴 때 짝이
오늘은 어나곳에 世月을 보내는지.
一九三一年

異域斷想

蒼白한 이 땅에도 黃昏만 깃드리면
騎士의 銃소리도 疲困에 조을고
魔法과 戰慄의 흔들니든 가슴도
沈痛한 安息 속에 파뭇이고 마노라.

重疊한 悲哀의 서리운 생각이여
黃色 안개ㅅ빛에 길 잃은 눈동자여
情깊은 母國의 품 그리웁건만
거친 北野의 끗업는 放浪웬일가.
머-ㄴ들을 건너오는 靜流의 晩鐘은
灰白色으로 식어 버린 國境의 江 우에 떠도나니
祖國의 咀呪는 이러케도 앞으고나
오-山그늘도 없는 들 우에 魂이여.

血脈이 끗첫는가 웨이리 가슴은 싸늘한가
다리 쫓아 破裂인가 無力한 거름이여
눈동자도 얼엇는가 앞길이 안 보이니
가슴에 매달닌 心臟도 찌저진 듯 앞으고나.

헐어진 마음에도 남은 소리 들이나니
最後의 怯悅을 죽엄 앞에 찾으시든
하라버지의 그 얼골이 히미하게 떠오네
哀殘한 音聲이나 무게 잇든 그 말삼이.

젊은 때에 精力! 勇敢한 意志!
悲風慘雨 아래라도 뒷거름 치지 말며
순간을 지배하는 鋼鐵網을 굿세게 뚜루라든
오!오! 그 뜨거운 말슴이 내 가슴을 울니네.

싸늘한 어두움의 노을도 사러지고
눈물겨운 외딴 하늘 널따란 野原에
달빛은 어인일가 가도 없이 흘으나니
漂泊의 꿈길만 찬 바람의 떨고 잇고나.

一九三一年 가을 北域에서

무명 씨(無名氏) 편

孤獨한 서름[16]

애닯은 가슴을 안고 쓰린 배를 쥐이고
洋洋한 松花江邊에서 西山을 넘어가는 저녁 해만 바라보아라
모래 江邊에 실컨 닫고도 싶어요
江까에 앉아 실컨 울고도 싶어서
기다리는 님이 오지 않는 것과도 같이
속절없이 어린 가슴은 애닯아라 아닌 줄은 알면서도 幸여나,
멀리 보이는 「흰옷 입은 이」 님인가 하여
고요히 바라보고 있는 때에
물 위를 시처오는 서늘한 저녁 바람은 까닭도 없이
타는 가슴을 시키고저 하며 바람에 밀리어오는 적은 물결은
남의 속도 모르고 흐르는 눈물을 싯고저 해 그리그리 偉大한
「어둠」의 勢力만은 은근히도 「孤獨의 몸」을 가지어 가시라.

16 중국에 있는 獨立志士들이 굶주리고 추위를 애써 이겨가며 孤獨의 서름을 탄식하며 지은 시라고 한다. 『독립시가집』(송산출판사, 1984년)에서 뽑아낸 것이다.

민병균(閔丙均) 편

移民列車

나무껍질 칙뿌리를 진느러서도
주린 창자를 못 불녀 살든
이 땅 이 하늘을 떠나기가
무었이 그다지도 애탈 것이랴만

그래도 그래도 기리 情드린
傳統의 鄕里를 떠나기라 서러운
저들의 애꾸진 푸른 心臟은
끝없는 鄕愁에 깊이 저젔구나

마즈막 告別을 올니는
永遠한 出發의 요란한 汽笛도
무심한 蒼空을 우르러
갓분 숨ㅅ결을 푹 푹 내뿜을 때

다시 올 줄이 없는 먼-異域으로
孤獨한 想念만 달리든 저들은

한마데「잘 가시요」웨치는 소래에
눈물만 핑그르 말문이 막혓도다.

이제 가난한 우리의 移民列車는
山을 넘고 들을 건너 北으로
저들의 슮은 追憶과 꿈ㅅ길을 실고
성난 듯 꾸짓는 듯 달니고 있나니

어슴푸데한 두 눈동子들을
밖으로 向한 蒼白한 얼골 얼골
列車의 낡은 琉璃窓 유리창에는
오오 눈물이 흘러 흘러 아롱지누에

달리든 列車가 잠시 거름을 멈추고
석냥갑 같은「스행슌」에 삐거득 다을 때마다
窓 窓에 어린 뽀-얀 눈물을 닦고
행야나 -밖을 내다보는 저들의 心思

그러나 이 땅의 착한 겨레들은
한 줄기 다만 한 줄기「離別」에 흘니든
그 눈물의 초라한 感激마자도
가슴에 피가 마르고 情熱이 식었나 보다

하야 아모 그림자도 없는 빈 地域을

푸른 旗든 驛夫들의 殘送을 밧으며
그래도 뒤으로 뒤으로 물너가는
江山의 마즈막이 처량해 처량해

다시금 닦어 놓은 窓과 얼골을 적시며
구진 歎息이 눈물을 뿌리는 아하-불우한 東方족속의
지향 없이 떠도는 각난한 마음이여

지금 우리의 移民列車는
쿵 쿵 쿵 鴨綠江의 긴-鐵橋를 건너
오스스 戰慄이 슴여드는
낯선 山川으로 무거운 머리를 드럿스련만

거기엔들 누구라서 저들을 위하야
한 줄기 憐悶의 눈초리를 보내줄 자가 있으랴
異國의 찬 바람 슷치는 荒漠한 曠野를 달여갈
오오 우리의 적은 移民列車여

『사해공론』, 1936.9.

달과 胡弓

그것은 저무는 가을ㅅ밤
싸-늘한 달빛이 하이얗게 넘처흐르는
어느 조그마한 뒤ㅅ거리였었다。

때마츰 라디오를 가진
거리의 어느 한 집이
上海放送의 스윗치를 틀었었다。
멀-리 흐르는 電波를 타고
넓은 黃海를 건너드는
老大 中華民國의 疲勞한 饗宴。

깨앵 깨앵 깨앵 깨앵
그 중에도 秦始皇이 즐겨 들었드란
胡弓소리는 더욱 凄凉만 했다。

마츰내 낮익은 音波에
行商의 발길을 멈춘
流浪의 山東白菜 장사가 두세 명。

벌써 羞恥를 내던진 그들은
거리의 한편 돌짝밭에 아무케나 주저앉어
끝없는 鄕愁에 깊이 저저만 들었다。

陸路 千里 水路 萬里
다시 갈 줄이 없는 먼-祖國이 그리워
찬 달빛 어린 두 볼에 눈물이 빛났다。

胡弓소리는 느껴 우는 듯
더 한층 목이 메여 흘러 둔고
달빛은 휘영청 점점 더 밝아만 오든 밤.

『新撰詩人集』, 詩學社, 1940.2.

박귀송(朴貴松) 편

龍井村

멀-리 용정촌을 돌아보면은
눈물의 마을로 변햇습니다.
가만히 그대를 생각해 보면
追憶의 사람이 되엿습니다.

해마다 변해 가는 용정촌이여
아름다운 모양을 잃지 마르소.
그대여 시집간 뒤 꽃피는 날이면
고요히 이 몸을 생각하소서.

박귀송, 『박귀송처녀시집』, 한성도서주식회사, 1933.

박노철(朴魯哲) 편

長白山줄기를 밟으며(一) [17]

뫼 우에
뜬 구름이
저녁놀에 단장하고
시냇가 버들가지
光風에 나붓기면
이중에 나는 종달이
소리 절로 고와라

강가에 해 저무니
따옥이 조다울고
먼촌에 내끼우니
가마귀 날아든다
압강에 뜬 고기ㅅ배는
락조 실고 오더라

『동아일보』, 1927.8.2.

---

17 「長白山줄기를 밟으며(一)(二)(三)」은 작자의 기행문 「長白山줄기를 밟으며(一)(二)(三) 吉林서 間島八百里」에 게재된 삽입시이다.

長白山줄기를 밟으며(二)

뫼 우에 싸인 숩이
하날다은 장막인가
뫼 아래 뚤인 골이
땅에 소슨 가람인가
이 우에 널퍼진 바위
성을 싼 듯 하여라

鬚眉峯 넘는 구름
놀에 붉어 빗이 나고
그 아래 프른 못이
석양 빗겨 새로온데
재 넘어 저녁 종소리
부인골만 울여라

長白山 긴 허리도
안 쉬고 넘는 해를
長廣嶺 ㅅ고리 길다
행여 쉬기 바라랴만

하그리 지리한 맘에
요행쉴가-

그윽히 욱은 숩은
이실 내려 새로 옵고
감도는 시내물은
달이 퍼저 만경이라
이 중에 가는 길손이
ㅅ굼길 것나 하여라

흐르는 은하수에
물소리가 고흡시고
벌넘한 들작름에
은구실이 고흡시고
넘노는 은빗구실에
달빗 들어 지오라

『동아일보』, 1927.8.3.

長白山즐기를 밟으며(三)

松花江 부는 바람
거리 우에 재조 넘고
老爺嶺 총소리
거츤 들에 북을 치면
敦化땅 넘는 나그내
서름 다시 소서라

밤중에 말굽 소리
들 밧게 자자지고
새벽역 라팔 소리
바람질에 들여오면
이웃집 흐레미 딸이
마적 왓다 운다네

뫼 우에 비친 달이
재를 넘어 가려할 제
하발령 넘는 손이
느린 거름 재여지자

달 지며 길 소삽하매
도로 느러지오라

『동아일보』, 1927.8.4.

北國行

다 낡은 포대기로 어린 아이 싸서 업고 哈巴嶺 긴 허리를 쉬어 넘는 홀에미는 가다가 길 소삽한지 각금 발을 멈추네

해사한 겨울볏이 눈(雪) 우에 내리우니 눈 밟고 가는 길손 마음조차 녹이는 듯 잇다금 더운 물이 어은 발을 씻기네

해여진 호인 옷에 보따리 메인 채로 帽兒山 고개 넘어 실음업시 오는 양이 남모를 한을 품은 듯 홀로 한숨 지우네

『동아일보』, 1927.12.31.

박세영(朴世永) 편

江南의 봄[18]

江南의 봄은 끗업는 들판에서 오나니
아즈랑이 끼고 파란 풀포기 자라서
연못가의 색스런 꽃들은 江南의 따사로운 봄을 꾸며줄 때,
수업는 흰 오리떼를 몰고 오는 牧童은
양떼나 갓치 흰 구름이 피어 오르는 한울ㅅ가 저-쪽을 바라보네

뗌뗌이 푸른 옷이 개미와 갓치 움직일 떼
江南의 봄, 푸른 大地는 잠을 자고
한울ㅈ가 조각구름은 이 大地를 엿보는 것이나 가트이

물이 젓는가! 누른 楊子江의 물은 金陵城을 구비 도랏고,
입을 담으른 古城은,
누른 물결을 갈느며 오르내리는 만국긔ㅈ발을 내려다볼 때
대ㅅ숩새의 회색군복은 포대를 직히며 거물과 가티 슨 인단광고를 바라

---

18 이 시는 박세영의 시집 『산제비』(별나라사, 1938)에 재수록되었다. 일부 한국어 표기에서 약간의 수정이 있지만 여기에서는 잡지에 발표된 것으로 준했다.

보네

城 밧게 파란 풀포기를 잘너 먹는 어린 양떼는

연연한 봄 해ㅅ발에 기지개를 키며 호수의 물을 마시고

玄武湖의 잔잔한 물결은 江南시악씨의 꽃핀 옷 분홍양산을 비처주나니

송이송이 손에든 꽃은 뉘에게 줄 것이냐

앵도원에서 나오는 江南의 단발한 시악씨들이여!

浦口 건너 저-편을 바라보면 나사형(螺旋形)의 雷塔이 無名江에 빗처 잇고,

紫金山 기슭에 솟은 中山묘는 玄武湖에 어리여 이 大地를 직히고 잇네만은

넓은 들판엔 느러가느니 주린 해골이요,

만하 가느니 小車에 몸을 실어 故鄕을 떠나가는 시악씨들일세

따사로운 봄, 연연한 江南의 아름다운 봄은 왓건만

떠러진 솜옷을 아즉도 걸친 그들,

이 봄도 그대로 가고야 말야나 봐

一九三四, 三

『문학창조』, 창간호, 1934.6.

다시 또 가는가

살을 어이는 치위에
都市도 언 듯이 悲鳴을 할 제
너는 젊은 몸이 낯설은 땅에 누어있어
설어운 눈물에 벼개가 젖고
고향 생각에 앞이 흐렸으리라。

아하 하늘같이 理想이 높고,
봄날같이 보드랍던 네 氣分을 누가 다- 아서갔단 말이냐!

그래 너는 故鄕으로 다시 와
네 才操를 굳게 믿고
네 몸을 담어 줄 곳을 찾았지만은-
너는 그 치위가 풀리기도 前에
서픈 짜리 버리에 목숨을 걸고 다시 팔려 가는 몸이 되지 않으면 아니 되는가?

그러면 가거라 젊은 靑春 네가 조금도 怨望치 않으며
쓸쓸이도 겨울을 안고 戰士와 같이 떠나가는

오-그 마음이 사랑스럽고나。

너는 너의 理想을 불 살는 지 오래고
硫酸을 뿌렸다고 생각했지만
너의 理想은 타지도 않었고
시들지도 않은 것을 나는 똑똑이도 본다。

나의 젊은 애야 가거라
北國의 하늘이 너를 기다리고
매운 바람이 너를 기다린다。
오-그리하야 너는 그곳에서 참 삶을 차지리라

『조선문학』, 1936.6.

鄕愁[19]

아-그립구나 내 故鄕
익은 들이 물결치는 가을
누르런 들과 새파란 하늘을 볼 땐
생각키느니 내 故鄕。

山入 골작이엔 藥水。
마을 앞엔 프른 江
江에 배 띄고 고기 잡던 옛 시절
내 故鄕은 이리도 아름다워라。

山 없는 이곳에서 물 흐린 이 땅에서
흘러 다니는 나그네 몸이 외롭구나
지금은 秋夕달 끝없는 地平線에서 떠오르는 저 달
北滿의 들개 짖는 소리에 마음만 소란쿠나。

---

19 이 시는 박세영의 시집 『山제비』(별나라사, 1938)에 재수록되었지만 잡지의 원문을 따랐다.

故鄕의 하늘을 나르는 새, 땅에 기는 짐승들도
지금은 따스한 제 집에서 단꿈을 꾸련만-
팔려 간 奴隸와 같이
풍겨 난 새와 같이 이 몸은 서럽구나。

고추를 너러 새ㅅ빨안 지붕,
파란 박은 寶貨같이 넝쿨에 달리고
방아 소리 쿵쿵 울닐 때
이 가을 이 秋夕을 맞는 이
아-내 故鄕에 몇이나 되노。

가라는 이 없건만 아니 나오면 왜 못 살며
들은 익어 누르른 데 왜 배를 곯리지 않으면 못 살드란 말인가?
사랑하는 戀人과 袂別하듯이
내 故鄕 떠난 지도 이미 十年。

그야 이 내 몸뿐이랴
마을의 處女들도 눈물 지고 떠나들 갔으며
마을의 壯丁들도 故鄕을 怨望하고 다라났다。
그리운 故鄕은 野俗도 하구나。

수수 이삭에 걸린 秋夕달
잠든 湖水ㅅ가에 거니는 기럭이
지금은 그 멀리 들릴 거라 다드미 소리

아-그립고나 내 故鄕。

-丙子仲秋

『조선문학』, 1936.11.

最後에 온 消息

-어느 女人의 哀史

그대는 男便도 없는 그대는
늙은 어머니와 어린 자식들을 데리고
大膽히도 北滿으로 떠난 지도 이미 三年。

한 해、두 해、기다려도 소식 없더니만、
이제야 왔다는 소식이 이것이었던가?
그대들의 最後를 말하는、쓰라린 이 消息이었던가。

우리는 정말 몸이 부르르 떨리고
온몸에 소름이 끼치어 못 견디겠구나。

그대가 그렇게 말 못할 苦生을 하였고、
그렇게도 뮛돼지 같을 욕심쟁이에게
피와 땀을 다-말리었다지。

그대가 그곳에 갈 적에는、
한 가닥 希望을 바라고

勇敢히도 사나이답게 나서지 않았든가。

그러나 그대는 약한 몸이 황소같이 일을 했고、
강쟁이와 조밥도 없이
넓은 曠野에서 배만 주리었다지。

어린 것들은 울고불고 고향으로 가잿다지
허나 그대는 다시는 고향에 오지도 못하고、
원한의 죽음을 하였다지。

그대여 포연이 구름같이 피어오르는 그곳을 빠져나와、
어린 자식이나 살릴까 하고、
하룻 밤 하룻 낮을 南으로 南으로 걸었다지。

그러나 그것도 소용없이
그대는 어린 것을 업은 채、
만주벌판에 엎으러지고 말았다지、
생각만 하여도 가엾구나。

그대여 한 여자의 몸으로서
北으로 萬里 길을 더듬을 決心이었거든
차라리 이곳에서 손목을 잡고、억세게 나가지 않았드란 말인가。

그러나 이 悲慘한 最後의 消息을 듣고는

그대의 남어지 家族들은 마루를 두들겼고、
방고래가 빠저라고 치며 울었단다。

北으로 간들, 南으로 간들
가난한 몸이어니
무에 신통한 希望이 있더란 말이냐。

오-그러나 그대의 죽음은 우리의 가슴에 烙印을 찍고 갔다、
그대와 같은 쓰라린 사실이 왜 이리도 늘어만 간단 말이냐。

西山을 넘은 해는 大地를 어둠의 골로 맨들 때。
無心히도 大地 저 끝 하늘조차 어둬 가는 것을 보니
나의 가슴은 너무나 탄다。
만일에 햇빛이 다시 한 번 노을을 펴 보지 못한다면
이내 가슴의 情熱로라도 펴 보고 싶구나、
아하-왼 하늘에 펴 보고 싶구나。

『낭만』, 창간호, 1936.11.

揚子江[20]

흐리고나 바단가 싶은 이 江물은
어지러운 이 나라처럼、
언제나 흐려만 가지고 흐르는구나。

옛날부터 흐리고나、이 江물은
그래도 맑기를 기다리다 못하여
이 나라 사람의 마음이 되었구나。

해는 물 끝에 다 갈 때、
물은 붉은 우에 또 붉었다、
아즉도 남은 배란 웃물에 나붓끼는 돛단배 하나。

---

20 「揚子江」을 포함하여 이하 박세영의 시는 그의 시집 『산제비』(별나라사, 1938.)에 수록되어 있다.

月夜의 雞鳴寺

서투른 단소 소리가 石階에서 고요히 떨리니、
거너편 竹林은 푸시시 웃는다。

아련한 길 우에
푸른 옷들은 큰 길로 나서다、
단소 소리는 울리고 절 안의 개는 짖을 때。

張子房의 단소 소리에 楚陣이 흩어진 때는 지금은 이 절과 竹林도
없었으련만
山은 아무 말 없는데도
竹林은 푸시시 웃고、개는 짖는다。

높고 흰 壁은 산듯이도 비쳐、
옛만 꿈꾸는 金陵城을 내려본다。

老僧이 나와 門을 열고 맞을 때、
焚香의 냄새와 人造의 神秘가 넘치는 곳에는
거츠른 신발 소리가 나다、

天園의 攪亂者 같이도。

모든 것이 이 세상은 아닌 듯、
僧도 집도 모두 다-
그러나 거울 같은 湖水에는
달빛이 고이도 비쳐라、
茶床 느려논 이 樓上에서
나는 古城 너머 빛나는 湖水만 바라본다。

花園이 보이는 二層집

朱土빛 낡은 二層 아래는、
날마닥 길다란 테이블을 가운데 놓고、
바누질 하는 職工이 산다、
바로 그 엽、날마닥 浴湯과 같이 김이 어리는 곳은、
開水집이다 웃통 벗은 쿨리의 座談所다。

이 都市에도
천이나 넘는 開水집이 있다、
그러나 빈자리는 없이
머리 밀리는 쿨리의 兄弟들。

허나 이 도시 큰일은 여기서부터 일어났고、
百燭電光이 街頭까지 빛겨 나오는 數千의 料亭은
다만 해골이 차는 집이었다。
물은 용소슴치고 끓어 저들의 가슴속같이。

쓰러져 가는 낡은 이 집은
아즉도 두 對照를 버리지 않고 있다、

웃層에는 지난날의 모스크바의 勇士를 담어 두고 있어、
아즉도 夢遊病者의 중얼거림을 나는 듣는다。
저들은 무릅을 꿇고 앉어、
지난날의 검님의 화상을 걸고 꿈속에서 날을 보낸다。

그러나 어느 날、이슬비 내리는 午後에、
내려다 뵈는 花園에는 느러논 가진 꽃이、
생생하게도 大地의 精氣를 마실 때、
모스크바의 용사는 주림에 못 견디어
해골과 같이 드러간 눈으로 花園을 無心히 보고만 있다。
어여쁜 꽃의 精華 속으로 그들의 눈 瞳子는 쏠리고 말았다。

至今은 四五人이 欄干에 기대었다、
같은 모델에서 떼낸 石膏와 같이、
奴隷의 傳統者의 群像과 같이。

그들의 눈에는 조국 잊은 눈물이
午後에 나리는 이슬 빗방울과 함께 흘르지만、차라리 아깝다 그대들의 巨軀가 아깝다、
모스크바의 만장들이여!

己巳九月

五月의 櫻桃園

城壁 아래로 다은 玄武湖는
군데군데 蓮과 갈대로 숲이 되었다、
水路는 뚝길로 나고。

豐潤門 나서면 적은 뚝길이
新洲를 에워싼 長洲에 닿다、
붉게 물든 櫻桃園으로。

江南의 五月은 곱고 따스하여、
사람들은 초막에서 나무 밑에서
櫻桃의 보구니를 하나식 들고、
아즉도 남은 봄날을 노래한다。

나는 또 본다, 나루배에 실린 젊은 男女를、
푸른 洋傘으로 그들은 또 가린
젊은이의 웃음을 실고。

으슥한 湖畔에도 사람은 있어、

배를 저어 가려 한다。

나는 갈숩 사이로 뜬 몸이 되어
古城 밑으로、거츠른 언덕으로 가보다
모든 것은 옛이야기를 해 줌으로。

아마도 나는 울었으리라、
너는 기뻐하라고 날러 들고 나며
노래하는 새들조차 없었든들。

北海와 煤山

都市가 왜 이렇게 요란합니까、
당신은 높직이 보고 있지요?

그렇습니다、한참은 평온하더니
오늘은 난데없는 탄환이
허리를 휙- 휙- 지나갔오。

나는 소리만 듣습니다、
높은 궁장이 둘러서 더 볼 수는 없읍니다。
당신과 나는 이 都市를 직혀 왔지요、
그러나 아무 功勞도 없이
싸홈만 치르고 있지요。

城門도 헐어지고 變함이 많겠지만、
社稷에서는 늘 男女 떠드는 소리가 그치지 않는구료。

城門이 헐려도
그들은 다시 쌓고야 맙니다、

그러나 哈德門은 많이 상하였읍니다.
탄환을 많이 맞었읍니다.

社稷은 中央公園이 되어
국치기념비도 새로 썼지만,
아즉도 세상을 모르는 男女들은
茶 마시기 전에만 醉했읍니다.

섭기도 합니다,
이 몸이 눈물이 되어도
모자랄 느낌을 어쩌하오,
都市는 대체 어떻게 되었나요?

몇 百年前의 먼지는
아즉도 왼 都市에 덮여 있어
大都를 덮고 있지만,
그들은 괴로움도 모르는 듯이
거이 햇발을 못 보는 깊은 집에서
아즉도 헤여날 줄 모릅니다.
그들이 이렇게 都市를 내버렸다니요,
그렇게도 어둡다니요.

清朝의 皇居는 지금 執政者도 없는 總統府가 되었읍니다.
宮門의 하나였던 西安門은 쓰러저 가고,

商街의 所用없는 門이 되었읍니다、
그리고 天慶宮은 시민의 집이 되었을 뿐이오。

그것은 잘 되었읍니다。
그러나 놀라운 일이요、
황폐한 都市는 깰 날이 언제일까요。

愛國者、大人物、革命家、外交家도 드므러 가고、
낡어 빠진 軍閥의 마수는
全市를 요란케 하고, 피곤케 하였읍니다。
이 사이는 審陽의 魔將이
맘 놓고 넘나 듭니다。

내가 당신이 되었다면 이 魔都를 살를 터이요、
이 썩어 빠진 古都를 살를 터이요。

마음은 있읍니다、
허나 그뿐인 줄 아시요、
이 都市는 朦朧한 毒煙이 언제나 안개와 같이 자욱해 있지요、
그들은 저이 몸을 스스로 살르고 있읍니다。

지금도 모든 羊肉店에선 反抗ㅎ치도 않는 羊을 소리도 내지 않고 죽이고 있읍니다。
時代에 따르는 藝術도 찾을 수 없이

古典藝術만은 낡은 舞台에서 볼 수 있지요。

오-悲慘한 이 燕京!
당신은 터질 때가 왔읍니다、
魔都를 살를 때가 왔읍니다。

옛날 폼페이市는 가엾기도 했지요、
베세비어스山은 터질 대로 터져서。
이 몸이 그 山은 못 되었을망정、
다시 兵亂이 있을 땐,
이 몸은 大砲 맞기를 기다려 타고 터져 온 荒都를 살르면、
새로운 建設者는 나오리다。

그때는 죽엄에서 함께 勝利를 노래합시다、
그대와 나는 기쁨에서 노래합시다。
죽음을 기다리는 이 古都!
昏睡에 빠진 이 大陸은 깰 날이 아득하구료。

全國에 橫行하는 군벌이 없어지기 前에는
몇 百年이 또 지나도 變함이 없겠읍니다、
당신이 듣듯이 音調 높은 喇叭 소리는
모이라는 命令인가 보이다、
財物을 꿈꾸는 兵士에게 무슨 일이 또 이러날지요。

당신은 現狀을 破壞할 수 있는
무서운 힘을 가지고 있고도、
몇 百年을 나와 함께 꿈꾸었지요。

浦口素描

하루 밤、두 낮、
나는 山을 보지 못했노라
쌁은 터나고 물 올라 푸른 버들가지는
江南의 봄을 엷게 물드려 갈 때。

江南은 벌서 꽃이 피어라、이곳 저곳에、
들 물을 에워싼 노랑꽃、붉은 꽃、힌 꽃、
넓은 들은 지는 해에 물드러
江南은 그리운 나라로다。

해는 이 끝에서 저 끝으로 저갈 때、
池畔으로 몰려 나오는 힌 오리떼는
牧者에게 쫓기고 해를 따라서
가노라 가노라 금오리가 되어가노라。

明孝陵

그대가 살어 있던 집도 없어지고、
그대가 지금 묻힌 곳도 헐어저 간다、
아무도 생각해 주는 사람도 없이。

나는 또 그대의 畫像을 보고 웃었다、
傾斜 지고 캄캄한 턴넬로 올라가니 松林이 鬱蒼한 山이다、
턴넬 우는 흝어져 가는 붉은 세 개의 아-취만 남았다。

그대가 차치했던 中原
그리고 그대가 있던 곳、지금의 이 南京을 본다면、
그대의 얼굴은 새로운 哺乳類가 出現되리라。

그대가 다스리던 국민 또 이 江寧城民의 後裔는
才操를 배웠다、蜃氣樓에 오르는 魔術師들이 되어서。

구정물은 飮料水가 되고、
그대가 차치했을 때의 城中과도 그리 變함은 없으리라。

도야지 기름이 市民의 배로 드러가 그들은 살만 찌다、
그러나 그 적은 門으로 어떻게 드나드는지 알 수 없다。

江寧은 썩어 간다、
그대가 묻힌 곳도 헐어진다、
여기서도 城中이 보이지 않는가。

지금도 그대를 지키는 무리는 있어
文武官의 望夫石、
앉고 선 巨獸들의 석상은 마주 느러섰다。

그리하여 古城과 무덤이 무너질 때、
웅덩이도 묻혀 지고 어둔 골이 타버리어、
새로운 빛은 흘러오려나。

박영로(朴榮滷) 편

海蘭江

헤련아!

너는 어찌 그리 孤獨하게 사느냐?

끝없는 滿洲벌을 소리도 없이

아모런 동모도 갖지 안코 홀로 흐르노나!

물의 唯一한 동모인 물새도 없이

江의 아들인 뽀트도 못 가지고서!

내 豆滿江을 건늘 때 바위를 보앗건만

때때로 쌈 싸울 바위도 안 가진 너로구나!

말없이 孤寂하게 흐르는 헤련아!

너는

유대 백성같이 집씨같이 떠도는

나의 맘에

조끔도 빈틈없이 꼭 맞는구나!

헤련아!

봄香氣가 땅에서 솟을 때도 너는

아름다운 네 이름같이 맑애질 줄 모르느냐?

그러나 헤련아!

너를 어미의 젓보다도 귀하게 생각하는

數萬의 나아와 高麗人이

너의 뒤에 잇음을 알고

너는 慰安을 받어라

그러나 헤련아!

보헤미안의 旅行을 떠난 내가

나와 꼭같은 동모 너를 만난 뒤바라기는

나의 눈물 한 방울을 너에게 떠러트려 줄 테니

너를 믿고 사는 그들의 논으로 가거든

벼 한 알을 만들어다고-

『동아일보』, 1935.3.14.

박우천(朴宇天) 편

異國의 봄

사람이 사는 데라고
여기도 봄은 왓네、
그래도 봄은 봄이라고
들풀도 꼿 피고、버들도 푸르럿네。

녯날에 여기는
우리네 조상이 뛰놀던 벌판!
이날에 여기는
쪼끼운 아들 딸이 울고 헤매는 벌판!

짓밟히는 몸이 하도 서러서
쉴 곳을 차저 나는 여까지 왓네
헐버슨 이 몸에 엇지타 목숨은 남아서
빗다른 악마가 또한 입을 버리네。

거츠른 이 벌판에 누구를 미들고?
내 나라 친고를 미덧더니만、

외로운 마음을 주엇더니만、
그 손에 죽고 쪽길 줄을 내 어이 알앗슬고?

무지한 이 나라 주인들에게
옥답을 등지고 쫓길 때도 설더라 마는、
마음을 주엇던 동족들에게
초막을 등지고 쫓길 때는 더욱 설더라 나는。

벌판에 버레는 풀 자라기만 고대하는데
우리내 때 거지는 풀 ×××× 두려워하네!
異國의 兵丁은 ××× 겨누고 그「것」을 닥는데
우리네 친구는 동족을 ××× ××× 닥네!

이럴 줄을 알앗더라면
차라리 오지나 말걸!
이 땅이 이런 줄을 미리나 알앗더라면
차라리 녯나라 품속에서 싸워 죽을 걸!

떼거지 지나가는 벌판에 바람아 불지 마라、
서른 가슴에 눈물만 더욱 솟네!
내친 거름이니 아니 가면 무엇하리、
北으로 北으로 가다나 보랴네!

異國의 處女들아! 달래를 캐면 달래나 캐지、

애타는 봄날에 너까지 흥얼거려서(低唱)

流浪의 신세에 갓득이나 쓰린 가슴을

이다지도 설께 압흐게 하는고?

一九二九、四、十五、松花江畔에서

『조선시단』, 제5호, 1929.1.

박재순(朴再順) 편

어머니

간도땅 떠난 지도 사 년 전 오늘이고
쓸쓸한 광야에다 어머님 홀로 남겨 두고
삼천리 금수강산 외로운 객이 되었어라

공중에 날고 있는 비둘기 한 마리는
어머님의 분부 받아 옴이나 아니런가
이 눈을 홀로 우다듯 하는고야

남의 앞에 웃음 짓고 속으로 눈물 지며
즐거움과 쓰라림에 목생의 꽃송이를
고요히 주무시는 모친께 드리려요

그리운 어머님을 언제나 뵈옵고저
있는 힘 모두하여 제 아무리 힘써 본들
영원한 천당 속에 지상에서 맛날손가

비옵나니 성못여 타향에 외로히 울고 있는

한 마리 비둘기를 불상히 여기시와
사랑의 품속에다 따스히 품으시옵소서

『계성(啓星)』, 1941.

박팔양(朴八陽) 편

밤 차[21]

流浪하는 백성의 고달픈 魂을 싣고
밤車는 헐레벌떡거리며 달아난다。
도망군이 짐 싸 가지고 솔밭길을 빠지듯
夜半 國境의 들길을 달리는 이 怪物이어!

車窓밖 하늘은 내 답답한 마음을 닮았느냐?
숨 매킬 듯 가슴 터질 듯 몹시도 캄캄하고나。
流浪의 짐 우에 고개 비스듬이 눕히고 생각한다。
오오 故鄕의 아름답던 꿈이 어디로 갔느냐?

비둘기집 비둘기장같이 이 오붓하던 내 동리、
그것은 지금 무엇이 되었는가?
車바퀴 소리 諧調 맞혀 들리는 중에
히미하게 벌려지는 뒤숭숭한 꿈자리여!

---

21 이 시는 『삼천리』(1935.1.)에 麗水라는 필명으로 발표했으며 또한 박팔양의 시집 『여수시초』(박문서관, 1940)에 재수록되었다.

北方 高原의 밤바람이 車窓을 흔든다。
(사람들은 모두 疲困히 잠들었는데)
이 寂寞한 訪問者여! 문 두드리지 마라。
의지할 곳 없는 우리의 마음은 지금 울고 있다。

그러나 汽關車는 夜暗을 뚫고 나가면서
『돌진! 돌진! 돌진!』 소리를 질른다。
아아 털끝만치라도 의롭게 할 일이 있느냐?

疲勞한 백성의 몸 우에
무겁게 나려 덮인 이 지리한 밤아,
언제나 새이랴나? 언제나 걷히려나?
아아 언제나 이 답답함에서 깨워 일으키려느냐?
-昭和二年

『조선지광』, 1927.9.

曲馬團風景

아가씨야!
곡마단의 조그마한 아가씨야!
조선의 치운 하늘 밑에
떨면서 울면서 재주를 파는
異國의 가난한 조그마한 아가씨야

조선의 겨울은 칩다
南國에서 자라난 그대의 몸은
지금 엷은 한겹 옷 밑에서
사시나무처럼 떨고 있다
떨려서 떨려서 견딜수 없지?

아가씨는 훌쩍훌쩍 운다
고향에 두고 온 꿈이 그리워 우나?
조선의 겨울 하늘이 가이없어 우나?
소리 내여 울지도 못하고
눈물 머금고 훌쩍훌쩍 운다

이것은 어느 치운 겨울밤

날나리조차 처량히 들려오고

깃발조차 슬프게 퍼덕거리는

流浪의 나그내 어느 曲馬團의 風景

박팔양, 『여수시초』, 박문서관, 1940.

방주(方舟) 편

亡命客

亡命客 세 사람
봄 달 아래로 걸어갈 때

먼-村에 개 짓는 소리
애닯게 들닙니다.

더구나 異域의 나그내라
외로움에 늣김니다.

『조선문단』, 제10호, 1925.7.10.

방효민(方孝珉) 편

黃昏의 鴨綠江畔에서

검푸른 鴨綠江의 물ㅅ결
조금도 쉴 사이 없이 흘러
이 江의 사나운 물ㅅ결에서
馬賊의 떼는 칼을 갈고 있고
수수거끼와 傳說의 이 江에
黃昏이 고요히 잠들어 올 제
이 江진에 저 땅에선 그놈들 銃소리
고요한 이 國境이 江을 뒤집을 적
이 江기슭을 거니는 외로운 손
恐怖와 哀愁의 이 한밤을 새네。

昭和十年晩秋 白頭山麗에서

『신인문학』, 1936.3

백석(白石) 편

安東

異邦거리는
비 오듯 안개가 나리는 속에
안개 가튼 비가 나리는 속에

異邦거리는
콩기름 쪼리는 내음새 속에
섭누에 번디 삶는 내음새 속에

異邦거리는
독기날 별으는 돌물네 소리 속에
되광대 켜는 되양금 소리 속에

손톱을 시펄하니 길우고 기나긴 창꽈쯔를 즐즐 끌고 시펏다
饅頭꼭깔을 눌러쓰고 곰방대를 물고 가고 시펏다
이왕이면 香내 노픈 취향梨 돌배 움퍽움퍽 씹으며 머리채 츠렁츠렁 발굽

을 차는 꾸냥[22]과 가즈런히 雙馬車 몰아가고 시펏다

(九, 八)

『조선일보』, 1939.9.13.

---

22 "꾸냥"은 중국어 "姑娘(아가씨)"의 발음을 한국어로 직접 표기한 것이다.

수박씨, 호박씨

어진 사람이 많은 나라에 와서
어진 사람의 즛을 어진 사람의 마음을 배워서
수박씨 닦은 것을 호박씨 닦은 것을 입으로 앞니빨로 밝는다

수박씨 호박씨를 입에 넣는 마음은
참으로 철없고 어리석고 게으른 마음이나
이것은 또 참으로 밝고 그윽하고 깊고 무거운 마음이라
이 마음 안에 아득하니 오랜 세월이 아득하니 오랜 지혜가 또 아득하니 오랜 人情이 깃들인 것이다
泰山의 구름도 黃河의 물도 옛님군의 땅과 나무의 덕도 이 마음 안에 아득하니 뵈이는 것이다

이 적고 가부엽고 갤족한 히고 깜안 씨가
조용하니 또 도고하니 손에서 입으로 입에서 손으로 올으날이는 때
벌에 우는 새소리도 듣고 싶고 거문고도 한 곡조 뜯고 싶고 한 五千말 남기고 函谷關도 넘어가고 싶고
기쁨이 마음에 뜨는 때는 히고 깜안 씨를 앞니로 까서 잔나비가 되고
근심이 마음에 앉는 때는 히고 깜안 씨를 혀끝에 물어 까막까치가 되고

어진 사람이 많은 나라에서는

五斗米를 벌이고 버드나무 아래로 돌아온 사람도

그 녚차개에 수박씨 닦은 것은 호박씨 닦은 것은 있었을 것이다.

나물 먹고 물 마시고 팔베개 하고 누었든 사람도

그 머리맡에 수박씨 닦은 것은 호박씨 닦은 것은 있었을 것이다.

『인문평론』, 제2권 제6호, 1940.6.

北方에서

-鄭玄雄에게

아득한 녯날에 나는 떠났다
扶餘를 肅愼을 勃海를 女眞을 遼를 金을、
興安嶺을 陰山을 아무우르를 숭가리를。
범과 사슴과 너구리를 배반하고
송어와 메기와 개구리를 속이고 나는 떠났다。

나는 그때
자작나무와 익갈나무의 슬퍼하든 것을 기억한다
갈대와 장풍의 붙드든 말도 잊지 않었다
오로촌이 멧돌을 잡어 나를 잔치해 보내든 것도
쏠론이 십리길을 딸어 나와 울든 것도 잊지 않었다。

나는 그때
아모 익이지 못할 슬픔도 시름도 없이
다만 게을리 먼 앞대로 떠나 나왔다
그리하여 따사한 해ㅅ귀에서 하이얀 옷을 입고 매끄러운 밥을 먹고 단샘을 마시고 낮잠을 잤다

밤에는 먼 개소리에 놀라나고
아츰에는 지나가는 사람마다에게 절을 하면서도
나는 나의 부끄러움을 알지 못했다。

그 동안 돌비는 깨어지고 많은 은금보화는 땅에 묻히고 가마귀도 긴 족보를 이루었는데
이리하야 또 한 아득한 새 녯날이 비롯하는 때
이제는 참으로 익이지 못할 슬품과 시름에 쫓겨
나는 나의 녯 한울로 땅으로-나의 胎盤으로 돌아왔으나

이미 해는 늙고 달은 파리하고 바람은 미치고 보래구름만 혼자 넋없이 떠도는데

아, 나의 조상은 형제는 일가친척은 정다운 이웃은 그리운 것은 사랑하는 것은 우럴으는 것은 나의 자랑은 나의 힘은 없다 바람과 물과 세월과 같이 지나가고 없다。

『문장』, 제2권 제6호, 1940.7.

許俊

그 맑은 거룩한 눈물의 나라에서 온 사람이여
그 따마하고 살틀한 볓살의 나라에서 온 사람이여

눈물의 또 볓살의 나라에서 당신은
이 세상에 나드리를 온 것이다
쓸쓸한 나드리를 단기려 온 것이다

눈물의 또 볓살의 나라 사람이여
당신이 그 긴 허리를 구피고 뒤짐을 지고 지치운 다리로
싸움과 흥정으로 왁자짓걸하는 거리를 지날 때든가
추운 겨울 밤 병들어 누은 가난한 동무의 머리맡에 앉어
말없이 무릎 우 어린 고양이의 등만 쓰다듬는 때든가
당신의 그 고요한 가슴 안에 온순한 눈가에
당신네 나라의 맑은 한울이 떠오를 것이고
당신의 그 푸른 이마에 삐여진 억개쭉지에
당신네 나라의 따사한 바람결이 스치고 갈 것이다

높은 산도 높은 꼭다기에 있는 듯한

아니면 깊은 문도 깊은 밑바닥에 있는 듯한 당신네 나라의
하늘은 얼마나 맑고 높을 것인가
바람은 얼마나 따사하고 향기로울 것인가
그리고 이 하늘 아래 바람결 속에 퍼진
그 풍속은 인정은 그리고 그 말은 얼마나 좋고 아름다울 것인가
다만 한 마람 목이 긴 詩人은 안다
「도스토이엡흐스키」며 「죠이쓰」며 누구보다도 잘 알고 일당가는 소설도 쓰지만
아모것도 모르는 듯이 어드근한 방안에 굴어 게으르는 것을 좋아하는 그 풍속을

사랑하는 어린 것에게 엿 한 가락을 아끼고 위하는 안해에겐 해진 옷을 입히면서도
마음이 가난한 낯설은 마람에게 수백량돈을 거저 주는 그 인정을 그리고 또
그 말을
마람은 모든 것을 다 잃어벌이고 넋 하나를 얻는다는 크나큰 그 말을

그 멀은 눈물의 또 볓살의 나라에서
이 세상에 나들이를 온 사람이여
이 목이 긴 詩人이 또 게산이처럼 떠곤다고
당신은 쓸쓸히 웃으며 바독판을 당기는 구려

『문장』, 제2권 제9호, 1940.11.

흰 바람벽이 있어

오늘 저녁 이 좁다란 방의 흰 바람벽에

어쩐지 쓸쓸한 것만이 오고 간다

이 흰 바람벽에

히미한 十五燭전등이 지치운 불빛을 내어던지고

때글은 다 낡은 무명샷쯔가 어두운 그림자를 쉬이고

그리고 또 달디단 따끈한 감주나 한 잔 먹고 싶다고 생각하는 내 가지가지 외로운 생각이 헤매인다

그런데 이것은 또 어인 일인가

이 흰 바람벽에

내 가난한 늙은 어머니가 있다

내 가난한 늙은 어머니가

이렇게 시퍼러둥둥하니 추운 날인데 차디찬 물에 손은 담그고 무이며 배추를 씻고 있다

또 내 사랑하는 사람이 있다

내 사랑하는 어여쁜 사람이

어늬 먼 앞대 조용한 개포가의 나즈막한 집에서

그의 지아비와 마조 앉어 대구국을 끓여 놓고 저녁을 먹는다

벌서 어린 것도 생겨서 옆에 끼고 저녁을 먹는다

그런데 또 이즈막하야 어늬 사이엔가
이 흰 바람벽엔
내 쓸쓸한 얼골을 쳐다보며
이러한 글자들이 지나간다
---나는 이 세상에서 가난하고 외롭고 높고 쓸쓸하니 살어가도록 태어났다
그리고 이 세상을 살어가는데
내 가슴은 너무도 많이 뜨거운 것으로 호젓한 것으로 또 사랑으로 슬픔으로 가득찬다
그리고 이번에는 나를 위로하는 듯이 나를 울력하는 듯이
눈질을 하며 주먹질을 하며 이런 글자들이 지나간다
---하늘이 이 세상을 내일 적에 그가 가장 귀해하고 사랑하는 것들은 모두
가난하고 외롭고 높고 쓸쓸하니 그리고 언제나 넘치는 사랑과 슬픔 속에 살도록 만드신 것이다
초생달과 바구지꽃과 짝새와 당나귀가 그러하듯이
그리고 또 「프랑시쓰·쨈」과 陶淵明과 「라이넬·마리아·릴케」가 그러하듯이

『문장』, 제3권 제4호, 1941.4.

澡塘에서

나는 支那나라 사람들과 가치 묵욕을 한다
무슨 殷이며 商이며 越이며 하는 나라 사람들의 후손들과 가치
한 물통 안에 들어 묵욕을 한다
서로 나라가 달은 사람인데
다들 쪽 발가벗고 가치 물에 몸을 녹히고 있는 것은
대대로 조상도 서로 모르고 말도 제각금 틀리고 먹고 입는 것도 모도 달은데
이렇게 발가들 벗고 한 물에 몸을 씻는 것은
생각하면 쓸쓸한 일이다
이 딴 나라 사람들이 모두 니마들이 번번하니 넓고 눈은 컴컴하니 흐리고
그리고 길즛한 다리에 모두 민숭민숭 하니 다리털이 없는 것이
이것이 나는 웨 작고 슬퍼지는 것일까
그런데 저기 나무판장에 반쯤 나가 누어서
나주볕을 한없이 바라보며 혼자 무엇을 즐기는 듯한 목이긴 사람은
陶淵明은 저러한 사람이였을 것이고
또 여기 더운 물에 뛰어들며
무슨 물새처럼 악악 소리를 질으는 삐삐 파리한 사람은
楊子라는 사람은 아모래도 이와 같었을 것만 같다

나는 시방 녯날 晋이라는 나라나 衛라는 나라에 와서
내가 좋아하는 사람들을 맞나는 것만 같다
이리하야 어쩐지 내 마은은 갑자기 반가워 지나
그러나 나는 조금 무서웁고 외로워 진다
그런데 참으로 그 殷이며 商이며 越이며 衛며 晋이며 하는 나라 사람들의 이 후손들은
얼마나 마음이 한가하고 게으른가
더운 물에 몸을 불키거나 때를 밀거나 하는 것도 잊어벌이고
제 배꼽을 들여다 보거나 남의 낯을 처다 보거나 하는 것인데
이러면서 그 무슨 제비의 춤이라는 燕巣湯이 맛도 있는 것과
또 어늬 바루 새악씨가 곱기도 한 것 같은 것을 생각하는 것일 것인데
나는 이렇게 한가하고 게으로고 그러면서 목숨이라든가 人生이라든가 하는 것을 정말 사랑할 줄 아는
그 오래고 깊은 마음들이 참으로 좋고 우럴어 진다
그러나 나라가 서로 달은 사람들이
글세 어린 아이들도 아닌데 쪽 발가벗고 있는 것은
어쩐지 조금 우수웁기도 하다

『인문평론』, 제3권 제3호, 1941.4.

杜甫나 李白같이

오늘은 正月보름이다
대보름 명절인데
나는 멀리 고향을 나서 남의 나라 쓸쓸한 객고에 있는 신세로다
녯날 杜甫나 李白 같은 이 나라의 詩人도
먼 타관에 나서 이 날을 맞은 일이 있었을 것이다
오늘 고향의 내 집에 있는다면
새 옷을 입고 새신도 신고 떡과 고기도 억병 먹고
일가친척들과 서로 뫃여 즐거이 웃음으로 지날 것이였만
나는 오늘 때묻은 입듯 옷에 마른 물고기 한 토막으로
혼자 외로히 앉어 이것저것 쓸쓸한 생각을 하는 것이다
녯날 그 杜甫나 李白 같은 이 나라의 詩人도
이날 이렇게 마른 물고기 한 토막으로 외로히 쓸쓸한 생각을 한 적도 있었을 것이다
나는 이제 어늬 먼 왼진 거리에 한 고향 사람의 조고마한 가업집이 있는 것을 생각하고
이 집에 가서 그 맛스러운 떡국이라도 한 그릇 사먹으리라 한다
우리네 조상들이 먼먼 녯날로부터 대대로 이날엔 으레히 그러하며 오듯이
먼 타관에 난 그 杜甫나 李白 같은 이 나라의 詩人도

이날은 그 어늬 한 고향 사람의 주막이나 飯館을 찾어가서
그 조상들이 대대로 하든 본대로 元宵라는 떡을 입에 대며
스스로 마음을 느꾸어 위안하지 않었을 것인가
그러면서 이 마음이 맑은 녯 詩人들은
먼 훗날 그들의 먼 훗자손들도
그들의 본을 따서 이날에는 元宵를 먹을 것을
외로히 타관에 나서도 이 元宵를 먹을 것을 생각하며
그들이 아득하니 슬펐을 듯이
나도 떡국을 노코 아득하니 슬플 것이로다
아, 이 正月 대보름 명절인데
거리에는 오독독이 탕탕 터지고 胡弓소리 삘뺄 높아서
내 쓸쓸한 마음엔 작고 이 나라의 녯詩人들이 그들의 쓸쓸한 마음들이 생각난다
내 쓸쓸한 마음은 아마 杜甫나 李白 같은 사람들의 마음인지도 모를 것이다
아모려나 이것은 녯투의 쓸쓸한 마음이다

『인문평론』, 제3권 제3호, 1941.4.

歸農

白狗屯의 눈녹이는 밭 가운데 땅 풀리는 밭 가운데
촌부자 老王하고 같이 서서
밭최뚝에 즘부러진 땅버들의 버들개지 피여나는 데서
볕은 장글장글 따사롭고 바람은 솔솔 보드라운데
나는 땅님자 老王한테 석상디기 밭을 얻는다

老王은 집에 말과 나귀며 오리에 닭도 우울거리고
고방엔 그득히 감자에 콩곡석도 들여 쌓이고
老王은 채매도 힘이 들고 하루종일 百鈴鳥 소리나 들으려고
밭을 오늘 나한테 주는 것이고
나는 이젠 귀치 않은 測量도 文書도 실증이 나고
낮에는 마음 놓고 낮잠도 한잠 자고 싶어서
아전노릇을 그만두고 밭을 老王한테 얻는 것이다

날은 챙챙 좋기도 좋은데
눈도 녹으며 술렁거리고 버들도 잎트며 수선거리고
저 한쪽 마을에는 마돗에 닭개즘생도 들 떠들고
또 아이 어른 행길에 뜰악에 사람도 웅성웅성 흥성거려

나는 가슴이 이 무슨 흥에 벅차오며
이 봄에는 이 밭에 감자 강냉이 수박에 오이며 당콩에 마늘과 파도 심그리라 생각한다

수박이 열면 수박을 먹으며 팔며
감자가 앉으면 감자를 먹으며 팔며
까막까치나 두더쥐 돗벌기가 와서 먹으면 먹는 대로 두어두고
도적이 조금 걷어가도 걷어가는 대로 두어두고
아, 老王, 나는 이렇게 생각하노라
나는 老王을 보고 웃어 말한다

이리하여 老王은 밭을 주어 마음이 한가하고
나는 밭을 얻어 마음이 편안하고
디퍽 디퍽 눈을 밟으며 터벅터벅 흙도 덮으며
사물사물 햇볕은 목덜미에 간지로워서
老王은 팔장을 끼고 이랑을 걸어
나는 뒷짐을 지고 고랑을 걸어
밭을 나와 밭뚝을 돌아 도랑을 건너 행길을 돌아
집웅에 바람벽에 울바주에 볕살 쇠리쇠리한 마을을 가르치며
老王은 나귀를 타고 앞에 가고
나는 노새를 타고 뒤에 따르고
마을끝 虫王廟에 虫王을 찾어뵈려 가는 길이다
土神廟에 土神도 찾아뵈려 가는 길이다

『조광』, 제7권 제4호, 1941.4.

벽성(碧城) 편

滿蘇國境線에서

殺氣 騰騰코나 날카로운 「케·뻬·우」는
거친 풀 욱어진 곳 적어인 송장이뇨
故鄕의 하늘을 그려 越境하든 그네라오。

平壤城에서

煙波 蕩漾한데 언덕엔 푸른 버들
배에 앉으니 눈앞이 錦縷로다
이두곤 좋은 江山이 또 어드메 있으리。

新孔德에서

아희야 적山庄에 數子木箱 어인게뇨
길이 잠들려든 古人의 髑髏라오
옮것다 後生의 집터니 안 奚기고 어이리。

비둘기

비둘기 微物이나 三枝의 禮節 있네
桃色遊戲를 자랑삼는 不良「마담」
貞節의 鳩夫人에게 고개 수김 어떻뇨。

(甲戌秋)

『신인문학』, 1936.3.

서정주(徐廷柱) 편

滿洲에서

참 이것은 너무 많은 하늘입니다。
내가 달린들 어데를 가겠읍니까。
紅布와 같이 미치기는 쉬웁습니다.
멫 千年을、오-멫 千年을 혼자서 놀고 온 사람들이겠읍니까。

鍾보단은 차라리 북이 있습니다。
이는 멀리도 않 들리는 어쩔 수도 없는 奢侈입니까。
마지막 부를 이름이 사실은 없었습니다。
어찌하여 자네는 나보고、나는 자네 보고 웃어야 하는 것입니까。

바로 말하면 하르삔市와 같은 것은 없었읍니다。
자네도 나도 그런 것은 없었읍니다。
무슨 처음 복숭아꽃 내음새도、말소리도 病도 아무 것도 없었읍니다。

『인문평론』, 1941.2.

설정식(薛貞植) 편

만주국

-序詩

遼東 팔백 리를 측량하는
검은 그림자가 있었다

사냥개와 轉鐘 經緯儀 折疊式 크롬 다리와
살인범 甘粕 大尉의 꼽추보다 약간 큰 키

호론바일 砂風이 정지한
군용 지도 위에
생사람의 목을 비틀어 죽이던 손가락이
지나가고 지나오는 동안

東三省 굽은 지평선 모든 삼각점이
참모부 제4과에 기록되었다

東京 제국주의자들은 사냥개보다 사나운
미친개로 하여금 의회의 문을 닫게 하고

미친개보다 더 미친
關東 군국주의자들은 주인도 모르는 사이
벌써 죄 없는 양의 넓적다리를 물었으니
이제로부터 사천오백만 石 피가 흐르게 마련이다

異民族 사천오백만 석의 피로
日露戰費 이십억 투자 십칠억이라는 것을 회수하기 위하여
미친 개보다 더 미친 살인 기술자들은
爲先 제 살을 물어뜯어
남의 이빨이 긴 탓이라고 에워 쳐
만주사변이라 일렀으니

때는 일천구백삼십일 년 구월 십팔 일 밤 열 시
제 영토건만
함부로 가까이하지 못하는 남만주 철도
고단한 중국 별
빛을 투기는 푸른 鬼火 총총한
柳條溝火車站에서 이백 미터를 걸어가는
사냥개들의 그림자가 있자
지는 다이나마이트는
瀋陽省 속에
늙은 사람들의 꿈자리를 사납게 하였다

王以哲이가 잠을 자는 왕이철이가

滿蒙 生命線을 일 미터나
폭파하였던 것인
그날 밤 長春을 떠난 급행차는
열 시 반 어떻게 무사히 심양역에 닿았더냐

毒死여
피로 피를 씻고
칼로 칼을 가는 제국주의여, 독사의 무리여
입을 다물고 차라리 포탄부터 소비하라

그날 밤 자정
열두 자 두터이 심양성은
일본군의 포격에 부스러지고
이튿날 새벽
저들의 주권이 흥정도 없이 원수에게 넘어간 다음
北大營 타다 남은 兵廠 추녀 끝에는
吸血의 상징 일장기가 날렸다

이리하여 撫順, 本溪湖, 炭抗 천판이
다음 날 모래같이 무너지고
그 이튿날 新民, 安東, 장춘, 錦州, 吉林省
돌과 흙이 지평선에 가지런하여졌다
두 개의 枕木과

어디서 주워온 鐵片은 폭파의 증거물로 또
제국주의의 담보물로
관동군 사령부에 보관이 되고

흥정에 바쁜 세계는
릳튼 보고서를 역사 교과서같이 제작하고

의로운 자 모두
前線없는 전선에 쓰러지고
혹 궐내로 혹 지하로 사라진 다음
漢奸은 지렁이 두더지처럼 살쪄갈 때
파리회의는 웅변만을 爲主하였고

검은 그림자 지나간 다음
군국주의制 戰車는
오십만 평방리 경작을 시작하고
이민족의 선혈을 비료로 삼끼 비롯하였다

『신천지』, 1948.10.

송순일(宋順鎰) 편

秦始皇의 靈魂

萬世를 꿈꾸든 秦始皇의 萬里長城이 아직도 남었어라마는

羊같이 순한 百姓들의 피땀으로 이룩한 城郭도 이제라 녯날을 쓸쓸히 조상할 뿐。

가마구 떼 앞에 가루 놓인 고기덩이 되엿거나

아아 어리석은 帝王이여!

「네로」의 暴君도 그대와 같이 冥府속에 가치였느뇨?

「솔로몬」의 榮華를 말하거니와、

秦始皇의 豪華를 어데다 비겨 보리요。

阿房宮의 風樂 소리 數千宮女-美姬들의 우숨소리 이 어리석은 帝王의 豪華를 도두기에

맷돌 아레 눌니인 나락 같은 百姓들의 흘닌 피와 땀을 永遠히 갚을 길 없으리니

아직도 그대와 같이 어리석은 英雄(?)들이 亂舞하고 있거늘

어서 그들의 靈魂을 불너가사이다。

冥府속으로-。

陰府속으로-。

秦始皇은 護身策의 蠻勇으로 온갖 書籍을 불살우었느니라。

學問을 막고 言論을 永遠히 封鎖하려 하였어도
그의 간 곳은 오직 冥府뿐이여니
지금도 뚫으고 넘처흘으는 思潮를 노리여 보는가。
아직도 그대와 같이 어리석은 작란꾼들의 靈魂을 길히 불너가사이다。
冥府속으로-。
陰府속으로-。

-一九三三.一.三-

『신동아』, 1933.2.

신상보(申尙寶) 편

北國의 벌에서

大地의 우에서 바람이 및어 날뛥니다
이 밤도 잠 못 일우고 애쓰는 뜰에 한업는 x무리는
大地에 무릂을 꿀코
지머-ㄴ사 넘어에 별아가씨를 엿보고
눈이 멀개졋읍니다
그리는 눈별 우에 한 토막 한술을 던짐니다

별들이 비웃으며 노는 寢室 밑에서
이 따에 살아진 xx의 靈들이 잠을 못 일우고
바람 부는 넓은 이 뜰에서
끝없는 하날 x쪽을 바라만 봅니다

몹시도 말하기 좋와하는 친구들
그리고 손짓을 힘주어 하드니
눈 온 벌, 찬 바람이 및어 날뛸 제
그는 지금 어느 썩은 나무닢 밑에서 조을며 잇노

쐐-

마른 나무가지에 목매고 우는 바람
휘갈려 힘잇게 따리는 x巡警에 손바닥같이
이 땅 넓은 벌을 사정없이 휘갈리노니
그는 지금 어느 곳에서 웃는 해골과 같이
이 밤을 한없이 咀呪하고 잇는지…….

昭和十年月日 滿洲雪窓에서

『신인문학』, 1935.4.

심훈(沈熏) 편

北京의 乞人

世紀末 孟冬에 초췌한 행색으로 正陽門 車站에 내리니, 乞丐의 떼 에워싸며 한 分의 銅牌를 빌거늘 달라는 黃包車上에서 數行을 읊다.

나에게 무엇을 비는가?
푸른 옷 입은 隣邦의 걸인이여,
숨도 크게 못 쉬고 쫓겨 오는 내 행색을 보라,
선불 맞은 어린 짐승이 광야를 헤매는 꼴 같지 않으냐

正陽門 門樓 위에 아침햇발을 받아
펄펄 날리는 五色旗를 쳐다보라
네 몸은 비록 헐벗고 굶주렸어도
저 깃발 그늘에서 자라나지 않았는가?

거리거리 兵營의 嚠량한 나팔소리!
내 평생엔 한 번도 못 들어보던 소리로구나
胡同속에서 菜商의 외치는 굵다란 목청,
너희는 마음껏 소리 질러보고 살아왔구나

저 깃발은 바랬어도 大中華의 자랑이 남고
너의 동족은 늙었어도 '잠든 사자'의 위엄이 떨치거니,
저다지도 허리를 굽혀 구구히 무엇을 비는고
천년이나 만년이나 따로 살아온 백성이거늘-

때묻은 너의 襤褸와 바꾸어 준다면
눈물에 젖인 단거리 周衣라도 벗어 주지 않으랴
마디마디 사무친 원한을 나눠준다면
살이라도 저며서 길바닥에 뿌려 주지 않으랴
오오 푸른 옷 입은 북국의 걸인이여!

*호동(胡同)…… 골목
1919.12

沈熏, 『沈熏 시가집』, 1932.

鼓樓의 三更

눈은 쌓이고 쌓여
客窓을 길로 덮고
蒙古 바람 씽씽 불어
왈각달각 잠 못 드는데
북이 운다, 종이 운다
대륙의 도시, 북경의 겨울밤에-

화로에 매췰[煤炭]도 꺼지고
벽에는 성에가 슬어
얼음장 같은 '촹'[23]위에
새우처럼 오그린 몸이,
북소리 종소리에 부들부들 떨린다
지구의 맨 밑바닥에 동그마니 앉은 듯
마음 좇아 고독에 덜덜덜 떨린다

거리에 땡그렁 소리도 들리지 않으니

---

23 '촹'은 중국어 "床"을 한국어 발음으로 표기한 것이다. 나무 침상이라는 뜻이다.

호콩장사도 인제는 얼어 죽었나
입술을 꼭꼭 깨물고 이 한 밤을 새우면
집에서 편지나 올까? 돈이나 올까?
'만퉈'[24] 한 조각 얻어먹고 긴 밤을 떠는데
고루에 북이 운다, 종이 운다
1919.12.19 北京서

沈熏, 『沈熏 시가집』, 1932.

---

24 '만퉈'는 중국어 "馒头"를 한국어 발음으로 표기한 것이다. 중국의 전통 음식인 밀가루 떡을 말한다.

深夜過黃河

별 그림자… 그믐밤의 적막을 헤치며
火車는 黃河의 철교 위를 달린다
산 하나 없는 兩岸의 渺茫한 평야는
태고의 신비를 감춘 듯 등불만 깜박이고,
황하는 長蛇와 같이 꿈틀거리며
中原의 복판을 뚫고 묵묵히 흐른다

찬란하던 동방의 문명은
이 강의 물줄기를 따라 일어났고
4억이나 되는 中華의 족속은
이 沿岸에서 역사의 첫 페이지를 꾸몄거니

이제 천년만년 굽이져 흐르는,
물줄기는 싯누렇게 지쳐 늘어지고
이 물을 마시고 자라난 백성들은,
아직도 고달픈 옛 꿈에 잠이 깊은데
난데없는 우렁찬 鐵馬의 울음소리!
무심한 나그네를 실고 기차는 황하를 건넌다
1920.2

沈熏, 『沈熏 시가집』, 1932.

上海의 밤

우중충한 '弄堂'[25] 속으로
'훈둔'[26]장사 모여들어 딱따기 칠 때면
두 어깨 웅숭그린 연놈의 떠드는 세상,
집집마다 마작판 뚜드리는 소리에
아편에 취한 듯 상해의 밤은 깊어 가네

발 벗은 소녀, 눈 먼 늙은이를 이끌며
구슬픈 胡弓에 맞춰 부르는 孟江女 노래
애처롭구나! 客窓에 그 소리 장자를 끊네

四馬路 五馬路 골목골목엔
'이쾌양듸', '량쾌양듸'[27] 人肉의 저자,

---

25 농당(弄堂)은 상하이, 절강 일대의 전통 주거양식을 말한다

26 '훈둔'은 중국어 "馄饨"을 한국어 발음으로 표기한 것이다. 조그만 만두속 같은 것을 빚어 넣은 탕을 말함.

27 '이쾌양듸', '량쾌양듸'는 중국어 "一块洋的, 两块洋的"의 한국어 발음 표기이다. "一块洋的"는 중국의 화폐인 "银圆"을 가리킴.

단속곳 바람으로 숨바꾹질하는 '야-지'[28]의 콧잔등이엔
매독이 우글우글 악취를 품기네

집 떠난 젊은이들은 老酒잔을 기울여
건잡을 길 없는 향수에 한숨이 길고,
취하고 취하여 뼛속까지 취하여서는
팔을 뽑아 長劍인 듯 내두르다가
菜館 소파에 쓰러지며 통곡을 하네

어제도 오늘도 散亂한 혁명의 꿈자리!
용솟음치는 붉은 피 뿌릴 곳을 찾는
'까오리'[29] 망명객의 심사를 뉘라서 알고
影戱院의 샹들리에만 눈물에 젖네

1920.11.

沈熏, 『沈熏 시가집』, 1932.

---

28 "야-지"는 중국어 "野鷄"의 한국어 발음 표기이다. 옛날 거리의 창녀. 밤거리의 매춘부를 말함.

29 "까오리"는 중국어 "高麗"의 한국어 발음 표기이다.

나의 가장 친한 兪亨植군을 보고[30]

정이 넘치는 길고 긴 글월과 나의 지극히 사랑하는 君의 주야로 그리워 잊히지 못하던 溫顔을 萬里異域에 뵈오니 흉중에 조수 밀리듯 하는 여러 가지 감회와 군의 얼굴에서 솟아오르는 깊은 인상의 연상은 나로 하여금 斷腸의 詩를 목매인 소리로 읊지 않고는 못 견디게 하였다.

오! 그가 왔다!
峻嶺을 넘고 대양을 건너
사랑하는 벗이 외로움에 떠는
나의 가슴에 안기러왔다
나의 정다운 고국으로서
오! 저 그립던 얼굴
사랑에 엉킨 저 눈!
情談을 토하는 저 입!
입고 싶은 내 나라의 옷 모양
君아 오! 애인아
꽃 아침 날 밤에

30 작자명은 "항주지강대학 白浪生"이라 밝혔고 "독자문단"란에 수록되었다.

마주 잡던 손을 내밀어 주오

사랑의 입술을 가만히 열어

외로운 벗에게 음악을 주서오?

그러나 대답도 없는 침묵한 그대

움직이지 못하는 그대의 몸

아! 세상은 무정하구나

가거라! 가거라!

잊히지 않는 과거의 인상이여!

나의 기억으로서

저 얼굴 뒤에 나타나는

모든 애처로운 그림자!

운명아 이미 우리에게 離居를 주었으니 마음을 썩히는 前日의 환락과 비애의 괴로운 모든 연상을 영원한 무덤에 파묻어버려라

愛兄아 錢塘江畔 궂은비 오는 아침

사랑하는 그대를 그리워 잊을 길 없구나

『동아일보』, 1921.7.30.

錢塘江 위의 봄 밤[31]

-하도 그대의 앓는 얼굴이 보이기에 지은 것

가거라! 가거라!
지나간 날의 애처로운 자취여
가엾이도 희고 여윈 얼굴이여
나의 머리에서 가거라!

눈앞에 보이지도 말고
꿈속에 오지도 말고
소낙비 뒤의 구름같이
흩어져 없어져서
다시는 내 마음 기슭으로
기어들지를 말아라

---

31 이 시는 沈熏이 '해영'에게 쓴 「서간문」(沈熏문학전집(3) 탐구당 1966 p.614-622)에 삽입되어 있음. 그런데 이 시는 沈熏 사후 간행한 『(시가. 수필) 그날이 오면』(한성도서주식회사, 1949)에 수록되면서 제목이 「錢塘江上에서」로 바뀌고 행 구분도 수정되었는데 <沈熏문학전집(1) 탐구당 1966, p.129-130>에서는 이것을 따르고 있음. 여기에서는 「서간문」에 삽입된 작품을 제시한 것이다.

불같은 키스를
주던 나의 입술은
하염없는 한숨에 마르고
보드라운 품에 안기던
가슴속엔 서리가 내렸다

아! 첫사랑의 애닯던 꿈이여!
두견새 우는 노곤한 봄밤
나그네의 베갯머리로는
제발 떠오르지를 말아라
-4.8 밤.

풀밭에 누워서

가을날 풀밭에 누어서
우러러 보는 조선의 하늘은,
어쩌면 저다지도 맑고 푸르고 높을까요?
닦아 논 거울인들 저보다 더 깨끗하오리까

바라면 바라다볼수록
千里 萬里 생각이 아득하여
구름장을 타고 같이 떠도는 내 마음은,
애닯고 심란스럽기 비길 데 없소이다

오늘도 滿洲 벌에서는 몇 千名이나 우리 同胞가,
놈들에게 쫓겨나 모진 惡刑까지 당하고
몇 十名씩 묶여서 銃을 맞고 꺼꾸러졌다는 消息!

거짓말이외다, 아무리 생각하여도 거짓말 같사외다
故國의 하늘은 저다지도 맑고 푸르고 無心하거늘
같은 하늘 밑에서 그런 悲劇이 있었을 것 같지는 않소이다
안땅에서 고생하는 사람들은 상팔자지요,

철창 속에서라도 이 맑은 空氣를 호흡하고
이 明朗한 햇발을 쪼여볼 수나 있지 않습니까?

논두렁에 버티고 선 허재비처럼
찢어진 옷 걸치고 남의 農事에 손톱 발톱 달리다가
豊年든 벌판에서 銃을 맞고 그 흙에 피를 흘리다니……

미쳐날 듯이 심란한 마음 걷잡을—길 없어서
다시금 우러르니 높고 맑고 새파란 가을 하늘이외다
憤한 생각 내뿜으면 저 하늘이 새빨갛게 물이 들듯 하외다!
1930.9.18.

沈熏, 『沈熏 시가집』, 1932.

天下의 絶勝 蘇杭州遊記[32]

西湖月夜

中天의 달빛은 湖心으로 녹아 흐르고
鄕愁는 이슬 나리듯 온 몸을 적시네
어린 물새 선잠 깨여 얼골에 똥누더라

床前看月光 疑是地上霜
擧頭望山月 低頭思故鄕(李白)

---

32 여기에 수록된 「西湖月夜」, 「樓外樓」, 「採蓮曲」, 「南屏晩鍾」, 「白堤春曉」, 「杭城의 밤」, 「岳王廟」, 「錢塘의 黃昏」, 「牧童」, 「七絃琴」 등 작품은 「천하의 絶勝 蘇杭州遊記」(삼천리, 제16호, 1931.6.1., p.55-56)라는 글을 통해 발표된 것들이다. 『沈熏 시가집』(1932)에서는 「항주유기」로 고쳐 수록되었다.

손바닥 부릇도록 배ㅅ전을 뚜다리며
「東海물과 白頭山」 떼 지어 불르다 말고
그도 나도 달빗에 눈물을 깨물엇네

「三十里周圍나 되는 넓은 湖水、한복판에 떠 잇는 조그만 섬中의 數間茅屋 湖心亭이다。流配나 當한 듯이 그곳에 無聊히 逗留하시든 石吾先生의 憔悴하신 얼골이 다시금 뵈옵는 듯하다」

아버님께 종아리 맛고 배우든 赤壁賦를
雲羔萬里 예 와서 千字읽듯 외우단 말가
羽化而 歸鄉하야 어버이 뵈옵과저

樓外樓

술 마시고 십허서 引壺觴而 自酌할가
젊은 가슴 타는 불을 꺼보려는 心事로다

醉하야 欄杆에 기대스니 어울리지 안터라

「樓外樓는 酒肆의 일흠, 大廳에 큰 體鏡을 裝置하야 水面을 反照하니 華舫의 젊은 男女, 한 双의 鴛鴦인 듯 때로 痛飮하야 氣絶한 친구도 잇섯다」

採蓮曲

一

裏湖로 一葉片舟 소리 업시 저어드니
蓮닙이 베ㅅ바닥을 간지리듯 어루만지네
품겨 오는 香氣에 사르르 잠이 들 듯 하구나

二

코ㅅ노래 부르며 蓮根 캐는 저 姑娘
거더부친 팔뚝 보소 白魚가티 노니노나
蓮밥 한 톨 던젓더니 고개 갸웃 웃더라

「耶溪採莲女 见客棹歌回
笑入荷花去 佯羞不出来」

三

누에(蠶)가 뽕닙 썰 듯 細雨聲 자자진 듯
蓮봉오리 푸시시 기지개켜는 소릴세
연붉은 그 입술에 키쓰한들 엇더리

南屛晩鐘

野馬를 채쭉하야 南屛山 치다르니
晩鐘 소리 잔물결에 주름살이 남실남실
古塔 우의 까마귀 떼는 뉘 설음에 우느뇨

白堤春曉

樂天이 싸흔 白堤 裟笠 쓴 저 老翁아
吳越은 어제런 듯 그 様子만 남엇고나
竹杖을 낙대 삼어 고기 낙고 늙더라

杭城의 밤

杭城의 밤저녁은 개 지저 깁퍼 가네
緋緞 짯는 吳姬는 어는 날 밤 새우려노
올올이 풀리는 근심 뉘라서 역거주리

「機中织锦秦川女 碧纱如烟隔窗语
停梭怅然憶远人 独宿空房泪如雨」

岳王廟

千年 묵은 松柏은 얼크러저 해를 덥고
萬古精忠 武穆魂은 길이길이 잠들엇네
秦檜란 놈 쇠手匣찬 채 남의 침만 밧더라

錢塘의 黃昏

야튼 한울의 아기별들 漁火와 입 맛추고
林立한 돗대 우에 下弦달이 눈 흘기네
浦口에 도라드는 沙工의 배ㅅ노래 凄凉코나

「西湖서 山등성이 하나만 넘으면 滾滾히 흘르는 錢塘江과 一望無際한 平野가 눈압헤 깔린다. 中國三大江의 하나로 그 물이 淸澄하고 湖水로 더욱 有名하다」

牧童

水牛를 빗겨 타고 草笛 부는 저 牧童
屛風 속에 보든 그림 고대로 한 幅일세
竹筍 캐든 어린 누이 柴扉에 마중터라

七絃琴

밤 깁퍼 버레소리 숩속에 잠들 때면
겻방 老人 홀노 깨어 졸며 졸며 거문고 타네
한 曲調 타다 멈추고 한숨 깁피 쉬더라

「江畔에 소슨 之江大學寄宿舍에 白髮이 星星한 無依한 漢文先生이 내 房을 隔하야 獨居하는데 明滅하는 燭불 밋테 밤마다 七絃琴을 뜻으며 寂滅의 志境을 自慰한다. 그는 나에게 號를 주어 白浪이라 하얏다」

附記-西湖十景만 하야도 列記할 수 업고 錢塘江岸에도 江南紅의 「로-맨스」며 六和塔, 嚴自陵의 釣臺等 名所가 만흐나 차레로 巡禮記를 쓰지 못함이 遺憾이다。蘇州風景은 次號로나 밀운다。

放鶴亭

放鶴亭 朱欄杆에 하루 종일 기다려도
구름만 오락가락 학은 아니 돌아오고
林處士 무덤 곁에는 늙은 매화 수절터라

沈熏, 『沈熏 시가집』, 1932.

三潭印月

三潭에 잠긴 달을 무엇으로 건져 볼꼬

팔 벌려 건지자니 달은 등에 업혔구나

긴 밤을 달 한 짐 지고 꾸벅꾸벅 거니네

東坡가 杭州刺史로 있을 때 쌓은 석탑 셋이 남아 있다. 달 밝은 밤에는 수면에 그림자 셋을 떨어트려 典雅한 堂宇와 함께 물 위에 부침한다.

沈熏, 『沈熏 시가집』, 1932.

高麗寺

雲煙이 잦아진 골에 讀經 소리 그윽코나
예 와서 高麗太子 무슨 도를 닦았던고
그래도 내 집인 양하여 두 번 세 번 찾았었네

沈熏, 『沈熏 시가집』, 1932.

안영균(安永均) 편

北國 뜰에서

一

지난해는 남쪽 하늘 밋
올해는 北쪽 平原끗
이러케 거친 曠野 흘너가면서
나락을 심으고 또 가라붓치도
그들은 배를 주리고 량식을 일코-
또다시 밀녀가네 西쪽 하늘 바라며—

二

보—얏케 바라뵈는
地主들의 넓은 城 안에는
黃穀의 露積가리 山갓치 보히나니
저 黃穀 지어 준 北國의 무리는
눈보라 부러오는 갓업는 뜰에서
또다시 어느 곳으로 살 길을 찾아 흩을 건가.

太陽도 추어 떠는 北國의 겨울!

모래바람 끝업서 압흘 못 보나
머—ㄴ 곳에 약속을 매저둔 이 몸은
그래도 주먹을 쥐인 체 거려만 가네

『비판』, 제10호, 1932.2.

양우정(梁雨庭) 편

떠나면서

山川아 잘 잇거라
소도 개도 잘 잇거라
동내 사람 잘 사시오
님아 너도 잘 잇거라

동내 사람 뭇거들랑
북간도로 갓다 하고
아들딸이 울거들랑
돈 버러서 온다 하소

소와 개가 뭇거들랑
못 사라어 갓다 하고
빗쟁이가 오거들랑
버리하러 갓다 하소

『중외일보』, 1928.7.5.

季節의 旋律

秋思

秋收곳난 말숙한 들판에 새파란 哀愁가 누어 잇다.
가을 그것은 갈가마기 나래에 실어온 悲歌, 머나먼 나라에서
외로운 친구가 보내는 노래.
아아 가을아 (슬픈 音響이이) 너이 일흠은 넘우나 슬펏고
너의 가슴은 넘우나 차구나.
너를 껴안고 굶주리는 무리 이 가을에 몃치드뇨
너를 등지고 떠나가는 兄弟가 오늘도 鴨綠江을 몃치나 건느드뇨.
秋收곳난 거치른 들판에는 새파란 애수만 흘으고 잇는데
　　一九三四年晩秋

『조선중앙일보』, 1935.10.4.

오상순(吳相淳) 편

放浪의 北京[33]

故鄕에서 永遠히 여윈 벗을 꿈에 보고
잘도 東京까지 딸하와 주엇다고
희미하게 늣기면서 잠 께운 오늘 아츰
말하기 어려운 悲哀에 잠겨-

가튼 旅域에 苦와 樂을 한가지 하던
「봄」 못하는 벗을 멀리 그의 나라로 보내 버리고
그의 버서 두고 간 곰가튼 검은 長革 바라볼 적마다
그대 집행이를 끌고 只今쯤은 어느 곳을 彷徨할고 생각
하는 마음의 외로움이어!

달려가는 수레 뒤로
손 버리고 쪼차오든
일곱여덟(살)의 헐버슨 中國사람의 딸

---

33 "吳想殉"이란 이름으로 발표했다.

銅錢 한 푼을 던저 주엇더니
또 다른 것을 바라고
거의 五里나 되는 길에 「쿠리」와 다투어
불가티 나리쪼이는 太陽밋헤
딸하 오던 少女—
發見하던 그 瞬間의 나의 마음 메여지는 듯하얏다。

사람이 끄는 車 우에 놉히 안저
고개ㅅ짓하며 오는 비단에 요싸힌 紳士보고 그 압헤
업드려 두손으로 땅을 집고
니마로 땅을 찌코 또 찌어 피 흘려내던
열살 前后의 中國사람의 아들—
紳士는 보고도 못 드른 듯이 아모 感覺의 表情도 없게
지나가고 말앗다。

한손으로
가슴에 안키어 젓빠는 갓난애기 부둥켜 잡고
다른 손을 놉히 들어 벌리고
馬車 뒤로 달여가는 발좁힌 中國사람의 안해—

온 미천이던 洋銀一圓을 빌억질하는
老婆에게 주어노코
無一分의 나를 돌아보아
쪽애 두엇드면 하는 假想誘惑이 일어나랴 할 제

나는 監獄 가튼 담들이 욱어진

컴컴한 좁은 골목길 몸을 감추운다

누가 나의 마음속을 들여다보는 듯해서。

발이 빠지는 몬지 싸힌

네거리 한복판에

네발을 되는대로 뻐더 바리고

낫잠 자는 中國개 볼 때마다 울고 십다

수레가 그 압흐로 시치고 지나가나

自動車가 소리를 지르며 몰아오나

[나모른다는]듯한 그 꼴은

가장 偉大한 듯도 하다

나는 同時에 中國苦力을 생각한다

그리고 또 中國사람 全體를 聯想한다

— 一九一八年北京서 —

『삼천리』, 1935.1.

오장환(吳章煥) 편

延安서 오는 동무 沈에게

그 전날
이웃나라 동무들이
瑞金에서 延安으로, 막다른 길을 헤치고 가듯
내 나라에서 延安으로
길 없는 길을
萬餘里.
다만 외줄로 뚫고 간 벗이여!

동무, 이제 내 나라를 찾기에 앞서
벗에게 보내는 말
"동무여! 平安하신가."
沈이어,
아니 내가 모르는 또 다른 동무와 동무여!
나도 눈물로 웨친다.
"동무여 平安하셨나."

동무, 이제 벗을 찾기에 앞서

소식을 傳하는 뜻
“부끄러워라, 쫓겨갔든 몸 돌아옵니다.
내 나라에 끝까지 머물을 동무들의 싸홈,
얼마나 괴로웠는가.”
얼골조차 없어라.
우리는 이제 무어라 대답하랴.

불타는 가슴
피끓는 誠實은 무엇이 다르랴
그러나 동무,
沈이어!
아니 내가 모르는 또 다른 동무와 동무들이어!
우리들 배자운 싸홈 가운데
뜨거히 닫는 힘찬 손이어!
동무, 동무들의 가슴, 동무들의 입, 동무들의 주먹,
이 모든 것은 우리의 것이다.

一四五. 十二. 十三 金史良 동무의 편으로 沈의 安否를 받으며
(1945.12.13)

김학동, 『오장환 전집』, 국학자료원, 2003.6.

유랑엽(劉浪葉) 편

異國의 밤[34]

梧桐닙헤 도치든 풋비는 개엿다
자자드는 新公園의 黃昏
어둠은 앗실앗실 떠돌며 잇다금
哀然한 靑개고리의 울음
나는 맘 없이 져녁의 물결 우에 떠 잇다
行樹가지 울던 먼먼물 우에
한 촉의 젓빗늘이 흘러사엿고
둘레둘레 圓燈은 夜樹 같기에 빗을 헷친다
四圍는 숨짐듯이 잠잠 ……
나는 하염업시 낡은 뻰취에 기대여
이 冷寂한 밤의 한때를 보내고 잇다.
스르르 감은 눈 숙인 귀에 속삭이는 목청
「오오, 내 사랑아 내 사랑아」

34 작자명을 호항 랑엽(滬港 浪葉)이라는 필명과 이름을 함께 붙여 발표했다.

가슴은 싸눌하다 아아 외로움 밤
먼 教堂에 少女의 讚美가 새여돌며
나무닙히 후들후들 흔들닐 뿐.
불현듯, 하늘을 우럴어보니
애닯다 산목이 쏘다내는 歲月,
구름이 마루땅을 굴며 녯임을 말하다.

물신물신 꼿 지는 舊都의봄,
님은 재넘어 노래하건만
간진 눈물을 뿌릴 바 업서,
애탄 가슴을 너 홀로 붓안은
善竹橋 버들새에 가엽슨 설음.

뭉게뭉게 구름은 풀어지며
牽牛織女星은 물넘는 烏鵲橋에 한숨 진다.
바닥 검은 연못가에 버레소리 빗기며
멀리서 개소리가 지져온다, 끈헛다니엿다.
아아 밤이다 고흔 밤.
酒幕의 초롱을 멀리서 보는 行人의 밤.
달은 草原에 그림자를 뿌리며
異國의 밤은 잠잠하다.

애흠다 달아
다리를 노하라, 을밤이도 업는 밤

虹彩덧는 빗의 다리를 세우다.

聖女의 가슴 우에 흔들이는 鐘소리와 가티

牧童의 枕邊에 우수수 떨어지는 桂花와도 가티

甘香 잇게 韻響 잇게

흐르러진 잠의 송이를

아아, 달고단 꿈의 다리 우에

새달아, 뿌려 달라, 그에게도 내에게도.

『동명』, 1923.6.

西湖의 밤[35]

斷橋의 알취를 빠져
短庭은 밤의 蓮波곁을 스쳐라
放鶴亭에 蟲聲은 솨-솨-
葛嶺에 北斗는 일곱빗을 떨어쳐라.

綠柳느리운 夜莊에 越女의 고흔
나루 건너 胡琴이 嗚咽하여라
그윽한 孤山의 물굽이에
흐닐느는 螢火의 아름다움아.

平湖의 물은 출렁 蘇隄에 부핏고
湖心의 夜樹는 말업서라
行樂의 短庭은 어둠을 그득 실고
燐光의 城으로 櫂을 지어라.

幽靈가튼 雷峰, 寶淑의 古塔

---

35 '滬港 浪葉'으로 발표함.

아아 西湖의 밤은 恨嘆하여라.

(壬戊의이로 杭州서)

『동명』, 1923.6.

廣東에서

珠江夜遊

미희(美姬)의 적삼을 끌안은
밤의 주강(珠江)물은
포도의 줄로 반득인다。

오동의 깜-한 밤 속에
분때 하얀 간들한 모골은
꿈에도 어룬드시 아득인다。

한숨일가 물구덩이에
청춘의 잠은 수고롭다
치마폭 물꼿에 번득이도다。

사람과 세월이 멀킨 이 물에
눈물도 길이깁다
배는 움지겨 우름도 흐득인다

아아 ××× 도성아

내 벗이여 눈을 감고
이 강을 띄띄어 고민하누나。

珠江으로

안개와 물결의 녯강으로
배는 비에 흐리며
지울々々 거슬너 오른다。

녯강이다
철업시 나리는 구진 비에
삼강(三江)의 물결은
녯날도 오늘 사나히 흐른다

철모른 사람의 호흡이
이 강두덕의
둥지튼 푸름새에 뭇첫스랴
주강물은 오래도 흐른다。

배는 안개와 얼싸오르며
비도 내리여 배쳔을 적순다
바라뵈는따
×××××× ×××
솟기는 맘 배와 갓치 흐를너라。

劇場의 밤

극쟝의 밤은 으리々々밝고나
비 오는 밤의 애닯음아
눈을 감고 섬돌에 울으랴
내 맘우는 극쟝의 밤아。

중국아씨의 아쟁이는 치마폭
분칠한 얼골에 구름이 뜨며
연지한 입설에 수심이 새누나
흔옷를 두른 젊은 女伶아!

호금(胡琴)이 목메여 라고(鑼鼓)가 빗긴다
아아! 흉노(匈奴)의 진(陣)독갭이 고함에
미희의 울음은 마츰내 삼켰다
웃음 울음 울음 웃음 ……

극장의 밤 비는 내린다
상녀(商女)의 그림을 삼키는 바닥에
길손 우는 이역의 발바닥에!
아아 비 비오는 극장의 밤아。

除 夕

제석의 날은 차고 어둡다!
망명(亡命)의 제석은 차고 어둡다。

오는 비 때와 가치 흔들리며
어둠 속에 나그내는 흐늣긔여라。

빗이 흐린 시들은 도성에
제석만은 나그내를 부르누나。

제석 아아! 제석의 밤
千九百二十五年의 끗날

오는 비바람 불어 또 이 제석
홈빡 적순 옷짜락을 보랴。

토막친 촉불 아래 세워진 바늘은
그름메 멀니 어머님 울으심!

아아! 엄마의 따를 일허친 제석
가는 길 가는 길 눈물의 제석
-(一九二五年)-

『신여성』, 제4권 제9호, 1926.9.

유병우(劉秉宇) 편

白頭山

永刼을 뚫이 蒼空에 높이 소슨 이 산 우해서
우리들 옛 어버이가 나리섰다는 거륵한 神秘境
맑은 물을 담은 天池 거울에 그림자 빛애이며
太古의 마음을 품고 敬虔한 黙禱를 드린다

北으로 흘너 이 물줄기 滿洲의 벌을 싳고
南으로 나려 壯한 血脈 이 땅에 퍼젓스니
옛날 같은 겨레가 살든 槿域은 옴처들어
이제 東西로 나눈 한 띄 물이 國境을 지음췻다니

『조선문단』, 1935.8.

유창의(劉昌宜) 편

故國原

얄루 건너 지금은 남의 나라
冬佳江의 세찬 흐름이 옛말같이 흘러드는 곳、
흰 구름 배회하는 北쪽 하늘 밑 꿈결같이 들려진 沈默의 古城、
그 곳은 北韓의 鐵騎들이 숨을 헐하든 高句麗의 도읍지-
자나 깨나 언제나 그리운 내 血統의 故鄕인 故國原이어라.

千年後 오늘 그들의 남긴 遺骸의 집이 [피라밑] 같거니
한창 당연인 그때、그들의 壯圖 偉大한 꿈은
[바벨]이 오히려 낮였었다.

長白이 높아 그들의 뜻이 壯하고
鴨綠이 푸르러 그들의 희망이 끝간 데를 몰랐섰거니
오오、별빛 조용한 이 한밤을
나는 北쪽 하늘을 우러러 그렇게 壯大튼 故國原의 큰 꿈을
답답한 이 가슴에 한아름 가득히 받으려 한다。

北國의 그 女子는 太陽같이 큰 꿈을 안고 東明聖王을 설워나여

北夷東方에 큰 자최를 남기였나니,
내 사랑하는 珠申아
너도 나와 같이 北쪽 하늘 밑 故國原 巡邏를 가자
가서 큰 꿈을 배어오자
偉大하던 高句麗사람의 푸른 피를 우리들의 血管에 받어오자.

저 보라-
長白 넘어 東方 마루에 커다란 아침해가 떠서 오른다
우리도 北溟荒原에 빛의 화살을 높이 들고서
가장 武勇스럽던 그 한때의 高句麗사람의 鐵騎隊처럼
모든 苦難을 征服하고 새로운 生의 大道를 달려가지 않으려느냐.

『신동아』, 1935.6.

유치환(柳致環) 편

내 너를 내세우노니[36]

내 너를 내세우노니

끝없는 迫害와 陰謀에 쫓기어
天體인 양 萬年을 녹쓸은
崑崙山脈의 한 골짜구니에까지 脫走하여 와서
드디어 獰惡한 韃靼의 隊商마저 여기서 버리고
호올로 人類를 떠나 짐승같이 彷徨ㅎ다가
마지막 어느 氷河의 河床 밑에 이르러
주림과 寒氣에 제 糞尿를 먹고서라도
내 오히려 그 모진 生命慾을 버리지 않겠느뇨

내 또한 너를 여기에 내세우노니

「아바지여 만일 즐기시거든

---

36 이 시는 유치환 시집 『생명의 서』(행문사, 1947.6.)에 재수록되었다.

내게서 이 잔을 떠나게 하소서!」

이미 定해진 運命 앞에 破廉恥하여서는 안 되노라

물구비에 지푸래기로

運命에 휩쓸려 꺼져서는 안되노라

끝까지 너가 運命만 하고

運命이 너만 한 그 위에 堂堂히 디디고 서서

너 從容히 들어 그 不當한 잔을 마시겠느뇨

다시 내 너게 묻노니

薄暮의 이 연고 없이 외롭고 情다운

아늑한 거리와 사람을 버리고

永劫의 주검!

눈 코 귀 입을 틀어 막는 鐵壁 같은 어둠 속에

너 어떻게 호을로 종시 묻히어 있겠느뇨

『문장』, 1940.1.

曠野에 와서[37]

興安嶺 가까운 北邊의
이 曠漠한 벌판 끝에 와서
죽어도 뉘우치지 않으려는 마음 우에
오늘은 일헤째 暗愁의 비 내리고
내 막난이에 본받아
花투장을 뒤치고
담배를 눌러 꺼도
마음은 속으로 끝없이 울리노니
아아 이는 다시 나를 過失함이러뇨
이미 온갖을 저버리고
사람도 나도 접어주지 않으려는 이 自虐의 길에
내 열 번 敗亡의 人生을 버려도 좋으련만
아아 이 悔悟의 앓임은 어디메 號泣할 곳 없어
말없이 자리를 일어 나와 문을 열고 서면
나의 脫走할 思念의 하늘도 보이잖고
停車場도 二百里밖

---

37 이 시는 유치환 시집 『생명의 서』(행문사, 1947.6.)에 재수록되었다.

暗담한 진창에 가친 鐵壁 같은 絶望의 曠野!

『인문평론』, 1940.7.

絶島[38]

허구한 歲月이
광야는 외로워 絶島이요

새빨간 陽夕이 물들은
세상의 끝 같은 北쪽 依支 없는 마을

머언 벌가 兵營에서
어둠을 불러 喇叭소리 喨喨히 울며

큰악한 終焉인 양
曠野의 하로는 또 지오

『인문평론』, 1940.11.

38 이 시는 유치환 시집 『생명의 서』(행문사, 1947.6.)에 재수록되었다.

首[39]

十二月의 北滿 눈도 안 오고
오직 萬物을 苛刻하는 黑龍江 말라빠진 바람에 헐벗은
이 적은 街城 네거리에
匪賊의 머리 두 개 높이 내걸려 있도다
그 검푸른 얼굴은 말라 少年같이 적고
반쯤 뜬 눈은
먼 寒天에 糢糊히 저물은 朔北의 山河를 바라고 있도다
너이 죽어 律의 處斷의 어떠함을 알었느뇨
이는 四惡이 아니라
秩序를 保全하려면 人命도 雞狗와 같을 수 있도다
或은 너의 삶은 즉시
나의 죽엄의 威脅을 意味함이었으리니
힘으로써 힘을 除함은 또한
먼 原始에서 이어온 피의 法度로다
내 이 刻薄한 거리를 가며
다시금 生命의 險烈함과 그 決意를 깨닫노니

---

39 이 시는 유치환 시집 『생명의 서』(행문사, 1947.6.)에 재수록되었다.

끝내 다스릴 수 없던 無賴한 넋이여 瞑目하라!

아아 이 不毛한 思辨의 風景 위에

하늘이여 恩惠하여 눈이라도 함빡 내리고 지고。

『국민문학』, 1942.3.

北斗星

白熊이 우는
北方 하늘에
耿耿한 일곱별이
슬픈 季節
이 거리
저- 曠野에
不滅의 빛을 드리우다。

어둠의 洪水가 구비치는
宇宙의 한복판에
홀로 선 나도
한낱의 푸른 별이어니!

보아 千年
생각해 萬年
千萬年 흐른 꿈이
내 맘에 薔薇처럼 고히 피니。

구름을 밟고
기러기 나간 뒤
銀河를 지고
달도 기우러

밤은
어름같이 차고
象牙같이 고요한데
우러러 斗柄을 재촉해
亞細亞의 山脈 넘에서
東方의 새벽을 이르키다。

『조광』, 1944.3.

夏日哀傷[40]

피빛 맨드래미 피어 있는 閑가론 村 정거장
벗나무 아쉬운 그늘 아랜
이 따거운 한낮의 쪼약볕은 避할 길 없나니
떠나지 못할 分身 같은 깜안 影子를 앞세우고
오오 나는 어디메로 가려는고
오늘도 天道는 憂鬱히
무르녹는 푸른 벌 위에 불타 있고
벌을 뚫고 一直으로 달아난 鐵路는
어느 鄕愁의 길에도 連하지 않았나니
오오 매미 귀또리처럼 울음 우는
이 可恐한 白晝의 虛寂 가운데선
나의 行爲하려는 것
그는 오직 意志 없는 한 슬픈 影繪일 뿐

---

40 「夏日哀傷」에서부터 「나는 믿어도 좋으랴」까지는 모두 유치환의 시집 『생명의 서』(행문사, 1947.6.)에 수록된 작품들이다.

郭爾羅斯後旗行[41]

1. 肇州城

城문은 또렷이
안타깝게도 닿을 데 없는 먼 曠野로 열려 있고
따뜻이 흐린 初春의 肇州城은
어디선지 낮닭 소리 옛적같이 들려오고
까마귀 날러 노는 네거리 白楊나무 아랜
팔리러 온 새끼 당나귀 한마리 두고
서너 사람 한가로이 보고 섰는 밖에

2. 桃李滿城

사람도 六畜같이 슬픈 진눈까비만
그지없이 내리는 이 먼 肇源의 거리는
絶島인 양 한 자죽도 나갈 데 없고
호을로 社會教育館의 草屋으로 찾아오니

---

41 이 시를 포함한 아래 유치환의 시는 시집 『생명의 서』(행문사, 1947.6.)에 수록된 작품들이다.

녹쓸은 暖爐 燃料의 高粱ㅅ대만 索漠히 쌓여 있고
桃李滿城의 족자 하나 바람벽에 걸렸나니
아지랑이 저물은 먼 봄하늘 아래
꿈인 양 寂寂히 떠오른 그 桃源城 아래 와서
나는 우러러 가장 남루한 나그네였다

3. 蒙旗에 와서

가도 가도
희멀건 하늘이요 끝없는 曠野이기에
어디로 사람이 오고 가는지 알 바 없고

멀수록 알뜰한 너 생각 의지하고
이 외딴 세상의 외딴 하늘 우러러
나는 家畜과 더불어 살 수 있으리

風日

바람이 바다 소리를 하고 부는 날은
보오얀 沙塵에 하늘도 산도 안 보이고
슬픈 햇빛은 마음의 한편만을 비치고
어디를 가도 바다 소리만 들리어
나는 蒼茫한 변두리의 한 개 외로운 바위!

極樂寺所見

푸른 하늘 極樂寺 드높은 기왓장 끝엔
화안한 가을 夕陽빛에
적은 짐승의 形像들이 즐거이 앉아 놀고

落葉 짙은 大雄寶殿 문에 붙어
때묻은 大布衫에 袈裟를 걸친
하그리 裟婆가 그런 얼굴을 한 젊은 중 하나

道袍

胡ㅅ나라 胡同에서 보는 해는
어둡고 슬픈 무리(暈)를 쓰고
때묻은 얼굴을 하고
옆대기에서 甛瓜를 바수어 먹는 니-야여
나는 한궈人이요
할아버지의 할아버지쩍 물려받은
道袍 같은 슬픔을 나는 입었소
벗으려도 벗을 수 없는 슬픔이요
-나는 한궈人[42]이요
가라면 어디라도 갈
-꺼우리팡스[43]요

---

42 '한궈人'은 중국어 "韩国人" 발음을 한국어로 표기한 것이다.

43 '꺼우리팡스'는 "高丽棒子(즉 조선 사람을 천시하여 부르는 말)"의 중국어 발음을 한국어로 표기한 것이다.

우크라이나寺院

할빈 南崗大路에 있는 이 寺院은 一九〇三年 할빈 建設當時의 犧牲者와 拳匪事件의 籠城者를 中心으로 우크라이나人 만이 모시는 절이라고 한다

여름의 기나긴 한낮
古堂은 寂寂히 그늘도 짙어

찾는 이 없는 鐵문 안엔
적은 얼굴들을 갸우리고
피어 있는 새빨간 금전화

一九〇三年
하그리 먼 歲月은 아니언만

異國의 땅에 고이 바친 삶들이기에
十字架는 一齊이 西녘으로
꿈에도 못 잊을 祖國을 向하여 눈감았나니

아아 우크라이나 우크라이나
보리빛 먼 하늘이여

哀春

바람이 부는 날은
포곡새가 울지 않소
胡笛 소리도 구슬피
오늘은 들 끝에 胡人의 葬사가 있소

雨夜

窓앞의 나무 그늘 포대기 같이 너울거리더니
뚜닥 뚜닥 빗발이 땅을 치고
흐리던 날이 午後는 비가 되다

이미 이 비에 젖었을 먼 山河의 근심이
보는 책 글줄 새로 은밀히 앞질러 오나니
밖으로 찬꺼리를 사러 나간 안해여 어서 돌아오소
오늘 밤은 일찍암치 저녁을 지어 먹고
燈불을 다가 놓고 太初의 먼 소식을 듣자

안해 앓아

안해 앓아
대신 일찍 일어나온 첫 아침
아직 어두운 가운데
풍로에 붙이는 숯돌 새빨갛게 일어 타고
앞 길에선 달각 달각
市內로 들어가는 馬車소리 채찍 소리
물같이 맑은 새벽 空氣를 울리고
잎새 얼마 남지 않은 가지엔
밤부터 부는 세찬 바람이 걸려 있어
주먹 같은 光彩의 별 하나 남아 있는 東方으로부터
끝없이 淸澄한 銀빛 아침을 데불고 오나니
안해는 항상 이렇듯 맑게 일어 나오는 것이었고나

六年後

向아 오늘에사 비로소 너의 죽음을 읊을 수 있노라

歲月은 진실로 福된 손길인 양 스쳐 흘러갔고나

세상에 허다한 어버이 그 쓰라림을 겪었겠고
어려서 죽은 者 또한 너만이 아니련만
자칫하면 터지려는 짐승 같은 슬픔을 깨물고
어디다 터뜨릴수 없는 憤함으로
너의 작은 棺에 뚜껑하여 못질하고
陰寒히 흐린 十一月 北만주 벌 끝에
내손으로 흙 덮어 너를 묻고 왔나니

그때 엄마 무릎 위에 안기어
마지막 어린 臨終의 하그리 고달픔에
엄마를 부르고
아빠를 부르고
누나 작은 누나 큰 누나를 부르고
아아 그리고 드디어 너는

그 괴론 肉身을 肉身으로만 남기고 갔나니

어느 가을날 저녁 처마의 제비 그의 집 비우고
돌아오지 않은 채 가 버리듯 너는 그렇게 가고
歲月은 진실로 福된 손길인 양 스쳐 흘러갔건만
夕陽의 가늘고 외론 行人의 그림자 어런 이 먼 胡ㅅ나라 거리
강냉이 구어 파는 내음새 풍기는 늦인 가을이 오면
철 지운 새 모양 너 생각 다시금 의지 없고나

무덤가에 적은 멧새 와서 울고
저녁 놀이 누나 엄마가 사는 먼 세상을 물들일 때
애기야 너는 혼자 외로워 외로워
그 귀익은 창가를 소리 높이 부르고
날마다 날마다 고와지는 좋은 白骨이 되라

飛燕과 더불어

北만주 먼 벌판 끝 외딴 마을의
새빨간 夕陽이 물든 寂寞한 한때를
영 끝에 모여서들 蒼穹을 對하여
조잘대며 이루 나는
제비야 멱머기야 새끼 제비야
날아라 날아 마구 날아라
滿艦飾의 旗빨처럼 눈부시게 날아라
오늘도 머나먼 故國 생각에
하로 해 보내기 얼마나 힘들더냐

허물어진 城 문턱에 홀로 앉으면
太平洋의 푸른 물이 하염없이
찰삭 찰삭 변죽을 와서 씻는 조선半島!
팔매처럼 숨막히게 날아오르면 제비야
서울 장안이 보이느냐
南大門문이 보이느냐
鴨綠江을 건느고
秋風嶺을 넘어

우리 고장은 경상도 南쪽 끝 작은 港口!
그 하아얀 十字ㅅ길 모퉁집이
우리 父母가 할아버지 할머니로 계시는 곳이란다

오늘도 曠野의 기나긴 해를
먼 故國 생각에 가까스로 보냈노니
제비야 멱머기야 새끼 제비야
오히려 그리움의 寂寞한 恨에
날아라 날아 마구 날아라
먼 벌이 저물어 안 뵈도록 날아라

飛燕의 서정

집도 거리도 안개 속에 묻히어
잔뜩 雨意 짙은 이른 아침
飛燕 두엇
網膜을 베듯 날쌔게 날고 있나니
너는 오늘도 時間에 일어
窓문을 자치고 生活을 開店하여 앉건만
이날 하로의 期待나 근심을
너는 얼마큼 正確히 計算할 수 있느뇨
이는 정하게 길든 日常의 習性!
오히려 박쥐보다 못한 存在임을 알라
보라 霖雨期의 이른 아침
飛燕의 긋는 날칸 認識의 彈道를
차거운 意慾의 꽃 팔매를

車窓에서

달아 나오듯 하여
모처럼 타 보는 汽車
아무도 아는 이 없는 새에 자리잡고 앉으면
이렇게 마음 편안함이여

義理나 愛情이니
그 濕하고 거미줄 같은 속에 묻히어
나는 어떻게 살아 나왔던가?
기름 때 저린 「유치환이」
이름마저 헌 벙거지처럼 벗어 팽가치고
나는 어느 港口의 뒷골목으로 가서
고향도 없는 한 人足이 되자
하여 名節날이나 되거든
인조 조끼나 하나 사 입고
제법 먼 고향을 생각하자

모처럼만에 타 보는 汽車
아무도 아는 이 없는 틈에 자리잡고

홀로 車窓에 붙어 앉으면

내만의 생각의 즐거운 외로움에

이 길이 마지막 西伯利亚로 가는 길이라도

나는 하나도 슬퍼하지 않으리

絶命地

고향도 사랑도 懷疑도 버리고
여기에 굳이 立命하려는 길에
曠野는 陰雨에 바다처럼 荒漠히 거칠어
타고 가는 망아지를 小舟인 양 추녀 끝에 매어 두고
낯설은 胡人의 客棧에 홀로 들어 앉으면
嗚咽인양 悔恨이여 넋을 쪼아 시험하라
내 여기에 소리 없이 죽기로
나의 人生은 다시도 記憶ㅎ치 않으리니

注: 客棧=주막

北方 十月

이곳 十月은 벌서 죽음의 季節의 始初러뇨
까마귀는 城귀에 모여들 근심하고
다시 天日도 볼 수 없는 한 장 납빛 하늘은
荒漠한 曠野를 鐵柵인 양 눌러 막아
아아 北方 이 巨大한 鬱暗의 意志는
娼婦인 양 虛無를 안고 나누었나니
내 스스로 여기에다 버리려는 孤獨한 思惟도
이렇게 적고 찾을 길 없음이여
호을로 허물어진 城터에 서건대
朔風에 남은 高粱대만
갈 데 없는 感情인 양 못 견디어 울고
한때 騎馬의 흙빛 兵丁 있어
人力이 아닌 듯
黙黙히 西쪽 벌 끝으로 向하여 달려가도다

濱綏線開道에서

굽어보는 높은 嶺머리와 머리가 서로 다다러

—그 嶺 하나 넘으면 牡丹江省!

여기는 하로 해가 행결 짜르고

白雪에 덮힌 山山은 칠칠히 樹木이 들어서

바이코푸의 偉大한 王이 지나 다니는 바로 그 길목인

老爺嶺도 高嶺子 깊은 山間

山마루를 끊어 枕木도 새로운 鐵道驛이 생기고

森林을 쳐 길을 내고

집을 지어 장사아치가 오고 술집이 생기고

세우다 둔 집

— 문도 채 못단 집

敢히 年輪도 헤아릴 수 없는 아람들이 老木들이

서슴없이 발목짬을 찍히어

씻을 수 없는 罪狀 같이 마을바닥에 어지러이 덩거리만 남아 박혔나니

山峽새로 쬐끄만 列車의 꼬리가 위태로이 돌아들어 간 뒤

太古의 寂寞이 蒼然히 어린 山間에는

작은 人爲의 冒瀆엔 關焉할 바 없는 深深한 바람이 일고

그 무엔지 利慾하여 여기에 어울린 작은 마을은

의지 없어 다시 그의 있을 바를 모르도다

나는 믿어도 좋으랴

인사를 청하면
검정 胡服에 당딸막이 빨간 코는 가네야마
핫바지 저고리에 꿀먹은 생불은 가네다
당꼬바지 납짭코 가재 수염은 마쓰하라
팔대장선 광대뼈는 구니모드
방울눈이 친구는 오오가와
그 밖에 제멋대로 눕고 앉고 엎드리고-
샛자리 만주캉 돼지기름 끄으는 어둔 접시燈 밑에
잡담과 엽초 연기에 떠오를 듯한 이 座中은
뉘가 애써 이곳 數千里길 夷狄의 땅으로 끌어 온 게 아니라
제마다 정처 없는 流浪의 끝에
야윈 목숨의 雨露를 避할 땅뺌이를 듣고 찾아
北만주도 두메 이 老爺嶺 골짝까지 절로 모여 든 것이어니
오랜 忍辱의 이 슬픈 四十代들은
父母도 故鄕도 모르는 이
철없어 업히어 넘어 들온 이
모두가 두 번 고향땅을 밟아보지 못하여
가다오다 걸어 들은 우리네 사람이 傳하는 故國 소식을 들은 밤은

제각기 아렴풋한 記憶을 더듬어 더욱 이야기에 꽃이 피고
홍이 오르면 빼酒에 돼지 발쪽을 사다 놓고
저 건네 갈미峰도 부르고
어하 農夫도 부르고
저기 앉은 저 漂母도 少年은 易老하고도 부르고
속에는 피눈물 나는 흥에 겨워 밤 가는 줄 모르나니

아아 카인의 슬픈 後裔 나의 血緣의 兄弟들이여
우리는 언제나 우리 나라 우리 겨레를
반드시 다시 찾을 날이 있을 것을 나는 믿어 좋으랴
괴나리 보따리 하나 들고 땅끝끼지 좇기어 간다기로
우리는 조선 겨레임을 잊지 않고 죽을 것을 나는 믿어 좋으랴
-좋으랴

註 캉(坑)=만주ㅅ房, 溫突 모양

윤동주(尹東柱) 편

거리에서[44]

달밤의 거리
狂風이 휘날리는
北國의 거리
都市의 眞珠
電燈 밑을 헤엄치는
쪽으만 人魚 나.
달과 뎐등에 빛어
한몸에 둘셋의 그림자
커젓다 적어젓다

궤롬의 거리
灰色빛 밤거리를
것고 있는 이 마음
旋風이 닐고 있네

44 윤동주의 시는 『원본대조 윤동주 전집 「하늘과 바람과 별과 詩」』(정현종, 정현기, 심원섭, 윤인석, 연세대학교 출판부, 2012.4.)에서 선택하여 수록한 것임을 밝혀둔다.

웨로우면서도

한 갈피 두 갈피

피여나는 마음의 그림자

푸른 空想이

높아젓다 나자젓다

一九三五. 一. 十八

윤동주, 첫 번째 원고노트『나의 習作期의 詩아닌詩』에서

고향집

——(만주에서 불은)——

헌집 신짝 끟을고
　나여긔 웨왓노
두만강을 건너서
　쓸쓸한 이 땅에

남쪽하늘 저 밑엔
　따뜻한 내 고향
내 어머니 게신 곧
　그리운 고향집.
一九三六. 一. 六

윤동주, 첫 번째 원고노트『나의 習作期의 詩아닌詩』에서

黄昏

햇ㅅ살은 미닫이 틈으로
길죽한 一字를쓰고……지우고……

까마기떼 지붕 우으로
둘, 둘, 셋, 넷, 작고 날아지난다
쑥쑥—꿈틀꿈틀 北쪽 하늘로

내사……
북쪽하늘에 나래를 펴고 싶다
- 一九三六年 三月 二十五日 平壤서

윤동주, 두 번째 원고노트 『窓』에서

오좀 싸개지도(地圖)

빨래줄에 거러논
요에다 그린지도는
지난밤에 내 동생
오줌 쏴서 그린지도

꿈에 가본 엄마 게신
별나라 지돈가
돈 벌러간 아빠게신
만주땅 지돈가

『카톨릭 少年』, 1937.1.

별헤는 밤

季節이 지나가는 하늘에는
가을로 가득 차 있습니다

나는 아무 걱정도 없이
가을 속의 별들을 다 헤일 듯합니다

가슴속에 하나 둘 색여지는 별을
이제 다 못 헤는 것은
쉬이 아츰이 오는 까닭이오
來日밤이 남은 까닭이오
아직 나의 靑春이 다하지 않은 까닭입니다

별 하나에 追憶과
별 하나에 사랑과
별 하나에 쓸쓸함과
별 하나에 憧憬과
별 하나에 詩와
별 하나에 어머니, 어머니

어머님, 나는 별 하나에 아름다운 말
한 마디식 불러봅니다. 小學校때 冊床을
같이 햇든 아이들의 일홈과 佩, 鏡, 玉
이런 異國少女들의 일홈과 벌서 애기
어머니 된 게집애들의 일홈과, 가난한
이웃사람들의 일홈과, 비둘기, 강아지, 토
끼, 노새, 노루, 푸랑시쓰· 짬, 라이넬 마
리아 릴케 이런 詩人의 일홈을 불러 봅니다.

이네들은 너무나 멀리 있습니다
별이 아슬이 멀듯이

어머님
그리고 당신은 멀리 北間島에 게십니다

나는 무엇인지 그러워
이 많은 별빛이 나린 언덕 우에
내 일홈자를 써 보고
흙으로 덥혀 버리엿습니다

따는 밤을 새워 우는 버레는
부끄러운 일홈을 슬퍼하는 까닭입니다

그러나 겨을이 지나고 나의 별에도 봄이 오면

무덤 우에 파란 잔디가 피여나듯이
내 일홈자 묻힌 언덕 우에도
자랑처럼 풀이 무성할 게외다

一九四一. 十一. 五

윤봉길(尹奉吉) 편

虹口公園을 踏靑하며[45]

凄凄한 芳草여
明年에 春色이 이르거든
王孫으로 더불어 같이 오세

靑靑한 芳草여
明年에 春色이 이르거든
高麗江山에도 다녀가오

多情한 芳草여
今年 4月 29日에
放砲一聲으로 맹세하세

45 홍구공원의거 이틀 전인 1932년 4월 27일 의거장소인 상하이에 있는 홍구공원을 답사하고 결의를 다짐하며 지은 시이다.

청년 제군에게[46]

피끓는 청년 제군들은 아는가
무궁화 삼천리 우리 거산에
왜놈이 왜 와서 왜 아니 가나

피끓는 청년 제군들은 잠자는가
東天에 曙色은 점점 밝아 오는데
조용한 아침이나 狂風이 일어날 듯

피끓는 청년 제군들아 준비하세
軍服 입고 銃 메고 칼 들며
軍樂 나팔에 발맞추어 행진하세

진영미·김승일 역

『시인 윤봉길과 지인의 서정시 340수』, 역사공간, 2004.

---

46 홍구공원의거 이틀 전인 1932년 4월 27일 의거장소인 홍구공원을 답사하고, 조국의 청년들에게 남긴 시.

강보에 싸인 두 兵丁에게[47]

──두 아들 模淳과 淡에게──

너희도 만일 피가 있고 뼈가 있다면

반드시 朝鮮을 위해 용감한 투사가 되어라

태극의 깃발을 높이 드날리고

나의 빈 무덤 앞에 찾아와 한 잔 술을 부어 놓아라.

그리고 너희들은 아비 없음을 슬퍼하지 말라라

사랑하는 어머니가 있으니

어머니의 교양으로 성공자를

동서양 역사상 보건대

동양으로 문학가 孟軻가 있고

서양으로 불란서 혁명가 나폴레옹이 있고

---

47 홍구공원의거 이틀 전인 1932년 4월 27일 의거장소인 홍구공원을 답사하고, 두 아들에게 유언으로 남긴 시.

미국에 발명가 에디슨이 있다.

바란건대 너희 어머니는 그의 어머니가 되고
너희들은 그 사람이 되어라

진영미·김승일 역

『시인 윤봉길과 지인의 서정시 340수』, 역사공간, 2004.

윤영춘(尹永春)[48] 편

間島

어렸을 때 거츤 벌이든 이 마을
오늘은 겨레의 둘째 번 고향

둘러앉은 봉오리
눈보래에 물결 이뤄 움실거리고、

눈 덮인 밭고랑에는
겨레의 뼈와 피 숨쉬고 있다。

눈의 홍수에 밀려 산새 마당귀에 오면、
우리 집은 봄 만난 꽃밭-

짚북더기에 얼싸인 문깐으로
등불이 駱駝춤을 추고 있어-

---

48 여기에 실린 시는 윤영춘의 시집 『무화과』(숭문사, 1948.7.)에 수록된 것이다.

어둠 뚫고 지새는 간도사투리
한밤 露領 얘기 꽃피울 때면、

루바시카 입은 아부지 고드름엔
소곰과 청어냄새 해삼서 묻혀 왔었다。

눈은 밤을 새워 창을 따리고、
늑대는 무시무시 마을을 노리고。

무서움과 짝하여 색동옷에 나는 자랐다。
물방아 얼어붙은 어린 마을이여!

마을은 홍범도 군인 불러올 줄 알았다。
나팔소리에 깃발 높이 휘날리며-

農民들은 호미와 쇠시랑 들고、
홍범도와 손 맞잡고 倭賊을 묻찔렀다。

안악네들 청술레 황술레 실고、
우리군인 우뜸이라 뒤에서 노래하고。

마을 피오닐과 함께
횃불든 나는 집집마다 승리를-

피로 다진 이마을 오래 지니려……
푸른 벚나무의 꿈을 오래 살리려……

눈은 매차게 날렸다、勇士의 마을에、
흘러간 별과 바람과 인물과도 같이。

이어 삼월만세 하늘을 울린 뒤
어름 우에서까지 춤추지 않었나!

동쪽하늘 멀리 별을 가르치며、
몬저간 어룬들 뒤를 따르려 맹세도 했거니。

벚꽃 그리는 마음으로
두 고향 鄕愁를 어서 풀어야겠다。

오늘쯤 선열의 뼈묻친 눈길 옆으로、
양떼 힌 구름 일으키며 날 마중 가겠지。

海蘭江

물은 마음대로 국경을 옮길 수 없건만
겨레의 정서에 시집와 버린 해란아!

구비마다 배달의 그림자 솜구름 이루었고、
물밑으론 베잠방과 별그림자도 흘러갔니라。

빨래하는 아씨네들 줄지어 앉어
두 병에 시라지국 이야기 간간이 들려온다。

흙꿈 실고 밤에 두만강 건너왔다는 아씨、
오나리는 파수ㅅ군은 홍두깨처럼 무서웠든가。

이 악문 파도소리 아직두 귓가에 출렁거려
피ㅅ빛 이 강물을 나무리나냐。

물과 중얼대며 고향 생각에 눈물짓는 아씨네어、
상삼봉 강나루 버들개아지면 너의 맘 달랠 거냐。

진흙반에 걸거진 내 피ㅅ대 속에
저 감탕물은 배어 들었고、

누른 바람 노새 거름으로 달려
내 낯빛은 검게만 자라 났었다。

호개들도 인제는 힌 옷 보고 안 짖고、
마을 애들도 낯익은 듯 귀절한다。

옥수수와 조는 내 집 둘러 익어 가고、
아카시아 다옥한 곳 내 사는 마을일다。

눈보래 모질세면 내게로 오라、아씨네어、
나는 에스키모의 風俗 지닌 사나히란다。

아씨네어、이 벽장곬에서 나는 바다 못 봤다、
이제 슬픈 이야기 그만 두고 바다이야기 들려다구。

안개 파도에 배는 밀려 나가고
바다ㅅ물에 싱건 고기맛 들려다구。

너이들은 밤이 슬퍼 안 운다는 시릿접동새와 짝하여
南國하늘에 목 드리우고 두더지 꿈만 꾸단 말이냐。

젓꼭지 문채 잠든 어린 해처럼
옛집 생각 덜고 北斗星에 머리 드리우라。

고비沙漠 바람보다 새ㅅ바람을 더 반길 수 있나니、
동쪽은 우리 나라ㅅ바람 보듬는 토끼 숨결。

白頭山 휘날려 오는 꿀비
보리수 꽃송인 양 만질 수 있었나니、

희한스레 산과 물을 길러낸 開拓地、
높이 서서 망 보며 노래로 살어야 할 변두리。

강뚝 방앗물이 논도랑에 흘러들제、
나는 아씨네 노래 듯고 싶어 한나절 모랫가에 서성거렸다。

그러나 아씨들은 옷만 희게 빨아 가지고
손길 수집게 휘휘 돌아간다。

고 밝안 발로 부산히도 어느 농장 보금자리 찾어가느뇨、
귀연 그 모습 논바닥에 살어지자 해란 우에 별이 떴다。

豆滿江

白頭山 높은 봉에서 입은 푸른 칼을 갈기에
물은 검붉어 개일 때를 기다린다。

江뚝에 느러선 버들개지는
시온의 노래에 목메어 피었구나。

이 강물 굽이치는 곳에 淸太祖를 낳았다는
홀애비 머구린 흐늑흐늑 울음 울고、

구름 위에 뜬 보래 山城 임의 살던 터
高句麗軍馬의 말발굽에 이즈러지든 곳 이끼는 싹트고、

山羊의 무리 물 먹으려 나려오다가
외로운 나그네를 꺼려 뿔뿔이 도망질 친다。

저녁 모래밭엔 모닥불로 돌을 덥혀
찬몸 녹이는 무리 날마다 더 늘어가고、

나라ㅅ근심에 목메인 여울 물소리
젊은 사람의 숨결을 달게 하누나。

北國의 豆滿江 임을 실어 오려고
九百里 변두리를 쉬임 없이 흐른다。

圭岩 金躍淵先生 墓 앞에서

스승은 누어서 말씀합니다、
여러 나라ㅅ 사람
제 가끔 제 말로 읊읍니다。

스승은 누어서 가르칩니다、
그 말씀 아즉 귀에 익어
절로 머리 숙여 뉘우치게 됩니다。

弔忠魂

(一九四五年二月十六日、思想不穩이라는 罪名으로 福岡刑務所에서 獄死한
-조카 東柱碑 앞에서-)

새벽닭 울 때 눈을 감었다、
바다의 소란한 파도소리 들으며。

囹圄의 몸에 피가 말러가도
꿈이야 언젠들 고향 잊었으랴。

스산한 착고소리 들려올제
문들레 우슴으로 맘 달랬고、

창안에 빗긴 날빛 만져가며
쓰고 싶은 가갸거겨를 써 보았나니

근심에 잡힌 이마 주름쌀
나라 이룩하면 절로 풀렸으련만、

채찍에 맞은 상채기 낫기도 전에
청제비처럼 너는 그만 울며 갔고나。

윤해영(尹海榮) 편

東北人民行進曲

東北의 새벽하늘 동이트는 대지에
새로운 歷史 실고 鐘소래는 울린다
모혀라 東北人民 우리들의 일터로
希望이 아침이다 새 旗발을 날리자

无道한 帝國主義 侵略者의 쇠사슬
人類의 적이란다 우리들의 원쑤다
피압박 弱少民族自由解放 위하야
正義의 칼을 들고 너도나도 싸우자

先驅民 革命者의 원한 서린 붉은 피
저녁놀 地平線에 松花江은 붉었다
잊으랴 庚申討伐 九·一八의 血債를
報怨의 날이 왔다 百年恨을 갚으리

興安嶺 부는 바람 흐린 안개 씻어서
黑龍江 힘찬 줄기 나갈 길이 보인다
새로운 민주주의 우리들의 路線에

발 맞춰 建設하자 亞細亞의 平和를

『인민신보(人民新報)』, 1945.11.11.

年頭吟

感激의 밤이 새니 希望의 아침이다
눈 쌓인 이 땅 우에 太陽이 고히 빛나
새해에 東北人民들 福을 빌어 웃나니

옷깃을 바로 여며 屠蘇酒 받으올 제
지난 일 뉘우쳐서 슲은 일 있을손가
차라리 새로운 經綸에 가슴 흐뭇하여라

우리의 긴 歲月 이 땅 우에 흐르나니
낯서른 물결 우에 너도나도 쪼각배라
뿔뿔이 저어 가는 길 그 아니 위태런저

銅羅 울리는 언덕 묻노니 沙工들아
五大洋 통하는 길 航路를 찾었거든
弱한 힘 너요내요하야 서로 웃들 말고서

돟다는 새 아침에 손을 마조 잡고서
적은 배 쪼각배를 한데 모아 큰 배 묶어
거치른 万頃滄波를 저어 간들 어떠리

『인민신보』, 1946.1.1.

東北自治殉者의 英灵을 追悼함(上)

客年 十二月 二十五日 新安鎮 火龍溝에서 反動漢奸討伐 중, 壯烈한 戰死를 한 李鐘善, 許允喆, 鄭相鎬 外 中國人 두 勇士의 靈前에 드림.

解放 東北의 新建設
新民主主義理念에 불타는 그대들

이 땅의 人民들
自由와 永遠한 幸福을 위하여
勇敢히 칼 들고
싸우기를 맹세했거니!

犧牲은 벌써 入門前後의 覺悟
生死는 이미 觀念을 超載했으리라.

그러기에 그대들은
죽는 자리에서 더욱 용감할 수 있었나니!

저므러 가는 1945년 12월 25일

新安鎭 남쪽하늘 火龍溝에는
이른 아침 찬 공기를 뚫고
不義의 反動輩 漢奸黨과
東北人民自治軍 용사들과의
世紀의 戰鬪는 버러졌던 것이다

正義를 기발로 삼고
새 理念을 武器로한 그대들은

독수리보다도 슬기로웠고
獅子보다도 獰猛스러웠나니!

交戰 다섯시간
時勢를 모르고 덤비는 无智한 漢奸黨들은
마침내 擊破를 당하고 말 것이다

오—그러나
不義한 놈이 發射한 눈먼 彈丸은
正義勇士의 가슴을 헤아릴 줄 몰랐나니!

드디어 그대들의 붉은 피는
눈 쌓인 大地를 물드렸고

다섯 勇士의 고귀한 生命은

東北의 하늘 아래 東北의 曠野를 안고
人民戰線의 거룩한 殉死者가 된 것이다

『인민신보』, 1946.1.12.

東北自治殉者의 英灵을 追悼함(下)

客年 十二月 二十五日, 新安鎭 火龍溝에서 反動漢奸討伐 중, 壯烈한 戰死를 한 李鐘善, 許允喆, 鄭相鎬 外 中國人 두 勇士의 靈前에 드림.

이날 밤 검은 하늘가의 무수한 별들도
억울하고 분함에 떨었을 것이오
깊은 골짜기의 산짐승들도
그대들의 숭고한 피 앞에
엄숙한 머리를 숙였을 것이다

오—그러나
죽엄과 犧牲이
그대들의 아름다운 覺悟였다면
그대들의 꽃다운 죽엄 입시울엔
오히려 本分을 다한 微笑가 있으리니!
그대들은 누가 일커러 죽은 거라하랴?

이제 그대들의 뒤를 따를
벌떼 같은 同志들
復讐의 칼날을 갈고 있나니!

그대들이 흘린 붉은 피는
三冬에도 얼지 않는 힘찬 물줄기 되여
이 땅의 한복판을 濤濤히 흐를 것이요

그 붉은 빛은
캄캄밤 높은 山봉우리에
烽火처럼 빛나서!
黎明의 東北하늘을 빛여 줄 것이며

눈우에 뿌려진 붉은 꽃송이마다
眞理의 열매는 맺어질 것이니!

이 땅의 人民들
그 물결에 배를 띄워
그 불빛으로 灯台를 삼을 것이며
그 열매에 배불러 幸福할 것이며
오!
그대들 거룩한 이름은
이 땅의 自由로운 하늘과
悠久한 山河와
新生의 社會와
永遠히 길이 있으리로다

『인민신보』, 1946.1.13.

눈(雪)

옛 戀人이 훨훨 날아 돌아오는 것이요?
너울너울 춤을 추는 함박눈이
그대의 치마폭처럼 香그럽소이다

스치는 눈송이가 나의 뺨에 차가와도
녹아 흐르는 눈물이
그대의 외로운 하소연이라면

나는 한나절 뺨이 얼어도
하날을 우러러 눈을 맞으오리다

나의 花園을 짓밟고간
그대의 발길은 무지개처럼 아름다웠사오니

純白한 그대의 치마폭을 밟기에
나의 발길은 너무도 어지러운 것이오니

나는 차라리 외로운 바위 되여
서리서리 눈 속에 묻히겠나이다

『인민신보』, 1946.1.14.

東北人民自治軍頌歌

(조선인부대의 노래)

興安嶺 높이 솟아 우리들의 새 기상
松花江 힘찬 줄기 우리들의 뜻일세
손잡고 너도나도 달려 모인 동지들
맹세도 장하고나 東北人民自治軍

빛나는 靑天白日 大地 가득 붉은데
黃河水 南北하늘 路線理念 달으다
새로운 민주주의 自由平等 깃발에
이 한몸 革命戰線 붉은 피도 바치려

東北은 우리의 터 우리들이 지키며
중국의 완전해방 조선독립 위하야
칼 들고 싸워갈 길 劍山刀樹 험해도
막을 자 누구이냐 正義勇士 우리들

새 世紀 부는 바람 五大洋은 끓는다
長城을 넘어 넘어 豆滿江을 건너서

侵略者 內敵外寇 한 칼로 다 베인 후
아세아 하늘가에 平和鐘을 울리자

『인민신보』, 1946.1.16.

카나리아

鳥籠 속에 긴 歲月!
習性이 변하고
날개가 퇴화된
카나리아는.

鳥籠이 부서진
아침에도
날줄을 몰라서
슬프고나.

때는 3월
언덕은 푸르러
自由의 世界
창궁은 부르나니

오!
나의 카나리아야!
지혜의 눈동자

인식의 주동이로
退化된 쪽지의
깃을 골라라

저먼 하늘 구름 속에
잃어 진 譜表
生命의 옛 노래를
찾아서 불러야지

『인민신보』, 1946.2.5.

高脚舞(舊正風景)

량둘량둘 두량둘[49]
光復中國 두량둘!

북소리와
날라리와
錚琴 소리와
한종일 들어도
千篇一律이었다

높은 나무다리에
흥겨워 뒤뚱거리는
아슬아슬한
律動과 律動과 律動과……
긴 세월 매키웠던
民俗의 血潮가

49 "량둘량둘 두량둘"은 중국 북방의 농촌 지역에서 널리 유행하는 민간 가무인 앙가(秧歌)에서 흥을 돋우기 삽입하는 소리 즉 앙가의 추임새를 말함.

터놓은 봇물처럼
흐르는 곳에
이 날이 저물도록
이 밤이 지새도록

량둘량둘 두량둘
姑娘 아씨 두량둘
량둘량둘 두량둘
어화 青春 두량둘

량둘량둘 두량둘
自由 천지 두량둘

『인민신보』, 1946.2.5.

이가종(李家鍾) 편

哈爾濱

내 곳보다 좀 나을가 뛰여왔드니、
이 곳도 사람 사는 곳、
울음과 노여움은 사라질 새도 없고

우리들의 한탄-

나무나 되였드라면、
제 곳이나 직혀 볼 것을、
마-는、
鴨綠의 바알나무도、
제철이 되면 江물에 띄우는 이、

무엇을 한탄하리요、
누구를 원망하리요、

오늘 해도 들판에 기울고、
이 곳을 지키는 결딱총 소리、

밤하눌에 線치는 飛行機의 尾光、

道裡 뒷골목에서 마신 호주가、
깨이기 전에
스카야모퉁이 白系露女의、
부연 젓가슴 밑에서 사라저 버리고、

키 큰 아가씨들의 팔밑을 지나、
樓에서 두 대、棧에서 세 대、

朦朧한 단꿈이 사라질가 두려워、
니-야의 양마차 속에 몸을 흔들며、

소리 없는 하품에、
기-ㄴ 숨만이 기여난다、

『시인춘추』, 제2호, 1938.1.

이고촌(李孤村) 편

北國의 雪夜

灰色빛 憂鬱 속엔 야릇한 追憶이
물결처럼 출넝거리고
애ㅇ애ㅇ 모라치는 音響에
마음에 들창도 어러 떨닌다。

太古의 傳說은 눈 날리는
北國의 밤이여 旅人의 談話는 차갑다。
설음 많은 사나히의 心魂을
묻혀지는 눈설매에 가느다란 鄕愁의 꿈을 더듬는다。

漂浪의 지친 길손에 해여진 手帖
오-헤매여서 얼마드냐 지향도 없이
어디서 들리느냐 胡弓의 애련한 旋律이여
보람 없는 하룻밤에 香氣나마 풍기려다오。

-(於牧丹江旅舍)

『조광』, 1940.4.

이광수(李光洙) 편

江南의 봄[50]

•

버들가지가 흔들린다
부드럽은 江南의 봄바람에
뽀얀 水國의 大氣 속에
그리고 젓빗 같은 日光 속에
버들가지가 나붓긴다

종달의 소리가 끝도 안나서
淸人의 집 낮닭이 운다
종달이 또 운다。바람이 또 분다
童子軍의 行軍喇叭이 들린다。
아아 사람을 困케하는 江南의 봄이여

『창조』, 1920.7.25.

---

50 춘원(春園)이란 필명으로 발표했으며 『삼천리』 잡지 1938년 12월호에 재게재했다.

松花江畔에서[51]

松花江 여기로다
그 무엇을 보앗는고
우에는 하늘이요
아래에는 별이로다
그 속에 힌 한 줄기는
내 맘인가 하노라

『삼천리』, 1933.9.

51 춘원(春園)이란 필명으로 발표함.

弔忠魂

千萬番 죽사온들
변할 뉘 아니여든
그 뜻 富貴야
내 알다 하오리까
찰하로 忠魂이 되어
울고 울가 하노라

三學士 피 흘린 곳이
여기리까 저기리까
瀋陽城 풀 욱어진 곳에
風雨만 재오처라
忠魂을 부르는 손이
갈바 물라 하노라

세 번 부르노라
三學士의 가신 넉을
三百年 지나기로
忠魂이 스오리까

오늘에 치는 風雨를

눈물 흘려 뵈노라

癸酉夏 瀋陽에서

『삼천리』, 1933.9.

장자를 읽고[52]

임이 타이소니 내 뫼시와 듣잡다가
흥겨워 나는 춤을 아니 추고 어이하리
추다가 임을 뵈오니 임도 깃버하셔라

임이 지으시니 나도 따라 짓삽다가
도로 헐으시매 임을 따라 헐다니만
허심도 지으심인 줄 배와 깃버하놋다。

깃브면 깃븐 대로 슲으면온 슲은 대로
늙음의 병들음의 임의 가락 맛초다가
끝으로 죽음의 장단에 맘껏 추고 가오리다。

『삼천리』, 1939.1.

---

52 춘원(春園)이란 필명으로 발표함.

이달근(李達根) 편

들

오늘도 나는 수레를 몰고 이들을 지난다
끝없는 들판 눈 덮인 논바닥에 성큼성큼 거러간
電信柱와 이들의 心臟을 뚫고 간 馬車길 하나
오늘도 멫바리의 馬車에 石油箱子衣籠짝을 실고
가는 이 洞里의 이사꾼
김치동이 이고 이사 광주리 머리에 인 행주치마 입은 두 명의 안악네여
지난 밤은 또 누구의 집門 안에 그들의 발 몬지 털었드냐?

아직도 논두덩을 넘치는 살찐 눈 우에
오닥가닥 헤메는 까막 까치 떼여
너이들은 아직도 記憶하리라 지난 해 그 일을 ……

한창 모심기에 바뿐 六月의 그 어느 날 밤
쳐들어온 馬賊떼의게 말 못하고 묶어간 열네 명의 壯丁들---
예순두날만에
소짝 도야지마리 다 팔어
어린 벼가 모닥모닥 자라나는 푸른 논(靑田)을 잡혀서

더러는 제 집 구경을 식히고
더러는 귀신모를 죽엄이 되였거니

오늘도 저 멀니 높은 뫼 바라뵌다
險山峻嶺 南으로 三十里 北으로 七十里 人家 없는 山麓이
그들의 나라란다
거기엔 오늘도 왼종일 눈 나린다
그 눈 속에 파무친 壯丁들의 骸骨들은
오늘도 치움에 恐怖에 복수의 원한에 떨고 있으리라

더벅더벅 말 타고 내닷는 네 명의 警備隊
지난 밤은 누구의 집에 馬賊이 들엇다고 報告가 들었드냐?
지금쯤은 그 마적들도 눈 쌓인 저 山을 넘어스리라

노닥노닥한 헤여진 옷을 입은 두 靑年이 수레에 짚을 실고 논뚝을 넘는다
너이들도 지난 밤은 짖어대는 개소리에 놀라
버선발로 문밖을 뛰여나간 적이 몇 번은 되리라
『그렇게도 잠구럭인 수경이 너석도
개소리만 나도 하로밤에는 닐곱 번 여들 번을 뛰여나가 숨는다니』
밥이고 무에고 이러고야 살 수 있느냐?
열흘이면 아흐레나 밖에서 그 치운 밤을 새인다니

오늘도 나는 이런 생각 저런 생각을 되풀이하여
하늘에 나르는 飛行機를 치여다보며 이들을 지난다

날마나 지나다니는 비행기
너는 이 백성의 이 쓰라림, 이 눈물나는 情景을 모르리라
오직 알이는 기름진 이 벌을 쓰다듬는 이 벌의 사람들뿐이라

『시건설』, 제2집, 1937.1.

이덕호(李德浩) 편

北国의 밤

北國에 밤도 깊어 외로운 身勢
흘르고 내 또 흘러 뜬 구름같이
이 밤도 거리에서 우러 발킬가

눈물에 어린 등불 외로운 身勢
異國에 잘 곳 없이 우러 헤매는
가엾은 이내 身勢 아러줄리요

매서운 北國 긴 밤 바람도 차오
곱든 배 시달린 몸 치운 이 밤에
街路에 등불 밑에 떠러웁니다

『신인문학』, 1936.10.

이로월(李蘆月) 편

國境

豆滿江을 길에다 놓고
南쪽은 조선땅
北쪽은 만주땅
둘이다 國境이라기는
私生兒와 같이 껄직하구나
차라리 白頭聖山에 높이 올라
파란 하늘의 캄바쓰에다
굵다란 書筆을 휘들러
國境 없는 地圖를 그려보리
(圖們을 지내며)

『신인문학』, 1936.3.

酒幕女人

왜 왔든고 왜 왔든고
울리고 갈 길을 왜 왔든고
國境의 酒幕에서는
젊은 女人의 애닲은 노래가
등잔불같이 타고 있다
어느 젊은 놈이
헐한 술값으로
사랑까지 먹고 간 모양이다
아아 밤은 어둠 속에서
식검한 바퀴를 운전한다
酒幕女人의 노래를 태우고-
그러나 이곳은 땅치고도
國境입니다
사랑은 國境을 超越한다니
純眞한 당신의 사랑을
하늘의 黃金 못(釘)에
동여매여 놓고
그 님 오기를 기다리소서

『신인문학』, 1936.8.

胡弓 소리

깡 깡 찡 찡
밤의 銀방울을 흔들며
胡弓 소리가 흘러 오누나
오오 너 무슨 할 말이 있어
旅舍의 窓밖에서 떨고 있나
胡弓의 主人公이여-
오늘 밤만 내게 그 胡弓 빌려주렴
圖們江 鐵橋 우에서
흘리운 國境의 曲이나
한없이 한번 그어보게-

『신인문학』, 1936.8.

이상화(李相和) 편

만주벌

만주벌 묵밭에 묵은 풀은
피맺힌 우리네 살림살이
회오리바람결 같은 신세
이 벌판 먼지가 되나 보다

李相揆 편, 『이상화 시전집』, 정림사, 2001.6.

※ 1937년 상화가 백형을 찾아 중국으로 건너갔을 때 지은 시의 일부분임.

이상정(李相定)[53] 편

蒙古吟

黃沙漠 너른 벌에 길이로 누워 있어
琵琶는 뉘를 주고 靑塚만 남았는가
萬里에 집 떠난 몸이 눈물겨워 하노라

落照는 短碣이요 靑塚은 雲裡로다
紅顔薄命의 恨과 靑春失意의 넋이
얼마나 月裡 胡笳에 長嘆息을 하였노

逆境에 彷徨하는 蜉蝣의 行色인제
蒼茫한 野色이요 寂寞한 古今이라
내 눈에 눈물 있으니 흘려 볼가 하노라

붙은 숨 片刻이요 가진 것 千古愁라

53 호는 汕隱이며 이상화의 형이다. 日本軍에게 쫓기어 내몽고까지 逃避하여 風餐露宿하여 大陸에서 유랑하는 가운데서 지은 시들이다. 여기에 수록된 이상정의 시는 『독립시가집』(송산출판사, 1984)에서 뽑아낸 것이다.

鄉關雲水에 막히고

遺恨 眼前에 차니 가슴에 샘속는 서름 끝간 곳을 몰라라

抗州에서

꽃이면 꺽을 것을 과일이면 생킬 것을
내 造化 그지없어 그도 저도 못하오매
이 心思 끝없는 서름 건잡을 줄 몰나라

烏江에서

玉帳에 한숨 짓고 예와서 自刎할 제
丈夫의 어안인들 눈물이 없었으랴
至今히 滾滾長江水 울며 흘러가도다

偶吟

白鷺는 虛舟에 서고 갈메기 汀洲에 돈다
片帆에 殘照 싣고 漁村을 돌아드니
철없는 아이놈들은 俗客 온다 하더라

임에게

온 길은 어디이며 갈 곳은 어디멘고
天心엔 一雁이요 大江에 孤舟로다
물결이 쉬지 않고서 東으로만 가더라

大荊山下 和氏得玉處

叛然한 玉인 것을 남들은 돌이라네

四肢를 八裂한 들 玉임에 어찌하랴

玉石을 아는 이 없으니 그를 설워하노라

이서해(李瑞海)[54] 편

异国情调[55]

驛頭에 손(客)을 부르는 支那人의 驛馬車 소리
긴-靑服을 질질 끌며 거리를 거니는 異國人이여!
장사치의 끽-끽- 외치는 말 몰를 소리에 마음이 외로워

푸른 들벌 내 나라에서 일즉이 보기 드믄 넓-다란 平原에
망아지 송아지는 서로 석겨 閑가히 풀 뜻으며 우름 운다
두 박퀴 달녀가는 짐 실흔 馬車가 이 눈에 새로워서

저 하늘은 故國에서 날마다 처다보든 그 하늘이언마는
낫선 거리에 처다 보니 하늘도 다른 듯 가슴이 뭉클해라
하날을 바라보고 거리를 굽혀 보며 새롭게 놀내는 心思로다

---

54 여기에 실은 이서해의 시는 그의 시집 『이국녀』(한성도서주식회사, 1937.2.)에 수록되어 있는 시 작품들이며 일부 시는 출처로 밝혔다. 시집 『이국녀』의 서문에서 이서해는 만주에 와 있는 2년 동안의 몸과 마음의 기록이며 만주에서의 수확이라고 밝히고 있다.(편자 주)

55 이 시는 이서해의 시집 『이국녀』(한성도서주식회사, 1937.2.)에 재수록되었다. 시 구절에서 약간의 수정이 있었으나 여기에서는 『신인문학』지 내용에 준했다.

저녁바람에 異國女에 시름없이 뜻는 胡弓의 실낙이 淒凉타
불빛 희미한 市街地를 彷徨는 집 잃은 새들의 슬픔이여!
연긔 오르는 色다른 나라에 저녁거리를 지향 없이 것는 마음아!

한 구퉁이 핏줄을 니여가는 내 나라 내 兄弟의 살림이여!
차듸찬 옥수수를 씹는 사랑스런 어린 少女여 네 얼골이 몹시도 可憐쿠나!
이상스런 총뿌리는 소름 끼치는 빛을 흘녀 그들을 직히인다

피리 부는 사나히는 異國人의 同情을 불너 힘없는 울음을 울고
江 하나 건너온 國境이건만 마음은 萬里에 떠도는 가랑닢 갈허라
어둡는 異域의 설음이 몰려들어 안개같이 야윈 몸을 싸고 돈다 스며든다

휘미한 골목을 돌아슬 때마다 恐怖에 떠는 弱한 人間의 마음
思想의 衝突 내 피 내 살을 무러뜻는 魔鬼에 웃음이 노린다
依支 없는 마음에 오늘을 다 살가 의심하는 不安한 삶의 悲鳴이여!

깊은 밤 汽笛소리에 얼마나 故國思의 눈물을 지우는가?
고달픈 잠 속에 무서운 慘劇을 꿈꾸고 소스라치는 休息이여!
보람 없는 生命을 질질 끄는 存在 없는 무리들이 훌쩍어리여라。
　　十年八、十二、圖們서

『신인문학』, 1935.12.

北朝鮮[56]

와락 달겨들었다 왈-칵 물너 나가고、
먼데ㅅ 산이 가까이 달녀와서 살-짝 도라서 버리니
國境을 받들고 슨 北朝鮮이 그리운 듯 보히여라

푸른 모 물결칠 논이 없고 옥수수 기나긴 밭,
강낭이 감자로 주린 배를 니워가는
北方民의 눈물겨운 살림이 엻보히여 엻보히여.

랑자 올닌 處子들이 車 속으로 몰여들어 큰 소리로 짖거린다.
함경도 사투리는 이 맘이 몹시도 앞우워라.
만주로 건너가는 힌보찜이 脈없다, 네.다섰!.

長銃미고 육혈포찬 兵丁의 구두 소리 거만스럽다.
옥수수 보따리를 所重히 얼싸 안고 겁내는 눈초리들,
절그덕이는 칼자루와 육혈포를 바라보고 수군거리는 女人네여!

56 이 시는 이서해의 시집 『이국녀』(한성도서주식회사, 1937.2.)에 재수록되었다.

이 곳은 아즉도 봄보리가 누렇게 바람에 흔들닌다.
조밭 수수밭 옥수수밭이 가도 가도 눈앞에 얼숭거려
소등에 올나앉어 아츰들노 나가는 牧童이 한가롭다.

鐵道沿邊에 군대군대 싸혀논 材木들이 눈을 새롭게
도야지 우리같은 草幕이 슬프구나 내 兄弟여!
東嶺에 솟는 해는 北朝鮮山 밑을 힘있게 비치건만!
<雄基行車中에서>

『사해공론』, 1935.10.

豆滿江을 건느며

白衣人의 嗚咽하는 피눈물이 끈칠 길 없는 슬픈 因緣이여!
天池의 傳說을 담북히 안고 悠悠히 흐르는 長江에
鼓舞 雀蹈하든 기쁜 우숨과 무시무시한 惡夢이 흘니여 갔쓰려니……

옛일을 모르는 後孫에 無心한 마음에 가슴이 저리다、
해마다 이 다리를 건너가든 그이들의 消息은 없고
말없는 長江마나 이네를 건늬며 한숨을 수혔스리?

겨울이며 密輸入馬車에 방울 소리 하마하마 가슴을 조리며、
軍警의 총소리 얼마나 그들 가슴에 못질을 하였든고!

쿵-쿵-쿵쿵 汽車는 豆滿江 鐵橋를 건너간다、
이 다리 건너가면 알뜰한 故國을 등지겠구나 샘솟는 눈물이
울놈은 울고、웃을 놈은 웃어란 듯 汽車는 쉬임 없이 달녀간다。

車窓으로 얼굴을 내미러 머러지는 내 나라 山川을 돌이켜 보나니、
愁心에 쌓인 듯한 그 山河가 다시는 못 볼듯키 쓸쓸코도 情겨워、
새삼스레 타오르는 愛着心이 뒤흐로 몸부림친다。

江邊두리의 석냥갑같이 오물거리는 朝鮮사람의 살림이여!
어대로 가나 없는 이의 설음은 쫓김을 받으며 바이없는 이
豆滿江을 건너스며 어미 없는 子女들의 피눈물을 느끼워라。

昭和十年八.十一.

異國의 달밤

鬱寂한 맘! 잡을 길 없어 燈불 휘황한 거리로 나스니、
일본 遊亭에 거믄고 소리 발길을 멈처스케 하노나?

포켇 속에 손 찔느고 갈팡질팡 발 옴기며 휘파람 부노니、
달은 나그네의 조름을 아로 삭여 몽롱히 비치인다。

유성기 틀어놓고 방아타령 들으며 故國思에 외론 맘 외로하는、
사나희 두었이 눈감어 레코-드에 슲흠을 지우고……

달빛 흐르는 異國 거리의 밤은 깊어 씨슨 듯이、
中國警官의 저벅이는 구두 소리 어즈럽게 비틀거린다。

故鄕을 그리여 목마른 카페의 가엾은 계집아핸、
쓴 술을 마시며 오날도 눈물 섞인 노래를 냄새 다른 손님 품에 부른다。

단발한 淸女의 흰 얼굴이 사랑스러 이 거리에 나왔노라。
차듸챤 가슴이 우숨에 따스시 녹아 지여라 그 우숨이

支那人의 馬車는 밤늦게 손님을 태워가지고、
방울을 울니며 달녀간다 초롱불이 히미히!

異國의 달밤 벙어리 언 가슴을 안고 건닐며 단소부는 사나희、
그는 어끄제 쫏기여 온 집 잃은 새 이 몸이 안니였다。

昭和十年八.十二. 달밤에

告別

三千里를 뒤두고 가옵니다。
十年이 넘도록 한번도 못 찾어뵌
한분 내 어머님의 山所를 뒤두고 가나이다。

期約 없는 이 길을 떠나오며
어머님 墓前을 못 찾는 아들의 마음!
눈갑을이 뜨거워 흐려짐을 禁키 어렵습니다。

어머님 山所에 꽃을 꽂고 우숨을 모실
앞날을 기리 믿어 주서요
이 길이 福 되라 어머님 祝言을 않고서 가옵니다。

(도라가신 어머님께)

昭和十年--故國告別詞中에서

비 나리는 圖們江岸에

바람 불고 이슬비 나리는 날 圖們江岸을 거니네、
고기잡이 너덧 사람 江岸에 마조 앉어 서로서로 바라보며 낙시대 잠그고!
이따금 제치는 낙시줄에 銀빛 비눌이 벌덕어린다。

바람에 쏠려 거슬렸다 흐르는 물 우에 힌 갈매기 한 마리
비 맞어 외로히 춤추며 물결을 튕기며 나르네、
가는 비 옷 젖는 줄 모르게 흠신 젖어라 바람이 차거웁다。

휘돌아 흐르는 여울 물소리 실음겨워 나그네 홀로 서서 듣노니、
웅얼거리는 물소리는 어느 怨魂의 잠 못 드른 울음과도 같더라、
목미여 느끼여 우는 듯한 물소리 가슴에 숨여 아프어라。

발 벗은 맨발에 밟히는 매끄러운 바둑돌이 귀여워、
발가락으로 밟어 보노니 매끄러저 다러나고 매끄러저 다러나네。
모래 우에 글시를 써 보노니 밀려드는 물결이 심술궂게 지워 간다。

마진편 江岸 저 멀리 鐵路에 검은 汽車가 푹푹어리며 달려온다。
무슨 슬픈 消息을 실고 이 江을 건너오는가? 건너오는가?

내뿜는 汽笛소리에 핑도는 눈물이 힌 연기를 따라가네。

비 오는 날에 비-비-거리는 물새 소린 유난히도 슬프게 들리워!
허트러진 愁想을 물결에 알알히 흘리여 보내이나、
마음은 情든 님을 떠너보낸 날과 같이 江岸을 질펑거려 더듬어라。

山으로 山으로 빙빙 도는 비 모는 안개가 조선을 바라고 몰려간다、
넒은 들벌에 풀 뽑든 이들도 하나둘씩 살어저 가버리고!
저녁 연기 오르는 건너편 마을에 어둠이 소리 없이 깃뜨린다。

저녁이 되었구나 사람들은 따뜻한 床머리를 찾어가 건만、
이 밤에 休息處를 알 길 없는 이 발길이 가는 곳이 어대?
비 나리는 圖們江에 어둡는 줄 모르는 듯 黙黙히 거니러라。

昭和十年八.十三. 圖們江에서

故國을 떠나며

내 이 길을 떠나오며 어버이의 사랑을 더욱 느끼웁니다。
말없으신 아버지의 嚴格하신 소리 없는 그 사랑을?
다른 때라 모른 배 아니 오나 이날 아침 더 느끼여 지옵니다。

五十이 되어도 어버이 마음은 어린애같이 그 아들을 생각나니
이 날의 보내시는 어버이 마음은 어린 아이 보내듯 마음이 안 놓이시여
전일에 말없으신 아버지의 재삼 당부 하시는 말슴!
外國人에게 朝鮮의 수치를 보이지 말어라 내 아들이거든!

힘없으신 눈으로 思慮깊이 바라보시는 초초하신 그 모양、
이를 깨물고 마음을 굳게 먹어 당신 뜻을 이루우고 돌아오리다。
外國으로 아들을 보내시는 어버이 마음 아들의 마음!

昭和十年八--(늙으신 아버지께)-

-故國告別詞中에서

豆滿江畔에 해는 점으러

길-고긴 豆滿江畔에 해는 점으러、해는 점으러、
나그네의 목 메인 울음 여울물 소리에 고요히 잠기운다
참외껍질 벗기는 나그네 실음 눈물이 차거워라。

千萬年 저 山은 變함을 모르오라 푸름이 無窮컨만、
榮華의 옛 꿈은 흐르는 물결에 흘러가 버렸는가?
우슴과 울음을 가득히 품에 안고 無心히 흐른다 여울물 소리!

江하나 저 언덕이 저 멀리 저 山에 뛰여 오르고 보면、
내 그리든 그 하늘 그 밑이요, 내 兄弟 내 父母 내 님을!
우슴 소리 울음 소리 하마 하마 들릴 법도 하련만!

無心한 뜬 구름만 돌려보내는 나그네 슬픔이여!
참모래알 쥐여 짜며 異國江岸에 헤매는 미음이여!
가슴에 서린 설음 고요히 휘파람 부러 보낸다。

江畔에 홀로 앉인 내 나라 女人네에 방망이 소리 외로웁다、
푸른 平原 좁은 길로 풀짐 지고 사람들 무리무리 돌아가고 고기잡이 支那人은 낙시대를 걷우고 歸路를 더듬는다。
밤으로 낮으로 흐르는 물소리는 내 兄弟의 마음을 얼마나 흔들으나、
異域에 잠드는 그들의 머리맡에 물소리 그리우랴?
눈물을 뿌리고 건너온 그 故國이 그곳이 그리워서 그리워서!

警備隊의 軍幕의 불빛이 江岸으로 근심스리 비쳐 나오고、
어둡는 하늘에 별빛이 차듸차게 가슴으로 비쳐드노니
붙일 곳 없는 맘은 자각돌 주어서 물 우에 힘껏 팽게처 보다。

기리 흐르는 豆滿江아、지금 이들에 슬픔을 안고서 흐르렴으나?
뒤으로 달려올 우슴이 그들 품에 달려들어 안기우리니
豆滿江畔에 해는 점으러 나그네 울음이 목 젖어 흐른다。

昭和十年八.十五. 豆滿江畔에서

「코스모·포리탄」[57]

비 오는 異邦의 거리를 거닐며、
휘파람 부는 젊은 사나히 그는
落葉같이 뭇발길에 채이고 밟히는 코스모·포리탄!

가슴 깊이 간직한 幻影이여!
아름다운 꿈이 있었기에 마음은 아프다。
電信柱에 몸을 기대 慕鄕心에 두 눈이 침침해라。

남다른 나라에 와 우슴을 파는 계집애도 있느니、
異國女의 거짓 사랑에 마음을 뺐기는 사나히도 있느니、
내일을 모르는 오늘에 울고 웃는 코스모·포리탄、

옷 젖는 줄도 모르고 실음없이 불빛 부연 거리를 돌아보니、
靑服을 질질 끄는 그 뒤로 흐르는 우슴이 알 수 없는 말소리가
가슴에 스며 오들오들 떠난 마음 슬픔이 무서워라。

---

57 이 시는 이서해의 시집 『이국녀』(한성도서주식회사, 1937.2.)에 재수록되었다.

이를 악물고 한 푼 돈에 지게를 비틀거리는 내 兄弟도 있느니、
강낭이 죽을 쑤며 쓸쓸이 우슴 지는 白衣의 女人이여!
그들은 追放의 설음을 異域에 뿌리는 코스모·포리탄!

靑燈 紅燈 몽롱한 유리창에 흐르는 레코-트 우는 소리、
어찔어찔한 힘없는 몸을 依支하기 어려워 이 저녁!
퍼붓는 비 속으로 狂人같이 哲人같이 걸어가며 웃는 맘을 알 리가 누구?

『신가정』, 1936.2.

沙風

바람 부는 날 아득한 曠原에 우뚝이 서서 바라보면,
뿌-연 연기같이 모래바람이 말을 달리노니!

시베리야 沙風에 바람이 불리여 온 듯이,
江岸의 모래란 모래는 한품에 안고서

바람은 푸른 平原을 뒤덮고 팽구같이,
팽그르 돌아 돌아 온 市街를 襲擊타,

두 눈을 훔켜쥐고 뒷걸음질 치기를 그 몇 번,
沙風은 아득한 曠原을 휘몰아 부러친다

江岸에 앉어서

모래 우에 우슴 笑자를 큼직히 써놓고 한번 웃어보자니、
밀물이 부닷처와 우슴笑자를 여지없이 아사가고 말아요。

종이쪽에 근심 愁자를 똑똑히 써 먼 곳으로 떠보내니、
종이쪽은 어대론지 흘러갔건만 마음속에 근심 愁자는 안 살아저요。

昭和十年八.十五. 豆滿江가에서

胡弓

故鄕을 바라 가슴 앓는 이 내 몸 머리맡에,
女人의 목 메인 울음 같은 胡弓 소리 가늘게 들려오다.

단발한 그 女人! 아무렇게 웃어도 사랑스런 그이러니!
이 밤에 그 손 끝에 울려나는 胡弓 소린 어이 그리!

검으스름한 눈섭에 큼직한 눈알이 어른거린다,
비 오는 날 거리를 굽어보며 웃어 보이든 그 얼굴!

솜같이 따스럴 그 가슴에 울려나는 胡弓 소린,
한많은 과수의 哀願한 傷心曲과도 같이 格에 맞지 않어라.
길-게, 가늘게, 실줄이 울리며 떨리여 온다,
바르르 떠는 힌 손가락이 손톱이 보이는 듯해!
사랑스런 그 얼굴 그 우슴이 어대서 샘 솟았노!
귓가에 느끼는 胡弓 소린 心思를 돋구누나!

때마츰 달밤이라 窓 열어 제치고 바라보니,
달빛에 한추름 적시운 女人의 얼굴 몹시도 아프다.

달을 바라 우슴 지는 우슴조차 어찌 그리 차듸찬지、

胡弓을 슬피 뜯는 찬 사람에 찬 마음 내몰라라。

昭和十年八

思母

조선의 南쪽 먼-시골 작은 마을에 늙으신 어머님을 뒤로 두고 간답니다。

낮으로 밤으로 진물으신 눈에 눈물지시며 이 아들이 모서가길 七年이 하로같이!

어미 없는 자식을 이만큼 키우실제
어머님의 바라시든 그 마음을 내 모름 아니오나

한땅에서 난우여 못 뵈옴도 애달파 사옵거든
더욱이 色다른 他國으로 간 消息을 알으실 때야!
봄이 오거든 남먼저 어머님 가슴에 봄바람 부러지이다
어머님이여! 먼 앞날 반가히 歸國할 그날을 손꼽아 주서요
昭和十年八. (公州어머님께)

-故國告別詞中에서

귀뜨람이

겨드랑이 밑으로 툭-튀어나오는 귀뜨람이 한 마리、
壁 속에 밤새여 이 맘을 울리든 한많은 벌네이러니!

가을의 傳來使 墻下에 구슬픈 네 울음은、
異邦의 첫가을 소식을 알려줌이 더 슬프다、

귀뜰 귀뜰 애꿏은 눈물을 짜내는 가을이여!
밤마다 목 아프게 울음 우는 네 소리에 잠길을 잃어라。

기-ㄴ 수염을 뻔치고 깜안 눈을 옆으로 살살 기는 귀뜨람이、
내 손아귀에 갈 길을 찾아 허둥거리는 그 모양이 보고 싶어서、

昭和十年八.十八.

汽笛

밤 깊어 豆滿江 다리를 건너는 汽車에 汽笛이 요란쿠나!
나의 맘을 限-껏 잡아끌고 다라나단 어둠 속에 휙-팽개치다。

고달픈 잠 속에 그리운 꿈조각을 여지없이 깨치는 汽笛 소리、
미웁기도 한량없고 그립기도 끝없는 나의 憧憬의 작은 배여!

이 밤도 잠 못 이뤄 자리에 어제밤 꿈길을 더듬는대、
머리맡을 달려가는 汽笛소린 서글픈 옛이야기러뇨?

昭和十年八.二十三. 밤 깊은 자정이 넘어

惜別友情

살어도 내 땅에서 죽어도 내 땅에서 죽잣구나!
눈물겨우나 이 땅에 한 줌 흙이 되고 싶지 아니하냐?
단 우슴보다 쓴 울음이 그래도 나는 좋더라

벗아 情겨운 네 말에 나는 눈물을 먹음는다。
그러나 한번 내듸뒨 이 발길이니 힘있게 가보련다。
遼東七白里 띠글 나르는 거츤 벌을 찾어서 가옵네

일즉이 高句麗사나히 나의 兄弟의 말발굽 소리 요란튼 곳!
내 어버히의 옛품에 더운 呼吸을 품으려 가는 길이오니
벗이여! 우슴의 言約으로 惜別의 눈물을 씻으소서。

昭和十年八.-光洙君에게

郵便配達夫

故國에 계신 어버히의 편지가 오늘은 오나!
어제런 듯 기다리든 맘 配達夫를 기둘는다。

配達夫를 기다리는 맘、편지를 기둘으는 맘이여니!
約束이나 한 情든 님 기두르듯 配達夫를 기다리는 맘이여!

어스름 黃昏길로 머-ㄹ리 오는 이들 그이 모양 비슷하여
가까워 오는 그 얼굴에 失心한 마음은 쓸쓸스런 우슴을 지워준다。

오늘이나 오늘이나 그 몇 날 配達夫를 기다리다 허기가저、
配達夫를 기다리는 맘 편지를 기둘으는 마음이여니?

昭和十年八.二五.

갈매기

갈매기、갈매기 힌 갈매기、淸江을 빗기날르는 힌 갈매기、
물결에 앉었다 젖인 나래 툭 치며 靑空을 날아도는 갈매기!

帆柱도 건드려 沙工의 노래에 귀 기우리며、나그네 맘을 솔곳이 誘引하는
갈매기 가엾은 갈매기야!

갈매기 날어가는 水平線 저 먼-곳 銀線이 一直線을 짝 갈은 곳!
푸른 江물 푸른 하늘이 한빛으로 딱-다은 그곳이여!

나의 憧憬의 畵幅이 灰色으로 褪色해 가는 나라여니?
잊을 뜻하면서도 너무나 또렷하고、또렷하고도 흐릿한 꿈이여!

갈매기 날어가네 水平線 머-ㄴ곳으로 銀線을 바라보고、
눈빛 나래 우에 실어보내는 나의 哀愁가 너무나 무거웁다。

昭和十年八.二五.

어린 누의에게

누의야 늙으신 두 어버히를 뒤으로
水陸千里 구름이 깜아득히 떠가는 머나먼 곳!
豆滿江 건너 아라사의 國境 銃소리 잦은 곳으로 간다。

내 땅을 떠나며 江山을 돌이켜 생각할 때
내 이 땅에 한 萬年 기리 사자 하였더니
늙으신 두 어버히의 품안을 떠나서 가는구나!

누의야 北原他國으로 오라비를 보내는 너의 맘 오작하리
파리 목숨 같은 무시무시한 그곳을 어이 가시랴오
옵바 가지 마서요 이 어버히를 뒤 두고서!

새삼스레 떠오르는 이 땅에 愛着心이 마음을 속이는구나?
반겨맞일 이 없는 그곳으로 아니 가지 못할 이 맘을 생각해라
오-누의야 成功의 旗빨을 안고 올 그날을 約束하노니
昭和十年八.(누의惠淑에게)

-故國告別詞中에서

孤獨한 心思

바드러운 조악돌에 익숙한 이름을 써
품에 안어 보는 마음 그 누가 알어주나?

모래 우에 쓰기 좋은 그 이름 쓰고 쓰나、
그리워라 그린 님은 종일 써도 안 오시네。

가을바람 품에 드니 간직한 꿈이 놀래、
한종일 모래 우에 쓴 이름이 몇 字런가?

昭和十年八.二八.

黃昏의 江岸에서

江岸의 부닷치는 물결 소리가 점점 무거워저 갑니다
아름다운 幻影을 色칠하는 黃昏이 물결 우로 번득어립니다!
落日의 黃金色이 마즌편 山마루턱을 慾心껏 껴안었습니다、
저녁 연기 떠오르는 머-ㄴ마을을 휩싸는 陰影이 커저 갑니다。
빨래하든 女人들도 하나 둘씩 돌아가고 방망이 소리도 외롭습니다。
어느새 모래 우 뒹굴든 아이들도 하나도 볼 수가 없읍니다 그려!
鐵橋를 달려가는 汽車가 털털거리며 물결을 흔들고 갑니다、
낙시대 걸머지고 조랭이 내둘르는 漁夫도 江岸을 떠납니다。

우유빛으로 沈沈해 지는 薄露 속으로 멀어저 가는 사람들의 그림자여!
지금 江岸은 한-껏 깨끗하고 고요히 이 몸과 黃昏이 있읍니다。

燭불

내 房을 홀로히 밝히워 주는 情다운 燭불이여!
내 몸을 고요히 직혀 주는 恩惠로운 燭불이여!

異域의 밤은 깊은대 잘 자리가 따거워 잠 못 이룬다、
네 얼굴을 바라보는 나의 눈은 눈알이 아프구나?

말없는 너는 푸른 불꽂을 바람에 하늘거리며、
애처롭다 벙어리 處女를 바라보는 느낌과도 같구나?

이 밤에 너도 없었든들 어둠 속에 이 몸은 氣絶을 했으리
잠속에 꿈을 부르는 듯한 너는 蒼白한 女人의 얼굴 같다。

너의 하늘거리는 불빛이 환-한 곳에 가슴 답답한 陰影이 흩어지고
어지럽든 나의 맘이 너의 몸으로 오로지 集中됨을 알 것이다。

妖女의 찬 우슴같이 파-랗게 타든 燭불이 깜으러처 간다、
숨 넘어가는 사랑하는 이의 가슴을 만지듯 나의 맘은 닝-닝 울고 싶구나!
昭和十年九.六-

別離

어대로 간들 너의 품을 잊으랴 힌 비달기의 가슴아
꾀꼬리같은 아리따운 노래가 바람일 듯 이든 너의 붉은 입술이!

꿈엔들 조선을 잊으며 無窮花 꽃 피고 새 울든 곳
秀麗한 山이 웃고 푸른 江물이 구비처 흐르든 곳을?

봄이면 봄바람에 가을이면 기러기편 반가운 消息을 傳하리니
아직도 풀레트홈에 힌 손수건을 나풀거리는 사랑스런 내 님아!
昭和十年八.(英淑에게)

-故國告別詞中에서

젊은 피에로의 설음

異國의 계집아이야、
너의 우슴으로 이 맘을 慰勞키는 너무나 머-ㄴ 거리에 있구나!
이 맘을 녹혀 주기엔 너의 가슴에 도는 피가 얼음같이 차겁단다、
마실 줄 모르는 술에 취해 술 주정하는 젊은 피에로의 설음!

異國의 계집아이야、
아름다운 네 姿態가 보고 싶어 온 줄 아니?
가슴에 피이였든 百合花의 影像이 살어진 지도 오래란다、
술이、魔醉시키는 술이 그리워 왔단다。

보람 없는 삶을 數놓는 算盤 우에 내 손가락이 가늘구나、
거울에 비친 얼굴 두 눈은 무섭게 움푹이 얼굴이 蒼白타、
病弱한 이 몸을 걱정은 이다피스트 너의 근심도 자격을 못 주느냐?
人形같이 機械같이 움직임을 받는 몸이 애닯단다。

異國의 계집아이야,
봄바람이 그립구나 이 가슴에 봄바람이 그립구나?
나는 집도 戀人도 아무 것도 없단다、

술이나 부어라 젊은 피에로의 설음을 취이토록!

昭和十年九.十五.

異國女

異國女란 名詞가 야릇한 心思로다 짜릿한 느낌이여!
香蘭이、그대는 이 땅에 탐스러히 피여난 한 떨기 꽃이러니!

그대는 나의 말을 모르고 나는 그대의 말을 모른다
벙어리같이 웃기만 하든 우리의 奇異한 因緣이여!

豆滿江 흐르는 물 조악돌 江邊에서 맺어진 실마리여、
얼음같이 찬 가슴에 따스러운 사랑을 품겨 주는 江바람이러니!

그대의 얼굴이 그리워 저녁 江邊을 나붓기든 나이여니!
사랑스런 香蘭이 그대는 이 맘의 아름다운 무지개이여라。

단발한 검은 머릴 바람에 나풀거리며 우슴짓든 힌 얼굴!
異域의 哀傷된 마음을 어루만저 남음이 있도다。

그대의 따스러운 손길에 아픈 맘을 잊어버리고
봄바람 같은 그대의 우슴으로 언 가슴을 녹히든 나의 노라!

空房에 홀로 누워 촉불을 바라 그 큼직한 瞳子를!
시원스런 얼굴을 그려보며 우슴 지는 이즘의 나이로다。

異國女! 쩌릿한 느낌이여! 야릇한 이 心思여!
香蘭이 그대는 이 나라의 탐스러히 피여난 한 떨기 꽃이러니!

昭和十年九.十六.

蓄音機

부실거리는 가을비 창가에 뿌리워 지는 어둔 밤、
찬 구들에 딩굴며 孤獨이 쓰리워 짖치워 울 때!

壁하나 隔한 옆집 蓄音機는 故鄕千里를 부르누나?
아-참으로 참으로 그리워라 내 故鄕 물방아 돌아가고!

蓄音機에 마치여 노래를 부르는 들뜨인 계집애야、
나의 所重한 꿈을 깨고 깔깔거리는 네 입을 封코싶구나?

목소리 무되어서 노래마저 못 부르는 마음이 애달파서
蓄音機 소리마저 성가시여 짜증을 내게 해라。

오늘 밤은 壁을 부시고 뛰여가서 蓄音機를 부시고 싶어
쓴 울음에 孤獨을 고요히 맛보게 하여 주렴으나?
비는 부실부실 쉬지도 않고 끊치지도 아니하며
蓄音機 소릴 장단 마춰 이 밤을 괴로히 꾀집어라。

昭和十年九. 銀河街의一隅에서

보헤미안

선잠 깬 어린 아이같이 심술 부리고 싶어!
발버둥 처볼 가슴이 없너냐 보헤미안

헌신짝같이 차버리신 어머님의 마음이여!
쫓겨가는 설음보다 쫓아보내는 마음은 아프다오。

異邦에 가을 소식이 飛行機를 타고 찾어온다、
안테나의 걸리운 보헤미안이 흐느껴 우는구나?

귀를 기우려라 가을바람에 무슨 소리가 오나、
故國의 하늘은 멀기도 멀어라 가을도 와서!

우슴을 지(作)워도 지(作)워도 어색하다 그 얼굴이
가슴을 만지니 熱病患者같이 훅근거려라。

선잠 깬 어린 아이같이 심술 부리고 싶으어、
발버둥 칠 가슴이 없어요 네! 보헤미안!

昭和十年九.一六.

流離의 설음

水枕의 不安한 꿈을 꾸는 水鳥들의 魂이런듯!
이 밤의 잠자리는 茫茫한 大海에 뜬 몸과 같아라。

滄海에 한알 좁쌀같이 人生은 외롭다거니!
좁쌀알같이 흐르는 이 몸은 끝없이 외로워라。

流離에서 流離로 흐름만 배워온 이 몸이야!
一葉舟도 흐르고 흐르단 다을 곳이 있으려니!

눈불을 실어오는 바람이 머리칼을 날리우고!
아득한 앞길을 어둠 속에 노리는 이 마음 어찔하다。

이 몸의 돌아오길 잠 속에도 바라옵실 故鄕의
늙으신 내 어버이를 돌이켜 생각하오매 생각하오매、

千길! 深淵의 떠러진 듯 아뜩한 氣息이
꿈을 깨고 꿈을 깨고 가슴을 두다리여 근심에 젖어라

하늘을 바라보니 별만이 아무렇지도 않게 반짝어릴 뿐!
流離의 한숨 지는 이 맘을 알리는 어둠이 아찔해라。

이 누은 잔디에 불을 질러라 靑鳥되어서 날아가오리、
故鄕을 바라는 流離의 설음이 참을 길 없이 복바치여라。

昭和十年九.一七. 圖們市

海童

바닷가에 사는 아이들은
바다의 무서움을 모른다。

바다같이 내다라 소리치며
바다같이 달려와 뛰노는!

바다에서 자라난 아이들은、
억세고 힘차고 씩씩하다。
人魚같이 푸른 물에 두둥실 떠、
蒼浪을 부둥켜 얼싸안어
발길로 툭-툭- 차버리는

바다의 아이는 바다를 한없이 사랑코、
바다는 아이들을 한없이 사랑한다。

바닷가에 뛰노는 발가숭이、
물강아지 모양으로 진흙에 뒹굴며 게모양으로 옆으로 비슬비슬 기여다닌다。
沙場에 달리다가는 물속에 뛰여들고

물속에 뛰여들어 숨박곡질 잠겼다 뜨노니、
바다의 아이들은 물오리같이
한종일 물 우에 살다-

昭和十年九

蘆花

江邊두리의 나붓기는 갈대꽃들이 흰 물결을 이루운다,
白鷺가 춤을 추듯、흰 물결이 소리 없이 흘느듯!

어둔 밤에 바라보기엔 나긋나긋 우슴 지는 處女의 흰 얼굴같이、
사람의 눈을 어리려는 白狐의 妖怪한 춤 같기도 하구나!

支向 없는 갈바람에 흔들리여 고달픈 갈대꽃들이
哀憐한 秋波를 흘리여 客의 맘을 슬츠게 하는구나?

갈대꽃 꺾어들고 感傷의 눈물 지는 女人의 맘 아니였만!
어인일일가 핑도는 눈물이 차겁게도 대구르르 구르나니?

어둠 속에 환-하게 힌 함박꽃이 탐스러히 피여오른다!
바람아 부러라 서로 안고 부비는 갈대꽃의 哀音이 그립구나!

쏴-부는 갈바람에 갈대꽃이 白鷗같이 춤을 춘다。
江물 소리 바람소리 蘆花를 싸고 돌며、
寂寞한 노래들 부른다。

昭和十年九.二四.

半夜月

가을밤이 깊어서 찬기운 몸에 스며드노니、
一輪 半夜月이 밤안개에 몽롱히 빛나다。

침침한 불빛을 흘리며 달려가는 馬車、
꿈같이 닥어와선 종을 울리며 멀리 살어저가!

馬車의 搖鈴 소리 喪禮의 밤을 聯想하듯、
무슨 悲劇이 일어날 듯도 이 밤은 凄凉타。

초일헤 푸른 달은 豫言者의 우슴 같은
푸른 빛발을 뿌리여 묵묵히 굽어보도다。
넓-은 曠原이여! 일즉이 피 흘린 者들의 葬地여、
吊喪하는 듯 悲愴한 얼굴이여! 半夜月이여!
國境의 밤은 깊은대 잠은 어대로 갔나?
내 맘인 듯 울음먹음는 半夜月이 내 얼굴에 우득 서다!

昭和十年九.二五.

海澡

어디로써 떠나려 오나 海澡 이파리、
네도 나와 같은 身勢 뜬 몸이로다。

물결에 잠들며、물결에 흐르며、
외로히 외로히 떠나려 가는 海澡이파리。

외로운 몸이길래 건즐이도 없지요、
건즐이도 없는 몸이 더욱 슬프답니다。

너의 故鄕 어대론지 이 길이 못올 길이여니、
물결에 몸부림처 흘러가는 海澡 이파리。

海澡잎 건저들어 가슴에 대여보니、
차거워라 찬 마음이 가슴에 사못치여!

그리운 故鄕을 꿈속에나 묻노니、
海澡같이 흐르는 流離의 설음이여!

昭和十年九.二六.

異鄕의 花

메마른 가을 동산에 한 떨기 도라지꽃이 얼마나 哀憐하뇨?
너는 남다른 나라에 와 짓밟히는 曠原의 꽃이러냐?

愁心이 자옥한 너의 얼굴은 黑雲에 가리인 달걑이도、
간드러지는 우슴 끝에 검은 근심이 춤 추는구나?
깊은 山谷의 산새소리 듣는 나그네 마음같이,
내 나라 말을 옴기는 너의 목소리는 목마른 이 마음에!

피다른 손님품에 愛嬌와 우슴을 파는 가엾은 계집아이야、
봄이나 가을철 歸鄕의 제비들이 얼마나 부러우랴?

밤늦게 손님을 돌려보내고 차디찬 寢臺 우에 느끼여우는、
눈물에 젖어라 꿈속에나 그리든 故鄕엘 가보려니?

서투른 말소리로 손에 맘을 사려는 가엾은 계집아이야、
너의 손을 따뜻이 만저줄 그이는 이 밤이 깊어도 안 오는구나?

오랜만에 그리든 말소리에 눈물을 그렁이며 반기는 너로구나?
아픈 설음을 말하야 무엇하리 벙어리가 되여라。

남다른 나라에 와 뭇발에 짓밟히는 不幸한 꽃이러니、
이 밤이나 실-컨 이 품에 느끼여 울어라 힘껏 안어주리니!

昭和十年十. 二. 카페 엔젤에서

제비

깜-박 잊었든이라 南邦에 이야기를!
電線줄에 간들거리는 제비들의 주둥이를!

南쪽나라로 날어가네요? 저 - 좀 봐 한떼 가요、
落葉 지는 北方의 가을도 나날이 깊으네요!

저 좀 봐요 둥어리를 떠나기가 저리도 설어운 게요、
날어갔단 도로오고, 날어왔단 도로가며 짖어귀네요、

어제도 오늘도 제비들은 어즈러히 날어가네요、
내 故鄕의 하늘을 모르는 척 날어가면 어이해요?

찬 가을바람이 異邦의 가을을 깊게 한다고、
뒤늦인 제비들이 마지못해 北方을 떠나가네요!

아믈아믈 하늘을 날어가는 제비들이
내 故鄕의 하늘을 못 보는 듯이 지나가면 어이해요

昭和十年十.四.

初秋

코스모스 따리아 얽흐러진 花壇에、
異國의 가을이 한들、한들、거리입니다。

해맑은 파꽃의 清爽한 가을맵시여!
黃菊에 그윽한 香薫이 코를 찌르다。

高粱벌을 스처서 부러오는 갈바람에
몸서리 처지는 가을빛이 붉어저 가는구나!

山허릴 돌아가는 汽車는 脈없이 헐덕이는대、
엷-은 夕陽에 山마루턱 紅葉이 불거젓다。

玉蜀粟、高粱、조、가득한 曠原이여!
豊穰한 五穀의 구수한 내음새 배불리우네。

더듬는 풀숲길에 풀버레 울음이 지처、
저-검은 山을 넘어서 찬 바람이 부러옵니다요

戀情

딸그닥 딸그닥 매끄러운 붉끈 쥐인 여워인 파리한 손가락이、
사랑스런 그 얼굴이 이는 變함없는 이 마음의 壁畵이더뇨?

마음의 시악씨 물 깃는 소리 쓸쓸히 들린다、가을이 깊어、
물동이인 雅淡한 態度는 眩煌한 이 눈에 무지개같이도!

귀염성스런 그대의 목소리 귓가에 남어서 살어질 줄 몰라라。
복성스런 그 얼굴은 아직도 나에게 우슴을 지우게 하노라。

異國의 계집애야 네 손끝은 얼음같이 차기만 하구나!
따스러운 내 님의 손길은 멀리도 이 맘을 울리는구나?

曠野에 피는 꽃

나 深深山谷 寺間에서 奇異한 꽃을 보고 情겨워하는 心思같이、
數千里 異域、아득한 曠原에 소리 없이 피여오른 꽃들이여
부칠 곳 없는 이 心思는 한 떨기 꽃송이에 머물어라。

해돋을 녁 풀둔덕에 이슬 젖어 흔들리는 이름 모를 꽃이여!
저녁바람에 고개를 간들거리며 나그네를 솔곳이 이끄노니
曠野에 피는 꽃 哀憐한 姿態는 너무도 寂寞치 아니하냐?

망아지 송아지의 발길에 짓밟혀 아스러지는 꽃송이 애처로워
돌을 집어 송아지 망아지를 쫓는 이 마음은 어린 아이같이
흩어진 꽃잎을 주서 모는 이 마음은 울 것도 같구나?

雜草 길길히 욱어진 풀숲에 홀로 피여 이 눈을 새롭게 하나니、
異域에 쫓기는 슬픔을 붙일 곳 없이 헤매는 내 눈앞에、
情다히 戀人같이 부르는 曠野에 피는 꽃들이여!

昭和十年一〇.四.

異國의 가을을 노래함

안테나의 서투른 曲藝師같이 흔들거리는 제비들은、
異國의 가을을 불러 바람이 치웁다 歸國을 짖얼대건만!

北方荒原의 가을 바람은 어느듯 가슴이 싸늘하게 얼어라、
밤으로 귓가를 달려가는 馬車의 방울 소리 지극히 슬퍼라。

가을이 찾어들며 哀傷된 마음은 떠도는 갈매기 같이、
曠野에 허터진 이름모를 꽃들이여 가을이 깊으구나!

넓다란 曠原 바람에 흔들리는 高粱밭머리에 고초잠자리 날아돌고、
汽笛이 서글프게 허리 굽은 늙은이 등어리에 머물다。

가마귀떼 어즈러히 虛空을 날아도는 점을 녁!
붉은 노을 속에 잠겨 지는 엷은 夕陽이 눈물 속에 희미하다。

胡弓 소리 슬퍼라 靑女의 손가락은 神經質로 바르르 떤다、
異國의 가을이여! 이 몸은 落葉같이 외로운 것을!

실음없이 흐르는 豆滿江 물소리 哀想이 깊어간다、
이즈음 江岸에 오드마니 낚시대 잠그고 조는 漁翁이 늘어간다。

누른 雜草우에 들어누은 황소의 울음이 너무도 느런하다、
줄기만 남은 호박넝쿨이 거츤 山의 丹楓잎을 부러워 함인가?

한 떨기 들菊花를 꺾어들고 哀憐한 心思를 못 걷우는 계집애야、
바람에 옷자락을 너풀거리는 異國의 암강아지야!

나날히 날어가는 제비들은 이리저리 몰리여 흩어지며、
먼-航海를 바라 情드른 北方을 떠나를 가는구나!

문풍지를 울리며 燈火를 나풀거리는 가을밤 바람이여!
故國思에 늙으신 어버이를 생각는 맘 가을밤이 더 긴지고!

벽속에 귀또리는 심사를 돋구와 무거운 머리가 살란스러、
異國의 가을이여! 이 몸은 落葉같이 외로운 것을!

昭和十年十.一四. -石峴서

北邦에 가을도 깊었구나?

映窓에 빛오는 푸른 달빛조차 匕首날같이 차디차 가노니、
가슴이 싸늘해라 北邦의 가을도 소리 없이 깊었구나!

枯葉 속에 치움에 떠는 어린 귀또리의 悲鳴이 떨여운다、
그 우를 스처가는 늦은 가을 밤바람이 몹시도 치웁구나!

쓸쓸한 曠原 더욱이 收穫이 끝난 依支없는 들벌이 슬퍼라、
발길에 채이는 자각돌마저 진정 못한 마음을 아프게 하노나、

뼈가 저리도록 江물은 차건마는 흐르는 물소리 고요하다、
오들오들 떠는 듯도 찬 별들이 어느듯 北邦의 가을도 깊었구나!

내 故鄕 울 뒤엔 한-창 붉게 익어 가련만!
앞마당 조고만 花壇엔 黃菊이 서리마저 피였으련만!

落葉만 날리는 北邦의 가을은 가슴이 저리기만 하여라、
옛꿈을 말하듯 南邦을 생각는 北邦의 가을이 깊었구나、

昭和十年十.一五. 石峴市에서

國境의 밤은 깊었구나

子正이 가까운 國境의 밤거리는 그지없이 고요만하다、
劇場에서 파해오는 男女들의 바쁜 걸음이 어즈럽다。

曠原 저 멀리 軍幕에 불빛이 침침하게 비최인다、
오늘밤을 無事히 보낼지 모르는 恐怖에 떠는 마음들이!

차디찬 國境의 밤하늘엔 까믈거리는 별들이 찬 빛을 흘리고、
때를 모르는 듯한 밤馬車는 이따금 종을 울리며 달려간다。

密輸入者들의 空想의 꿈이 깊어 가리 이지음!
阿片中毒者의 흐릿한 눈알이 연기 속에 잠겨 지리、

하로밤에 女人의 품을 찾어 비틀거리는 젊은 사나히야、
하로밤의 즐김을 팔며 市場의 物品 같은 女人들아!

이 밤도 匪賊의 꿈을 안고 가위눌리는 사람도 있으려니?
몸서리 나지도록 寂廖한 빈거리를 거니는 이 마음아!

고양이 울음에 깜짝 놀래 멈처서는 이 발길이 웃으워、
헡으러진 생각을 엎질르고 자식을 잃은 제 아비 마음같이!

비 올 뜻이 흐린 하늘 밑을 空手로 걸어가는 듯한 不安한 느낌이여!
國境의 밤은 소리 없이 깊어서 이 몸의 存在도 식어 간다。

昭和十年十.十二. 圖們市에서

地圖

地圖 우로 열손가락은 나의 魂을 이끌고 헤매이여라、
검푸른 바다를 건너기에 나의 두 눈은 조심스레 갈매기 깃(나래)을 달고!

椰子樹江岸이 부러우냐? 駱駝 등에 沙漠이 부러우냐?
런던、巴里、백림、印度、아메리카、마음대로 가렵으나!

더듬어 찾는 곳은 無窮花 꽃이 붉은 조악돌 우이란다、
수건 쓰고 밀피리 불든 處女의 노래가 그리운 내 나라!

손가락을 잔-뜩 재여 가까수로 두뼘이 빠듯코나!
그속에 오물거리려니 二千萬 내 兄弟는 울고 웃으며!

이 몸의 그리워 목마른 아름다운 映像이여!
손가락 한뼘의 거리에 이 몸은 汽車가 원망스러워

地圖를 펴드는 마음、착착 접어서 팽개치는 마음!
지극히 가릐운 거리에 이 몸은 목마른 나그네다。

昭和十年十.二十六.圖們市에서

異域秋信

나의 눈앞에 어런거려 한시도 떠남이 없는 사랑스런 仙姬야、
落葉소리 우수수 異域의 가을도 한-껏 깊었구나!

昨年 이지음 이 가을은 네 얼굴을 바라보며 즐거히 지났더니、
올해는 數千里 異域에서 쓸쓸히 이 가을을 보내는구나!

버섯광주리에 발벗은 시골 處女 나의 사랑스러 仙姬야、
도라지 캐며 알밤 줏든 너의 그리운 이 가을이로구나!

紅玉 같은 石榴알을 힌니로 살몃이 깨물어 보든
너의 사랑스런 우슴이 연기같이 피여올라 살어저 가는구나!

山 넘고 물 건너 구름이 가리인 이 곳은 三千餘里!
너의 어여쁜 글시를 바라는 異域의 나그네 살림사리。

窓가에 비최는 달빛이 유난히도 밝어서 마음이 아프구나!
비인 曠原을 비실거리며 너를 그리는 이 밤도 깊어 간다。

明朗한 달을 네 얼굴인 듯、반짝이는 샛별을 네 눈인 듯 즐거히 바라보나、
가을바람 같은 寂寞은 故人을 그리여 눈알이 침침하여라。

깊은 밤 때아닌 凄凉한 汽笛 소리에 허전한 마음은 눈물이 핑 돌아、
나의 사랑스런 仙姬야、너의 품이 그립기에
꿈이 하도 그리운 異域의 가을밤이로구나!

昭和十年十.二十六.嘎呀河市에서

異邦

내 일즉이 내 나라에서 同胞의 사랑을 모르고 지났더려니、
내 이제 남다른 나라에 와 처음으로 따뜻한 同胞의 사랑을 느끼였노라。

내 일즉이 내 나라에서 어버이의 사랑을 느끼지 못했더니、
내 이제 남다른 나라에 와 애틋한 어버이의 사랑을 그리우노라。

내 일즉이 내 나라에서 벙어리 되기를 간절히 비렀더니、
내 이제 남다른 나라에 와서 벙어리의 쓰림도 알뜻도 하여라。

내 일즉이 내 나라에서 鬱憤한 마음을 抑制치 못했더니、
내 이제 남다른 나라에 와 붙일 곳 없는 쓰림에 가슴이 찢어지노나。

내 일즉이 내 나라에서 異域의 同胞를 부러워 하였더니、
내 이제 남다른 나라에 와 이름을 잃은 무리의 피눈물을 못禁하노나。

내 일즉이 내 나라에서 骨肉相爭에 니를 갈고 한숨에 젖었더니、
내 이제 남다른 나라에 와 血統에 흐르는 同胞의 사랑을 느끼고 눈물이 돌아라。

同族

알뜰한 목숨을 질질 끌며 주린 창자를 채우지 못해 허덕이는、
風土 다른 異域에 彷徨하는 보금을 잃은 불상한 작은 새들이여

한술 밥을 얻기 위하야 무지스런 되옴의 발길에 밟히며 채우며、
기계같이 움직이는 내 兄弟의 빛없는 이 살림이 언제나?

부르르 떨리는 주먹을 쥐였다 펴고 폈다 쥐여 보기를!
내 이같이 내 피 내 살 내 兄弟의 아끼움을 오늘 처음 알었어라。

無心한 蒼天을 휘여잡고 뒤흔들고 싶어서 몸치여 보노나?
대답 없는 大地를 원망스러 차버리고 싶어서 발을 굴러 보아라

울어도 울어도 시원치 못하여라 가실 줄 모르는 傷痕이여、
어버이 없는 슬픔 집 없는 슬픔 더욱더욱 뼈에 사못치여라。

殘忍한 어붓아버지 거신 손 아래 가시밭에 누이여 길리여 온 아들들이、
남다른 나라에 와 蔑視와 嘲笑에 쫓김만 받음이여!

가슴에 타오르는 情熱의 마음은 그리운 옛날로 다름질 치여라
너무도 먼 距離에 있는 現實이 생시 같은 꿈만 같하서 꿈만 같어서。

愛慕

나에게도 故鄕이 있거니 나라가 있거니 漠然한 마음이여!
이는 나의 가슴에 한시도 떠남이 없는 조고만 慰安이러니!

구름 끝에 저멀리 아롱진 故鄕의 風景이여 아득한 그 하늘 밑、
그리운 듯 마음은 해지는 西녁하늘 그 밑을 떠날 줄 몰라라。

爐邊哀想

異邦의 겨울밤이 솔곳이 깊어진 지금은 새벽 두 시!
소리 없이 내려 쌓이는 힌 눈을 바람이 몰아다 窓가에 뿌려 준다。
順愛야 젊은이의 외로움이 한-껏 슬픈 이 밤이로구나!

사랑하는 이의 품 안으로 기여들 듯이 火爐가로 닥어앉어지는 마음은、
順愛야 너의 따스러운 입술이 그리워 몹시도 치운 이 밤이러구나!

너의 可愛로운 우슴이 뼈마듸에 짜릿하게 소스라처 지노니
火爐를 한 품에 가둑히 안어보는 바람이 치웁길래
順愛야 네 손을 더듬어지는 火爐에 불도 꺼저 재만이 차겁구나!

담배를 피워서 연기로 둥굴게 네 얼굴을 거려보노니
順愛야 지금 한-창 이 몸은 네 품을 찾어 눈빨속을 달리여간다!

昭和十年十二月.十六日.

밤의 汽車를 떠나보내며

汽笛을 뛰- 길-게 뽑고 車輪이 흔들린다。
불빛 뿌연 유리창에 손들의 검은 머리 어리인다。

이 車가 어대서 이들을 태워 가지고 어대로 가는 것인가?
오늘은 이상히도 나의 머리가 띵-하고 앞으구나!

이 車에 몸을 실어 끝없이 끝없이 가고 싶어!
機關士야、멈치진 말고서 앞으로 앞으로 나아만 가자。

슬픈 印像이 車窓에 기여붙어 몸부림 치는구나!
나는、나의 愛人이 나타고 있나 눈을 굴려 돌라보았다、

마음이란 이상스레 번연히 헛된 일을 혹시나
愛人도 없는 몸이 안타가히 汽車를 떠나보내다。

어둠을 달려가는 밤의 汽車는 나의 엉뚱한 꿈을 안고、
어찜이뇨? 슬픈 感情은 나그네 마음이러뇨?

昭和十一年一十.三〇. 밤 여덜시

迎春詞

진달네꽃이 벌서 피다니요、山이 저리도 하얀대요、
山마루 陽地쪽에 (雪)눈을 뚫고 폈드랍니다!

앞뒷山이 눈 속에 묻치여 봄이 와도 봄인 줄 모르는
北國에도 봄은 왔답니다 볼그레한 꽃잎을 물고,

앞냇가 얼음이 풀려 시내물이 장단마처 흐르고,
防葬에 느리운 垂楊버들 가지 춤 추는 봄이!

어린 시악씨의 간열픈 피리소리 마음에 울려、
봄이 오너냐 내 故鄕의 아름다운 그 봄이 이곳에 왔느냐?

昭和十年四.二七.

봄바람

바람이 차기는 차나 품으로 기여드는 맛이 달라요。
손바닥 우에 얼음이 녹듯이 바람이 품에 들어 슬어지는!

봄이 왔단다 북만주 거친 벌에도 봄이 왔단다、
앞뒷산 펀-한 들판이 힌 눈에 묻첬는대!

파-란 하늘 아래 가로 막힌 하-얀 山 넘어로!
봄바람이 부러오네 봄바람이 부러오네。

故國의 江山을 거치여 온 봄바람이길래
무슨 반가운 消息이나 있는가 귀를 기우리니!

늙으신 어버이가 아들을 생각코 울기만 하신단다。
먼-故鄕에 하늘을 바보는 두 눈이 흐리워저라!

八年만에 어머님을 만나뵈니

八年만에 그리든 어머님을 만나뵈니
어머님도 나를 몰르시고 나도 어머님을 몰라뵈다

짐무르신 눈에 머리알이 하야시여 걸음마 비슬비슬
네가 상구냐, 손을 쥐고 눈물이 그렁거려 걷지를 못하서라

벼개머리에 울며 잠들며 그리든 어머님이였만!
이렇게 만나뵈니 눈물도 안 나고 마음만 떨려라

만주가 어대러냐 이곳이 만주러냐
옥수수 감자만 먹는다지 어머님은 물으시다。

너 하나를 바라고 몇 千里를 달려왔다 이 어미가、
어머님은 등을 어루만지며 눈물을 못 걷우서라。

두팔을 부축하여 집으로 돌아오며
八年前만 하여도 이렇지는 않으섰드니

걸음도 못 걸으시여 말소리도 달러지여
내 어머님이 아닌 듯 마음이 쓰리고 아프어라。

八年만에 그리든 어머님을 만나뵈니
어머님도 나를 모르시고 나도 어머님을 몰라뵈다。

昭和十一年四.二十六.

移民列車를 떠나보내며

얼음이 풀리고、눈이 녹아 봄바람이 부러오기에
마음은 솔곳이 故國으로 이끌렸더니

滿洲에도 깊숙이 危險地帶인 奧地로 밀려들어가는!
슬픈 消息을 실은 移民列車를 오늘도 마저 보내다。

어린 妻子 늙은 父母 손목 잡고 이끌며 달려온 곳이러니、
내 땅에서 살려다 못살고 남에 나라에와 살어보랴는 마음이 슬퍼라。

감자 먹고 조밥 먹는 間島도 훨신 지나 牧丹江이 어대래요、
강낭이로 주린 배를 되놈들의 학대로 눈물이 배 부르다오、

누더기 떠러진 봇짐들을 所重히 얼써안은 힌 옷 입은 이들이!
피기 없은 누른 얼굴들을 한 車에 가득 실고 汽笛은 길게 내뿜는다!

오랜만에 내 兄弟를 반가히 맞었다 울며 울며 보내는 마음!
눈물이 우슴될 날이 있싸이다 하늘을 우러러 빌어보다

昭和十一年. 初春

嘎呀河의 하로해를 보내며

넓-은 이 나라의 平原을 끼고 굽이굽이 흐르는 嘎呀河!
고요히 흐르는 푸른 물 우에 新綠의 여름이 구비처 흐른다

역귀풀 욱어진 힌 모래江岸에 풀香氣 그윽히 바람에 떠돌고、
五月江上 一葉舟 한 雙이 손의 마음을 손짓해 이끈다。

醉하야 실음을 흐려버리고 平和로운 우슴과 노래를 뿌려、
벗이여、마시소서 盞을 기우려 黃昏이 江岸을 안윽히 싸고 돈다。

꽃을 따 물 우에 던저 보노니 흘너라 흘너라 故國江岸에、
속절없는 消息을 실어 보내는 이맘이 애달프고나。

草綠잔듸에 몸을 던저 그리운 풀香氣에 코를 부비며、
맨발에 밟히는 모래알이 부드러워 이리저리 딍굴어보다。

가는 비 오락가락 옷섭을 적시는대 嘎呀河를 거니너니、
벗이여! 이 날의 이 노리 이 情趣가 유달리 마음을 爽樂케 하노네。

昭和十一年五. 嘎呀河에서

嘎呀河에서

가을이 찾어들며 嘎呀河 물소리 나날히 높아 간다。
거슬려 흐르는 여울물 소리 哀愁 잠기여 쓸쓸한 이 맘이
오늘도 꽃을 따 물 우에 던지며 싸늘한 가슴을 만지여보다。

말없는 나의 벗 嘎呀河여!
너는 한종일 시달린 나의 魂을 어루만저 주는구나?
職場에서 땀 흘리며 돌아오는 나의 몸을 가슴에 선득 얼써안어、
너는 어머님같이 慈愛롭고 戀人같이 부드럽다。

답답한 가슴을 풀어 헤치니 품으로 기여드는 시원한 바람
탑탑한 땀내는 어대로 풀香氣 그윽히 품기여 와라。
고추잠자리 날아도는 푸른 하늘 바라보며、풀숲에 몸을 누어보다。

찬 물에 왼몸을 깨끗치 씻치여 더러운 感情을 흘려버린 후
푸른 하날、높이 바라 몸을 솟처보노니!
무겁든 이몸이 하늘에 오를 뜻 갑분도 하여라。

嘎呀河에 물소리 풀숲에 버레소리

말없이 우뚝 선 검은 山이 무거운 근심을 보내주어라。
가을을 보려 가을의 빛을 보며 소리를 들으려、
파-란 하늘! 푸른 江물! 풀잎을 스치는 바람소래!
나는 한 줌 쥐였든 모래를 던지며 고요히 눈을 감어보다!

黃昏이 江岸의 물 우에 흐르며 풀버레 울음이 밤을 이끄러。
찬 바람에 쪼기는 모기떼들이 팔다리에 달러 붙어 피를 빨어먹으려!

점을게 손님을 실어건네는 나룻배에 노소리 삐걱어려
소 몰며 돌아가는 짱꼬라 어린 아이 콧노래에 해는 점으렀다。

밤을 맞이며 江岸을 거니는 나의 맘은
나도 모를 슬픔이 복 바치여、
두 볼에 흐르는 찬 눈물을 만지며 찬 우숨을 웃어보도다。

昭和十一年十.五.

그리운 내 故鄕의 가을이여

울 뒤에 雅淡스리 피여오른 새노란 黃菊이 그윽한 香氣를 吐하고、
紅柹가 夕陽에 발-갛게 타올라 어린 아이들 목마르게 단침을 말리우든、
가을은 또 왔건만 내 故鄕이 아니러뇨 그리운 風景이여!

맨발로 밤송이를 발리우다 가시에 발가락을 찔리여 울음 울든 촌색씨여!
이는 어느 해 내 故鄕 늦인 가을의 記憶이여라。
窓밖에 알암 떨리는 소리 가슴이 서먹서먹 뛲박질을 하노네
門을 열러제치니 비인 曠原엔 차듸찬 밤바람만 불어치고!

마른 가랑잎을 갈키로 긁어모아 등에 지고!
林間을 울리는 凄凉한 꽁소리 들으며 눈물을 먹음고
사박이는 落葉을 조심스레 밟으며 울며 집으로 돌아오든 그 가을이여、
故鄕의 어버이들은 곡식을 걷으시랴 눈코 뜰 새 없으시리!

黃稻 속에 폭 파묻처 양철통을 뚜들기여 새 좇든 그 時節이、
가슴 든든이 물으익은 五穀을 바라보며 우슴 지든 그 가을이、
넓은 異國의 荒原엔 쓸쓸한 바람만 낮으로 밤으로 불었치너니
그리운 내 故鄕의 가을이여! 너는 흐릿한 꿈속에 어른거려 살어지노나

昭和十年十一

新婚

-안해 貞媛에게 주는 글-

波難 많은 二十이 넘은 길을 걸은 온 그대이러니。
앞으로 우숨을 펴시여 기쁨을 느끼소서。

샛별같이 빛나는 챤란한 志操를 가지시고。
白薔薇 같은 香薰의 氣槪를 품으소서。

太陽같이 뜨거운 情熱과 不滅의 呼吸으로,
달같이 차듸찬 理智와 潔白함을 높이소서。

당신이 넘어지시면 이 몸이 이리켜 안어드리고、
이 몸이 넘어지면 당신이 이리켜 안어주소서。

당신이 동이니고 물 길어 오시면、이 몸은 밥솥에 불을 지키이고요。
당신이 안일을 보삷이실 때、이 몸은 밧갓일을 보겠나이다。

가난과 괴로운 가운대도 樂이 있고 우숨이 있는 것이오니。
몸의 愁苦옴을 마다 말고 安逸함을 꾀하지 마르소서。

明朗한 우숨으로 우리의 家庭을 밝히고 이 맘을 즐겁게 해 주소서、
그러면、나는 자질 줄 모르는 봄바람 되여 그대를 따뜻이 안어주리니-

健康한 몸으로 神聖한 勞動의 生의 眞理를 깨우치며
힘차고 씩씩하고 빛나는 幸福을 누리사이다。

昭和十一年一〇

이설주(李雪舟) 편

江南으로 가는 移民[58]

江南은
제비 나래 따스한 南쪽
푸른 바다 갈매기 흰 돛 안고
훨훨 떠노는 하늘이리라

수수밭 강낭 숲에
頭蓋骨이 덤성그리는
山 마릉을 몇 구비나 넘어
山東 쿠리(苦力)처럼 흘러간다

江南은
이름이 좋아도 못쓸 귀양살이
원숫 놈의 北海道移民이 또 들어온단다

---

58 「江南으로 가는 移民」 이하 「移秧」까지의 시작품은 모두 이설주의 시집 『들국화』(민고사, 1947)에 수록되어 있다.

강냉이 떡 한 쪽각이면 그만이고
돼지 足 한편만 있으면 生日 잔치라도
흙에서 살아 흙을 아는 사람들
故國은 몰라도 한 坪 農土만 있으면
내 故鄕이라 믿는 百姓

山賊이 놓고 간 모닥불 꺼진 자리
노루 튀는 山배알을 타고
썩은 棺이 띄엄띄엄 놓인 옆을 지나
다음 차례 故鄕으로 바뀌는
江南으로 江南으로 쫓겨 간다

어둡사리 끼면
쌉살이도 옹송거리고 떤다는
江南이요 江南이 아닐레라

바지

朔風이 미친 듯이 불어
눈보래가 바람벽을 둘러치면

山엔 오를 적에나 입으라고
보따리 바닥에 깊이 갈마 둔
찬 등잔 아래 손수 지으신
여덟 제 무명베 바지다
氷판에 말굽이 얼어 붙는 零下四○度
몸에 두르면 어머니 냄새가 나는
햇 솜보다 따뜻한 마음이
三十이 다 된 사내를 울려 준다

아버지가 나가실 땐 아버지 바지
아들이 나갈 적엔 아들 바지

위루 거꾸로 누은 아버지와 아들은
여덟 세 무명베 바지 속에서
네 다리를 부비며 부비면 熱이 난다.

註 滿洲는 그 當時 約 二千萬 町步나 되는 尨大한 可耕 未耕地가 있었다。그 中 約 千萬町步를 日本農民을 入植시킬 作定이었다。所謂 滿洲開拓政策인 二十個年 百萬戶 入植計劃이 곧 이것이다。그 裏面에 우리 農民들은 언제나 開墾만 해 놓으면 놈들에게 다 빼앗기곤 했다。江南은 吉林省에서도 가장 險難한 窮僻地다。

二等車室

그들에게는 故鄕이 없다
山을 넘어 물을 건너 구름을 따라
푸른 하늘 알이면 가는 곳이 故鄕이고
布帳만 둘러 치면 어디라도 집이었다

낡은 바요린과 구라리냇 그리고 古風인 手風琴이
그들의 唯一한 財產인 같애
애기처럼 소중히 껴안고
오늘도 疲困한 몸을 실어
어디로인지 흘러간다

男俳優가 여섯 女俳優가 셋인 이 家族은
故鄕이 없기에 늘상 노래를 좋아했다

車掌이 들어와 車票를 調査하는 바람에
나는 쫓겨 나와 밖에 서 있으랴니까
라·콤파루시타가 슈벨트의 세레나데가
女俳優의 울고픈 목청과 함께
이 二等車室 안에서 떨려 나왔다

曲馬團

북 치고 나팔 불면 슬픈 가락에
모 난 고깔을 비꾸루게
피애로는 휘휘 재주를 넘어
구경꾼 앞에 웃음을 판다

설령 네 재주가 하늘 같기루
줄 타는 위태한 술을 배와
항시 부채 하나로 人生을 걸었더라

거네를 매 단 높은 杉木이
찌익 찌익 울고
뚫어진 휘장이
새찬 바람에 펄럭이면

거짓 분칠이 서글픈 피애로는
시시로 구리눈을 껌벅껌벅
푸른 바다와 南國을 마음해 본다

鴨綠江

한 걸음을 멈추면 내 故鄕
건너서면 千里 길 먼 딴 나라

오가고 가고 오는 저문 다리에
늘어진 그림자가 길게 누었다

집이면 어디라도 故鄕이래서
어린 孫子 이끌고 눈먼 할아버지

낡은 삼베 봇짐이 등에 무거워
다 닳은 막대에다 몸을 맡겼네

있는 가난을랑 물에 띄워 보내고
가는 서름은 구름에 얹었읍네

胡笛이 슬피 우는 비 오는 밤은
그래도 故鄕이라 눈물이 진다

黃河日暮

胡弓이 우는 異國 江 나루
젖빛 鄕愁가 젖어 흐르고

노을 보래 길게 비낀 黃河江
바람 안은 돛폭이 조을며 간다

白鳥가 떼를 지어 날아오면
고기잡이 할아버지 돌아서는

붉은 黃土 물에
늙은 沙工아

뱃 노래 쉬어 쉬어 그치지 암은
상긔도 물길이 몇 百里란가

移民

눈보라 사나워 야윈 볼을 깎고
빙판에 말굽이 얼어 붙는
영하 50도 寒北萬里에
流浪의 무리가 山東苦力처럼 흘러간다

日本서 또 무슨 開拓團이 새로 入植한대서
고국을 모르는 白衣同胞들이
할아버지때 이주해서 삼십 년이나 살았다는
南滿 어느 따사로운 촌락을 쫓겨
北으로 北으로 흘러가는 무리란다.

밀가루떡 한 조각이면 그만이고
돼지 족 한쪽만 있으면 생일잔치라는
흙에서 살아 흙을 아는 사람들이다.
고국은 몰라도 한 평 농토만 있으면
내 고향이라 믿는 백성

고국을 몰라도

고향을 의지하고 사는 농민

빙판에 말굽이 얼어 붙는
영하 50도 한북 만리를
몇 차례 눈물을 흘치고
또 다음 고향이 바뀌려 한다.

移秧

滿洲살이가 좋다 해서 고향도 버리고
할아버지를 따라온 먼 어린 날의 압록강
눈물로 새운 날이 많았드라오

北風寒雪 찬 바람에 몰려다니며
불쌍한 동생들 둘이나 없애 버리고
3년 전에 또 쫓겨 이곳에 왔다 하네

아주까리 기름머리 곱게 빗어 내리고
열세베 흰 저고리 폭치마 꽂아매고
섬섬옥수 제비같이 모 심는 저 솜씨야

이 논꼬 저 논꼬에 물이 고이어
올해는 제발 덕분 풍년이 듭소
스무 해나 못 가 본 故鄕엘 가리

放浪記[59]

숭가리 黃土물에 얼음이 풀리우면
半島 南쪽 고깃배 실은 洛東江이 情이 들고

山 마을에 黃昏이 밀려 드는 저녁답이면
호롱불 가물거리는 뚫어진 봉창이 서러웠다

소소리 바람 불어 눈 날리는 거리를
길 잃은 손이 되어

몇 마듸 주워 모을 서투른 말에
꾸냥이 웃고 가고

行商떼 드나드는 바쁜 나루에 물새가 울면
외짝 마음은 노상 故鄕 하늘에 구름을 좇곤 했다

註 숭가리-松花江
　꾸냥-處女

---

59 「放浪記」 이하 이설주의 시편은 그의 시집 『放浪記』(문성당, 1951)에 실려 있는 시작품들이며 만주에서 생활한 것을 시로 묶어 편찬한 동기를 밝히고 있어 여기에 수록해 넣었다.(편자 주)

移住哀

어느 누가 기대린다고
故鄕도 버리고 찾아 온 滿洲
참새 입알만 한 네
죄꼬만 창자를 못 채워 준담

渺茫한 들이 한없이 뻗어 있어도
네 몸 하나를 뉘어 줄 곳 없어
내 팔뚝이 거센 波濤처럼 억세건만
떠나는 너를 잡을 길이 없었구나
順伊야
너는 새 땅을 찾아 아비와 어미를 따라
또 멀리 北支로 가 버렸나

바람도 자고 별도 조을고
참새 보금자리에 꿈이 깊었는데
發船의 輓歌가 底流하는 방안이어
내 마음 기름 같은 孤獨을 안고
이 밤 萬里長城을 넘고 白河를 건너

雲煙이 漠漠한 北녁 하늘로 向했도다

毒死 같은 싀기가 구비치는 浊流에
櫓를 잃은 順伊야
萬壽山 변두리에 행여 高粱을 심었거든
가을 바람에 네 기쁜 노래나 부쳐 다오

註 꼬량(高粱)-수수

娘娘祭

廟堂에 香爐가 피어 오르면
어여쁜 姑娘이 合掌을 한다

숭가리 물길에 꿈을 실어
귀고리 姑娘이 절하고 갔다

蓮못 가 발이 작은 奶奶는
十里 넘에서 大車를 타고 왔다

해마다 北山에 娘娘祭 지내면
빨강 다부사리 花鞋가 고아라

이용악(李庸岳) 편

제비 갓흔 少女야

-강 건너 酒幕에서

어디서 호개 짓는 소리
서李燦 갈밧처럼 어수성타
깁허 가는 大陸의 밤-

손톱을 물어 다도 살그만히 눈을 감는
제비 갓흔 少女야
少女야
눈감은 양볼에 울ㅅ정이 돗친다
그럴 때마다 네 머리에 떠돌
悲劇의 群像을 알고 십다

지금 오가는 네 마음이
濁流에 흡살리는 江가를 헤매는가
비 새는 토막에 누더기를 쓰고 안젓다
쭝쿠레 안젓나

감앗던 두 눈을 떠
입술로 가져가는 유리잔
그 풀은 잔에 술이 들엇슴을 기억하는가
부푸러올을 손ㅅ등을 엇지려나
윤깔 나는 머리칼에
어릿거리는 哀愁

胡人의 말모리 고함
놉나저 지나는 말모리 고함-
뼈자린 채ㅅ죽 소리
젓가슴을 감어 치는가
너의 노래가 漁夫의 자장가처럼 애조롭다
너는 어느 凶作村이 보낸 어린 犧牲者냐

깁허 가는 大陸의 밤-
未久에 먼동은 트려니 햇살이 피려니
성가스런 鄕愁를 버리자
제비 갓흔 少女야
少女야 ……

이용악, 『분수령』, 삼문사, 1937.

天痴의 江아

풀쪽을 수목(樹木)을 땅을
바윗덩이를 무르녹이는 열기가 쏟아져도
오직 너만 냉정한 듯 차게 흐르는
江아
天痴의 강아

국제철교를 넘나드는 武裝列車가
너의 흐름을 타고 하늘을 쨀 듯 고동이 높을 때
언덕에 자리 잡은 砲臺가 호령을 내려
너의 흐름에 선지피를 흘릴 때
너는 초조에
너는 공포에
너는 부질없는 전율밖에
가져본 다른 동작이 없고
너의 꿈은 꿈을 이어 흐른다

네가 흘러온
흘러온 山峽에 무슨 자랑이 있었더냐

흘러가는 바다에 무슨 영광이 있으랴
이 은혜롭지 못한 꿈의 향연을
전통을 이어 남기려는가
강아 천치의 강아

너를 건너
키 넘는 풀 속을 들쥐처럼 기어
색다른 國境을 넘고자 숨어다니는 무리
맥풀린 백성의 사투리의 鄕閭를 아는가
더욱 돌아오는 실망을
墓標를 걸머진 듯한 이 실망을 아느냐

江岸에 무수한 해골이 뒹굴러도
해마다 계절마다 더해도
오직 너의 꿈만 아름다운 듯 고집하는
강아 천치의 강아

이용악, 『분수령』, 삼문사, 1937.5.

두만강 너 우리의 강아

나는 죄인처럼 수그리고
나는 코끼리처럼 말이 없다.
두만강 너 우리의 강아
너의 언덕을 달리는 찻간에
조고마한 자랑도 자유도 없이 앉았다

아모것두 바라볼 수 없다만
너의 가슴은 얼었으리라
그러나
나는 안다
다른 한 줄 너의 흐름이 쉬지 않고
바다로 가야 할 곳으로 흘러내리고 있음을

지금
차는 차대로 달리고
바람이 이리처럼 날뛰는 강 건너 벌판엔
나의 젊은 넋이
무엇인가 기다리는 듯 얼어붙은 듯 섰으니

욕된 운명은 밤 위에 밤을 마련할 뿐

잠들지 말라 우리의 강아
오늘밤도
너의 가슴을 밟는 뭇 슬픔이 목마르고
얼음길은 거츨다 길은 멀다

길이 마음의 눈을 덮어줄
검은 날개는 없느냐
두만강 너 우리의 강아
북간도로 간다는 강원도치와 마주 앉은
나는 울 줄을 몰라 외롭다

이용악, 『낡은 집』, 삼문사 1938.11.

北쪽

북쪽은 고향
그 북쪽은 女人이 팔녀간 나라
머언 山脈에 바람이 얼어붓틀 때
다시 풀릴 때
시름 만흔 북쪽 하늘에
마음은 눈 감을 줄 몰으다

『신인시가집』, 시학사, 1940.

오랑캐꽃

-긴 세월을 오랑캐와의 싸홈에 살았다는 우리의 머언 조상들이 너를 불러 〈오랑캐꽃〉이라 했으니 어찌 보면 너의 뒤ㅅ모양이 머리태를 드리인 오랑캐의 뒤ㅅ머리와도 같은 까닭이라 전한다-

안악도 우두머리도 돌볼 새 없이 갔단다
도래샘도 띳집도 버리고 강 건어로 쫓겨 갔단다
고려 장군님 무지 무지 처드러와
오랑캐는 가랑잎처럼 굴러 갔단다

구름이 모혀 골짝골짝을 구름이 흘러
백년이 몇 백년이 뒤를 니어 흘러갔나

너는 오랑캐의 피 한 방울 받지 않었것만
오랑캐꽃
너는 돌가마도 털메투리도 몰으는 오랑캐꽃
두 팔로 해ㅅ빛을 막아줄게
울어 보렴 목놓아 울어나 보렴 오랑캐꽃

『신인시가집』, 시학사, 1940.

전라도 가시내

알룩조개에 입 마추며 자랐나
눈이 바다처럼 푸를 뿐더러 까무스레한 네 얼굴
가시내야
나는 발을 얼구며
무쇠다리를 건너온 함경도 사내

바람 소리도 호(胡)개도 인젠 무섭지 않다만
어두운 등불 밑 안개처럼 자욱한 시름을
달게 마시련다만
어디서 흉참한 기별이 뛰어들 것만 같애
두터운 벽도 이웃도 못미더운 北間島 술막

온갖 방자의 말을 품고 왔다
눈포래를 뚫고 왔다
가시내야
너의 가슴 그늘진 숲속을 기어간 오솔길을
나는 헤매이자
술을 부어 남실남실 술을 따르어

가난한 이야기에 고이 잠가다오

네 豆滿江을 건너왔다는 석달 전이면
단풍이 물들어 천리 천리 또 천리 산마다 불탔을 겐데
그래두 외로워서 슬퍼서 치마폭으로 얼굴을 가렸더냐
두 낮 두 밤을 두루미처럼 울어 울어
불술기 구름 속을 달리는 양 유리창이 흐리더냐

차알싹 부숴지는 파도 소리에 취한 듯
때로 싸늘한 웃음이 소리 없이 새기는 보조개
가시내야
울듯 울듯 울지 않는 전리도 가시내야

두어 마디 너의 사투리로 때아닌 봄을 불러 줄께
손때 수줍은 분홍 댕기 휘휘 날리며
잠깐 너의 나라로 돌아가거라

이윽고 얼음길이 밝으면
나는 눈포래 휘감아치는 벌판에 우줄우줄
나설게다
노래도 없이 사라질 게다
자욱도 없이 사라질 게다

『신인시가집』, 시학사, 1940.

하늘만 곱구나

집도 많은 집도 많은 남대문 턱 움 속에서 두 손 오구려 호호 입김 불며 이따금씩 쳐다보는 하늘이사 아마 하늘이가 혼자만 곱구나

거북네는 만주서 왔단다 두터운 얼음짱과 거센 바람 속을 세월은 흘러
거북이는 만주서 나고 할배는 만주에 묻히고 세월이 무심찮아 봄을 본다고 쫓겨서 울면서 가던 길 돌아 왔단다

띠팡을 떠날 때 강을 건늘 때 조선을 돌아가면 빼앗겼던 땅에서 농사 지으며 가 갸 거 겨 배운다더니 조선으로 돌아와도 집도 고향도 없고

거북이는 배추꼬리를 씹으며 달디달구나 배추꼬리를 씹으며 꺼므테테한 아배의 얼굴을 바라보면서 배추꼬리를 씹으며 거북이는 무엇을 생각하누

첫눈 이미 내리고 이윽고 새해가 온다는데 집도 많은 집도 많은 남대문턱 움 속에서 이따금씩 쳐다보는 하늘이사 아마 하늘이기 혼자만 곱구나

……1946년 12월 전재동포 구제 <시의 밤> 낭독시 ……

이욱(李旭) 편

봄비[60]

지새는 봄날
고요한 날
보슬보슬 가랑비
나리입니다
입 픠고 꽃 픠라고
나리입니다

보슬보슬 그 비는
마음 간지러
우산도 안 밧고
가게 하지요
님 잃고 그리는 이
울게 하지요
- 三月 二十日

『朝鮮文壇』, 1925.6.

60 月村이란 필명으로 발표.

送年詞

一

갈이는 어서 가야느니
시비 없이 보내야느니

밋천 없는 카렌다쪽에부터
하로 밥비 가야느니

三三의 자태가 너무도 아리ㅅ답기에
지나간 해의 바람(希望)은 너무도 컷섯드라니

지저분하게 속아 버린 것이 삶의 꾀임수
텅-빈 마음만 꾀까다람네

무엇하나 본바듬 하나 없이 失望만을 언저준 고집세인 巡禮者를 구지 붓잡을 수도 없고
더군다나 본척도 아니하고 자긔 갈 길만 가고 잇는 것을 든적스럽게 굴을 수도 없고
그러나 오즉 그가 끼처준 가느스름한 體驗만이

새해의 새 꿈속에서 묘하게 더러지겟지

二

올이는 어서 와야느니
시비 없이 맞어야느니

태엽풀인 時計 소리 마춰
한시 밥비 와야느니

三四의 자태가 너무도 秩序답기에
未練 많은 이해를 돌찾어 보랴고

낫서른 새해를 차근차근 따러불 결심
아—슬한 憧憬만이 안타가움네

무엇하나 꺼리킴 없이 希望만을 믿기 삼아 번연히 쇠길 巡禮者인 줄을 알면서도
더군다나 푸념 하나 없이 실금이 물너앉을 늙은이의 버릇인 줄을 알면서도

그러나 오즉 그가 끌고 가는 必然만이
현실의 파악 속에서 묘하게 꾸며지겟지

-一九三三年을 보내며

『조선문학』, 제2권 제1호, 1933.12.25.

血痕에 핀 꽃[61]

北天에 오로라 드리우면
싱싱한 曠野를 헤치며
譫語하는 미친 벗이 있었다.

애꿎이 日月을 등지고
想華에 사는 동안
피는 말라 化石된 벗이 있었다.

壁 우에 苦憫을 손톱으로 오려
歲月을 쫓던
落齒한 늙은 벗이 있었다.

몇 번 쇠그물을 튀켜나

61 1940년에 지음. 1947년 3월 연길시 한글연구회에서 펴낸 시집 『颱風』에 수록됨. 그리고 같은 해에 출판한 시인의 시집 『北斗星』에서는 시제를 "새 花園"으로 개제, 1980년에 출간한 『이욱시선집』에서는 다시 그 시제를 "새花壇"으로 개제하였을 뿐만 아니라 다소 수정한 흔적이 보임. 시중의 제3연 "壁우에 苦憫을 손톱으로 오려/ 歲月을 쫓던/ 落齒한 늙은 벗이 있었다"가 생략되었음.

땅 위 아래에서 싸우던
九死一生의 精悍한 벗이 있었다.

그는 기빨이었고
그는 祭典이엇고
그는 표범이었다.

때는 悔恨의 影子를 감추고
歷史는 位置를 바꾸었다
잃어 진 生理를 얻어

빼앗긴 靑春을 찾어
人生의 大河에 나리거니
人間의 密林에 들거니

오! 기다리던 오늘 —
오늘은 武裝하고 왔다
行軍은 繼續된다
우리는 이 꼴대로 從軍해도 좋다.

마지막 戰爭은 분홍장미 고개 너메다
돌아보니 온길은 바람 불어 六十里
아직도 갈 길은 비 나려 三十里 남았나니
옛花壇에 어서나가 씨를 뿌리자

그리고 봄을 불러 꽃을 피우리라
꽃을 피우리라.

印象[62]

아름다운 山이로다
푸른 森林과 힌 구름—
머루 다래
노루 사슴
무지개
독수리.

아름다운 江이로다
능수버들과 조약돌—
물방아 징검다리
선창 발
빨래
붕어.

山모퉁이에 감돌린 마을과 마을
물구비에 펼처진 들과 들

62 「印象」부터 「驛馬車」까지의 시는 모두 이욱의 시집 『북두성(北斗星)』(1947)에 수록된 시들이다.

밭에 메나리 농군이구나!
길에 행진곡 군대이구나!
노래 노래 뭉치어
이 마을 꿈은 恍惚하거니.

이 곳 工作 九十日은
나의 平生試鍊의 나날이었다.
그리고 나의 靑春이 絶頂을 넘은 가을이었다.

그 한때 어제런 듯
抗日聯軍이 말 달리던 羅子溝!
쏘련紅軍의 탕크 넘던 碑石嶺!
피피 섞이여
이 마을 이야기는 다단하거니.

진리로 勝敗 많은 兵站基地였다.
그리고 人烟 섬긴 移住地帶이다.
오늘은 바로
義勇軍
八路軍
容姿 보인다 보인다.

이 地區의 겨레와 겨레는
열네 해의 눈물 걷우고

八一五의 열매 얻어
千年봄을 맞으려니
萬年 가을을 보내리니
손을 들어 빈다
머리를 숙여빈다.

오오, 나는 너의 정든 품을 떠나리라
푸른 별을 이고 떠나련다
그러나 머ㅡㄴ 훗날까지
너의 억센 모습을 그리리라
푸른 별을 보고 그리련다.

豆滿江에 묻노라[63]

노래와 외침
그리고 피와 눈물이 아롱진 生活譜—
나의 어린적 노리터
젊은 적 눈물터
너의 이름이 귀여워 豆滿江!
설어워 豆滿江!
오! 感情의 江
오! 歷史의 江
너는 밤이면 별을 불러 오손도손 정다웠고
낮이면 떼를 띠워 조릿조릿 애태웠다.
너는 길이와 넓이로 삶으로
너의 빛 千古에 푸르러
壯士의 氣槪라면
너의 소리 천지에 유량해
志士의 넋이란다.

---

63 이 시는 1945년 8월에 지은 것으로 추정된다. 1947년에 출판한 시집 『北斗星』에 넣었으며 그후 이 시를 "도문강"으로 개제하여 1980년 4월에 출판한 『이욱시선집』에 수록하였다.

너는 언제나
靑春의 旗幅을 들고
차라리 怒號할망정
앳궂이 悔恨의 그림자는 훨훨 씻는구나
傳統의 城廓— 層巖絶壁 구비를 해처 가며
바다의 우렁찬 讚歌를 불으라!
푸른 하늘 아래서
날이 날마다 해와 달이 솟는 平和의 동산에로 망망히 흐르라!

白頭山脈줄줄을 따라 흐론 너의 玉流의 물줄기
千里 또 三百里 流程에
꽃과 山蔘과 芝草와 麝香을 싣고
童話속 장수의 龍馬처럼
험한 길 萬古 숲을 뚫고서
그— 몇 千 몇 萬年 달렸느냐?
오오 내가 豆滿江 네게 묻노니
옥졸 복졸한 萬劫의 時空 속에
許多한 지난 興亡 어떻던가?
너의 소리 내가 알진대
내 마음 너도 알리라

豆滿江 너는
내 어린 시절
자맥질하던 노리터

모래성 쌓던 노리터
팔매치던 노리터.

그리고 내 자라서
소곰토리 건네던 나루터
옷감 나르던 나루터
쌀짐 넘기던 나루터
그리고 또 두만강 너는
避難할 때 날 업어 넘긴 눈물터
移舍할 때 날 업어 넘긴 눈물터
流浪할 때 날 업어 넘긴 눈물터.

그렇다 나는 몇 번인가
너 豆滿江가를 고즈너기 거닐며
鬱火에 타는 가슴을 헤치고 아우성 칠 때
懊腦에 풀린 눈을 감고 沈黙에 잠겼을 때
별이 네 등에 내려 소곤거리면
너는 微風을 내게 보내여 그 무슨 消息을 傳하였느니라.
六鎭 큰 凶年에 餓莩가 길가에 어즈러이 쓸어져
移住民이 샛섬에로 낫과 호미 그리고 쪽박을 들고
밤새 숨이서 건널 때
그리고 가엽슨 屍体 물거품에 떠돌 때
너 얼마나 嗚咽하였느냐?

庚戌 쓸쓸한 八月 바람에
옛 성들에 피눈물 뿌린 뒤
거룩한 뜻을 품고 떠난 愛國志士들을
네 목을 축이어 업어 건넬 때
너는 정영 울었으리라!

악착한 놈들은 야수처럼 덤비며
朝鮮서 東北에로 쫓아와
내 가슴팍 두세 군데
무쇠기둥을 박을 때
너 오직 아펐느냐?

또 유달리 잊지 못할 피의 傷處—
내 홀누이 의탁할 곳 없어서
울며불며 친척을 찾아갈 제
세 살난 어린애 업은 채
성에장에 빻어죽은 설음
너를 나물하랴마는
웨 너를 보면 가슴이 뭉클하는구나

그리고 나의 홀아버지 살길을 열려고
仙境台山에 올라 藥을 캐다가
洞窟에서 병든 채
마즈막 찬 물길 건너서

아우집에서 세상 뜬 슬픔
너의 탓이 있으랴마는
너를 보면 눈시울이 젖는구나

누구냐 겪은 고욕이리라
별이 총총한 그믐밤
가난뱅이 密輸군들
아낙네
늙은이
젊은이
참아 죽지 못하여
禁制品 이고 지고 끌고서
너의 등에서 미끄러져
하염없이 고기배에 장사 지난 자
그 몇 百 몇 千이런가?

隔江이 千里라하건만
江 건너 門 앞 다니듯 넘나들 제
刳木舟를 건너면
監視所 巡査눈은
올배미처럼 구을고
칼은 꽁무니에 번쩍이어
머리칼이 서고 몸서리 쳣거니.

이윽고 稅關에 이르면
稅官吏 이리떼 달려드듯 몰려와
이놈
저년
욕질 매질하여도
소인 양 꿀꺽 참고
너 悠悠한 물결을 보며 묵하였구나!

그렇게 너 豆滿江은
亡命客을 사귀였고
가난뱅이를 친하였다

豆滿江 너는
鬪爭의 江
親和의 江
千年前 너의 두 겨드랑이에
낯설은 겨레와 겨레도 정답게 살어왔고
그리고 거진 한 世紀 동안이나
老爺嶺을 동서에 屛風 둘러
푸른 소매와 힌 소매가 서로 읍하였다

아! 高麗와 女眞의 恩讎도
너의 물결에 살아졌고
「銘安」의 억누름과 「土門」의 말씽도

너의 물결에 살아졌다

白山 아래 黑水 끼고 사는 二百萬 조선겨레도
너의 등에 업히워 건넌 뒤
손곱아 너의 오리지날을 기다렸나니
너의 時華 萬年은 瞬間이나
人間百年은 許久도 하였다
그러나 참고 살었나니
굳게 싸웠나니.

歲月은 물결 따라 흘러서
八一五歷史의 名節맞어
海外에서 날뛰는 英雄들이
靑山을 달리는 범같이
祖國三千里를 向하여 의젓하게 凱旋할 때
너 豆滿江은
둥실둥실 춤을 추며
그들을 업어 건네였구나!

海蘭江 너도 달려라
부얼 하퉁河도 合하라
그리고 嘎呀河 琿春河마저 合하여 흐르라

오오! 豆滿江아

이제 너는

勝利의 江으로

平和의 江으로 盛裝하고

太陽이 첫웃음 펴는 너의 큰 世界를 보아라

여기는 龍峴洞

銅鑼우는 西水羅도 한참이다

어서 東海에 들어

永遠히 흘러 흘러서

黃塵 날리는 天涯를 씨처라

帽兒山

이 땅 젊은 生命을 기르는
海蘭江과 부얼하통河는
너 모얼山 創世紀의 佳緣이고

이곳 각색 살림을 담은
용드레村과 야―ㄴ지강(崗)은
너 모얼山 직혀온 적은 花園이다.

億萬呼吸이 깃드릴 大地의 情熱을 안고도
푸른 하늘을 이고 默默히 앉었으니
너 모얼山은 偉大한 古人 같기도 하다.

네 머리 우에 해와 달이 흘러 흘러
쌓은 情怒가 터지는 날은
自由의 깃발이 날리리니.

우리가 豆滿江 건너서
처음본 너 모얼山은 푸르러야 할 텐데
百年을 기다리노?

千年을 기다리노?

새벽 물결이 뛰거나
떼구름이 뜨거나
너 모얼山은 안개만 실어 올리누나!

躑躅꽃이 피거나
白雪이 덮이거나
너 모얼山은 꿈만 꾸느냐!

오!
그러나 모얼山아
너는 여태 굴한 일 없이
우리의 본보기 되였거니

나는 山에 올라
「짐즛, 모세」가 되고
「마호멧트」가 되어
그의 啓示도 깨였고.

이제 山에 나려
뭇사람 속에서 소리처 불러
너 山울림을 듣는다
너 山울림을 ─.

- 一九四四年 三月

五月의 붉은 맘씨
— 누나가 죽던 가을의 追憶 —

초록 치마에

갑사댕기처럼 진한 五月의 붉은 맘씨

五月은

죽은 누나를 불러도

아니 오는 누나는

옛둥어리에 제비를 보내였구나!

누나가 죽든가읍

나는 울어

丹楓이 붉었다.

누나가 죽던 무렵

누렇게 익은 벼 조박이

小作人의 눈물 속에 젓던 가을

아버지는 牛車를 몰고가

崔부자집 낫가리만 가리던 날

병석에 뼈만 앙상하게 남은 누나

「그리다 죽으면 어찌겠소」하여

어머니의 머리를 돌리게 하든 가을

이웃 꽃분이 갖다준 송편을 받아들고
「아버지 오면 뵈이고 먹겠소」하여
나도 눈자욱이 돌던 가을
어머니는 목메여
죽기는, 오늘은 약을 사온다
안 죽는다 안 죽는다 타일렀건만
의심하는 눈을 맥없이 감든누나
아버지 오기 전 그만 죽었거니.
지금도 생각하면 가슴이 뭉클하여
뺏기고 밟히던 그가을
한가위ㅅ 날 사흘 앞두고
그만 누나는 죽어
그 가을 가난이 죽였길래
가을은 와도 돌아와도
그 슬픈 가을은 아니건만
오늘 당해 유달리
나는 초록치마에
갑사댕기처럼 진한
五月의 붉은 맘씨를 노래한다.

- 1946년

옛말

七旬 六旬 할어바지 할머니 이야기는
亦是 七旬 六旬 할어버지 할머니적 이야기었다.

아득한 그 시절 푸른 하늘에 별이 총총하던 밤
이야기는 세월처럼 기나긴 이야기는
재밀재밀 하기도 하면
무시무시 하기도 하였다.

七十年前 六鎭에 큰 흉연이 들어서
샛섬을 건너는 적
豆滿江은 죽엄을 싣고 嗚咽하였느니라는……
그리고 건너선 김참봉 이선달은 갈 곳 없고
이깔나무에 까마귀 울었느니라는……

越江罪는 무서워도
하나 둘 한때 두 떼 주린배는 검은흙을 탐내여
오랑캐嶺 넘어서 南崗 北崗 西崗이라는 곳
진동나무 속 무티 막사리에

솔깡불 피우고 묵은데를 떠서
감자씨를 박었단다
보리씨를 뿌렸단다.

그러니
大地를 베고누운 그들을 뉘가 움즉였으랴?

六十年前 말성 많은 歲月은 흘러갔다
北斗七星 꼬리 밑에서 땀을 걷우고 숨을 쉴 때
이웃은 느러 마을은 탐탁해
부엉이 우는밤
덜은 범을 잡었지
챢은 꿩도 잡었지.

東天이 붉어와
할어버지 얼룩털마고자에
대통 소리 뚝딱하면
할머니 삼모지에
고양이 세수했고.

개골창 넘어
엄훈장이 서당에는
탑작불 애들과 덤벙이 총각들이
天地玄黃 宇寅洪荒

天皇氏 以木德王
초성 좋게 읽든 글소리 글소리!

아침이면 샘터에
분이 옥순의 물동이에
푸른 버들이 하늘을 물고 떠러저
저녁이면 앞고개에
복동이 길남의 소잔등이에
푸른깔이 靑山을 지고와
마을에는 이야기 꽂을 피우고
꿈이 열매를 맺고.

이렇게
이웃이 이웃을 이어 오달진 마을이 十里坪 지난 어느날
人籍令은 내려서 광지 바위 황풍헌은 辮髮易服하고 땅짖을 탔지
그리고 완고한 우리 할어버지는 주자만 맡아서 주자만 불었단다.

十年이면 江山도 變한다 하였건만 굳센 절개는 변치 않고
그렇게 근근히 살어야만 했다

그리고 날이날로 기개센 어른을 앞잡이로 아낙네 애들은
북간도 하늘 검은 구름처다 보면서 작고만 찾어왔단다.

이 마을 九十戶짓는

늪골논 용산밭 백날가리에
그어룬들 손톱이 닳고 발굼치 닳었다.

그처럼 고달프게 고달프게
천 번 닳어 발이 만 번 닳어 논이된 줄
그줄 농군이면 몰으랴마는
제것 될 줄 꿈엔들 생각했으랴
오늘에야 진정 옛말이지
이것 두고 하는 말이 옛말이구나.

碑文

우러러 보면
머리 우에는
높은 하늘— 별이 輝煌하고,
구버보면
발 아래는
넓은 땅— 꽃이 爛漫하여,
그 사이에
내 살어 아름다움이여

그러나
그 아름다움을 아름다움으로 지니지 못한 설움은
나의 青春과 함께 半世紀를 묻었거니.
뫼
새
물
짐승
돌
나무

그것마저
가난한 百姓과 가난한 詩人의 재산은 아니었다.

그러나 진정 오늘에야
우리는 별을 따서 창에 돋혔고
꽃을 꺾어 상에 올렸나니
이제 나는 세상의 온갖 꿈을 안고
노래만 엮어
나의 노래ㅅ 속에 敵을 죽이고
나의 노래ㅅ 속에 사랑을 살리고
이렇게만 살어,
이렇게도 즐거워.
어느 歲月 年輪에서
설마, 나의 呼吸이 끊을지라도
그 노래는
뭇사람 心臟에 흘으리니,
나는 永遠히
하늘 아래 땅 위에
적은 一碑文을 새겨
나의 고운 言語로 새겨
푸른 별과 더부러 길히 빛나고
붉은 꽃과 더부러 길히 향그러우리.

北斗星

白熊이 우는
北方 하늘에
耿耿한 일곱 星辰
무연한 港口에 깃발을 저으며 저으며
슬픈 季節
이 거리와 저— 먼 曠野에
—不滅의 빛을 드리우다.

어둠의 洪水가 氾濫하는
宇宙의 한가운데 홀로선 나도
한 개의 별님이런가?

제 이름 붙으노니
魁
搖光아 대담하여라.

그윽히 피여 올으는 紫煙 속에
天文이 움즉이다

神話가 바서지다.

보아 千年
생각해 萬年
줄기줄기 흐른 꿈은
지금 내 맘속에 薔薇園을 이룩하고.

구름을 밟고 기러기 나간 뒤
銀河를 지고 달도 기우러,

오오, 밤은 象牙처럼 고요한데
우러러 斗柄을 재촉해
亞細亞 山脈너메서
이 江山 새벽을 소리처 일으키다.

사랑하는 거리

나는 이거리의 群像을 사랑한다
精神을 사랑한다
내 青春을 묻은 標石에
꿈이 무지개인 양 恍惚하면
할아버지 무덤을 빚은 鄕土에는
별이 등불처럼 燦爛한 까닭이다

도란대는 두 겨레의 湖水가 넘치는
생의 밀림!意慾의 푸른 城!
立体 立体 立体
如法과 樂慾과 光華 속에서
物体는 오돌진 이데 —를 따라 前進한다.

無數한 線 壯麗한 면
三角 楕圓 圓錐 球体와 組織은
젊은 工匠이 製造한 象形文字!
(精密한 化石의 알파벳트)

산 造化 날낸 變態!

빛과 빛남 記号와 信号 呼吸과 運動은

廿世紀가 創造한 쇠와 가라스의 感覺!

(偉大한 物質의 文章)

오오, 내 사랑하는 이 거리 이 거리 우데는

힌구름이 오가고 노—란달이 흘렀으나

이제 풀려서 뛰처 일어난 이 거리 이 거리는

머리에 새 투구를 쓰고

손에는 새 방패를 들었다.

—一九四五年八月—

驛馬車[64]

한 자리에
두 겨레의 體溫이 사귀여
凍土 우에도 和氣돈다.

적은 초롱은
밤倫理의 異端者로서
忠實한 말에 좋은 伴侶!
그러나 말방울 방울 소리 없어 섭섭했다.

이 밤 또 한 國境 넘어
도로이칼을 달리고 싶은 마음!

馬車夫의 검은 다부산즈자리에
만만디[65]를 늣긴 내 가슴에

---

64 1947년에 출판된 시집 『북두성』에 게재되었다. 해방 후에는 모든 시작품을 개명한 이욱(李旭)으로 발표했다.

65 '만만디'는 중국어 "慢慢地"의 발음을 한국어로 표기한 것이다.

밤길 咫尺도 아득히 멀어진다.

털외투의 어수선한 그림자에 쓰린 마음은
채찍이 떠리질 때마다
슬픈 고개를 들어 뜻을 모르는 말과 더부러 굳세여 지나니.

낡은 城廓을 벗어나
바로 별성긴 蒼穹을 처다보는 마음 마음!

延吉驛은 멀구나
포푸라 사이 鈴蘭燈도 밝은데
白雪의 曠野에는
푸른 달이 흘러 흘러-
선구자의 세찬 넋이
저렇듯 아련한가?

驛馬車는
오늘도 밤과 낮으로 걸을 줄 몰으는 무지개다리에서
이 거리 기쁜 消息 보내고 맞으리
휜—히 티인 南켠 新作路로 달린다
힘차게 달린다.

이육사(李陸史) 편

小公園

한낫은 햇발이
白孔雀 꼬리 우에 함북(물 따위에 푹 젖은 모양) 퍼지고

그 넘에 비닭이 보리밧헤 두고 온
사랑이 그립다고 근심스레 코 고을며

해오래비 靑春을 물가에 흘여 보냇다고
쭈그리고 안저 비를 부르건만은

힌 오리때만 분주히 밋기를 차저
자무락질 치는 소리 약간 들이고

언덕은 잔디밧 파란솔 돌이는 異國少女들
海棠花 가튼 뺨을 돌어 望鄕歌도 부른다

『비판』, 1938.9.

鴉片

나릿한 南蠻의 밤
燔祭의 두레ㅅ불 타오르고

玉돌보다 찬 넉시 잇서
紅疫이 발반하는 거리로 쏠려

거리엔「노아」의 洪水 넘처나고
위태한 섬 우에 빛난 별하나

너는 고 알몸동아리 香氣를
봄바다 바람실은 돗대처럼 오라

무지개가치 恍惚한 삶의 光榮
罪와 겻드러도 삶즉한 누리.

『비판』, 1938.11.

靑葡萄

내 고장 七月은
청포도가 익어 가는 시절

이 마을 전설이 주저리 주저리 열리고
먼 데 하늘이 꿈 꾸려 알알이 들어와 박혀

하늘 밑 푸른 바다가 가슴을 열고
흰 돛단 배가 곱게 밀려서 오면

내가 바라는 손님은 고달픈 몸으로
靑袍를 입고 찾아온다고 했으니

내 그를 맞아 이 포도를 따 먹으면
두 손은 함뿍 적셔도 좋으련

아이야 우리 식탁엔 은 쟁반에
하이얀 모시 수건을 마련해 두렴.

『문장』, 1939.8.

絶頂

매운 季節의 챗죽에 갈려
마츰내 北方으로 휩쓸려오다

하늘도 그만 지쳐 끝난 高原
서비빨 칼날진 그 우에 서다

어데다 무릎을 꾸러야 하나?
한발 재겨 디딜 곳조차 없다

이러매 눈깜아 생각해 볼 밖에
겨울은 강철로 된 무지갠가 보다

『문장』, 1940.1.

曠野[66]

까마득한 날에
하늘이 처음 열리고
어데 닭 우는 소리 들렷스랴

모든 山脈들이
바다를 戀慕해 휘달릴 때도
참아 이 곧을 犯하든 못 하였으리라

끈임없는 光陰을
부지런한 季節이 픠여선 지고
큰 江물이 비로소 길을 연엇다

지금 눈 나리고
梅花香氣 홀로 아득하니
내 여기 가난한 노래의 씨를 뿌려라

---

66 유고로 남은 것을 아우 이원조가 해방 후에 『꽃』과 함께 신문에 발표했음.

다시 千古의 뒤에

白馬타고 오는 超人이있어

이 曠野에서 목노아 부르게 하리라

『자유신문』, 1945.12.17.

이응수(李應洙) 편

萬里長江언덕에서

끝없이 먼 길 가던 내 두 다리가
永遠을 안은 萬里長江의 물 언덕에 이르러
그와 열십字로 엇갈리여 마주서다

人生의 절반고개를 넘는 내!
西山에 지는 落日보고 뭇노니
내가 선 이 땅뗑이는 나이 몇이며
멀리 앉은 저 산들은 또 얼마나 늙었느냐
그러나 들리는 아무 대답없어
쓸쓸이 잠깐 선 길손!
한번 東南西北 우아래를 휘들러 볼 제
秋風은 어데란 지향도 없이 머리털을
스처가다

『신동아』, 1936.1.

紅葉의 山中腹에서

밝아케 밝아케 가을 丹楓이 들어
虎峰滿山이 紅葉의 불인데
내 山中腹에 발가벗고 서서
한 토막의 雄한 낫꿈을 건설하다

『내 선곳은 火山이요
내 몸은 罪와 罰로 한울에 供하는
燔肉祭의 불상한 犧牲이노라고』

이때 내 눈감고 두 손을 처들어
나의 처참한 장엄한 最後를 맞이는
十字架上의 괴로운 瞬間을 실상 느끼다

『신동아』, 1936.1.

이찬(李燦) 편

国境의 밤

峻嶺을 넘고 또 넘어
北으로 七百里

여기는 鴨绿江
江岸의 一小村

冬至도 못 됐것만 이미 积雪이 尺餘
오늘도 휩쓰러치는 눈보라에 零下도 三十餘度

江은 첩첩히 平地인 양 어러붙고
一带에 밤은 깊어 오가는 行人의 삐꺽이는 자욱 소리도 끝이였다

江가에 한 개 비뚜루선 장명등
희미한 등빛 아래 간혹 낱아나는 무장삼엄한 日警들
오늘 밤은 몇이나 마적 떼가 쳐든다 하는야

오오 저 江 건너 아득히 휘여-ㄴ한 北滿曠野

이름 모를 村村에 어렴프시 꿈벅이는 點點한 燈火여

순아 여흰지 三年 너는 오즉이나 컷겻니
오늘 밤음 몇 번이나 우리 고향 오리강변
꿈에 소스라쳐 깨는야

오 어듸서 울려오는가 애련한 胡弓소리
산란한 내 마음 더욱히나 산란쿠나

따러라 이 컵에 또 한 잔을
루쥬 어여쁜 입을 갖은 짱고로 시악씨야
오호 나는 이 한밤을 마혀서 새이런다。
昭和一〇.12

『조광』, 1936.2.

눈나리는 堡城의 밤[67]

시월 준순이었만
함박눈이 퍼-ㄱ 퍽……

城堡의 밤은 한 치 두 치 積雪 속에 깊어간다。
깊어 가는 밤거리엔 「誰何」ㅅ소리 잦어지고
鴨綠江 구비치는 물결 귀ㅅ가에 옮긴 듯 우렁차다。

江岸엔 錯雜하는 警備燈·警備燈
그 빛 閃閃하는 森嚴한 銃劍。

砲臺는 산비랑에 숨 죽은 듯 엎드리고
그 기슭에 나루ㅅ배 몇 척 언제 나의 渡江을 準備코 있다。

오호 北滿의 十五道沟 말없는 山川이여
어서 크낙한 네 秘密의 문을 열어라。

---

67 이 시는 이찬의 시집 『대망』(풍림사, 1937)에 재수록되었다.

여기 오다가다 깃드린 설움 많은 한 사나이
맘껏 沈痛한 歷史의 한 瞬間을 울어나 볼가 하노니。

『조선문학』, 1937.1.

눈밤의 记忆[68]

國境의 조그만 마을 으슥한 酒店
酒店의 새ㄹ녁 호젓한 뒤ㅅ방
끄므럭이는 소람포 으스름한 등빛 아래
연달어 넘는 잔을 들고 또 들고
즐거워야 할 남은 밤도 한숨으로 지새든
애처롭은 긔억의 그 여인이여
생이별한 그 연석은 꿈에 뵐가 두려워도
아홉 살 난 중대가리 그 아이 생각
이처럼 눈 나리고 스산한 밤에
이붓어미 등살에 웅쿠리고 덜덜 떨며
잠 못드는 상 싶어
이즈랴도 이즈랴도 미칠 듯 싶다 미칠 듯 싶다

오 北國의 밤은 오늘도 눈이 내리고
게다가 새ㅅ바람마저 이-잉 휩스러치고
눈물겨웁다 國境에 시드는 한 떨기 꽃이여

---

68 이 시는 이찬의 시집 『대망』(풍림사, 1937)에 재수록되었다.

오늘 밤도 오다가다 깃드린 어느 旅人의 품에

보락 없을 서름의 향긔를 풍기는요

(于거치기)

『여성』, 1937.1.

阿片處[69]

음침한 방
캐다분한 내음새

걸터누은 널침대도
때ㅅ국이 더덕잡고

벽에 걸닌 一葉紙片
글인가 그림인가

밖엔 北滿의 거센 나희
끈이락 이으락

때마다 누구 집 풍경인가
다알낭 달낭。

69 이 시는 이찬의 시집 『대망』(풍림사, 1937)에 재수록되었다.

담배는 먹음직히 살진 짱꼬로[70] 가시나 손끝에
알맹이졌다 느러났다 느러났다 알맹이졌다

이윽고 한가피 석냥불 끝에
꾸루룩 꾸루룩 길다란 설대의 괴이한 음향이여

받어 물고 一分 二分
숨도 못 돌리고 一分 二分

오 몽몽한 연긔ㅅ 속에
희미해가는 감각을 어루만지며
나는 비로소 아렀노라
세상에 죽엄을 원하는 이들의 그으-ㄱ한 그 마음을
　　于 삼수ㅅ골

『풍림』, 1937.2.

70 일제 강점기 때 중국 사람을 낮잡아 이르던 말.

北滿州로 가는 月이

가구야 말려느냐 가구야 말어
너는 너는 참 정말 가구야 말려느냐

移民이라 낼 아침 첫차에 실려
이역 천리 저 북만주 가구야 말려느냐

아 잡아 보자 네 손길 이게 마지막이냐
이리도 살뜰한 널 내 어이 여희는가

야속하다 하늘도 물은 그리 지워
너희네 부치든 논밭뙈기 다 빼낸단 말이냐

하드라도 행랑사리 내집 살림 저닥지 않다면
내 너를 보내랴만 꿈속엔들 보내랴만

아아 다 없고 황막한 그 땅 네 얼마나 쓸쓸하랴
철철 추위 혹독한 그 땅 네 얼마나 괴로우랴

사시장장 가여운 네 생각 내 어찌 견디리
자나깨나 그리운 네 생각 내 어찌 배기리

언제랴 내 일자리 얻어 집 형편 좀 피울 날
누가 믿으랴 여자 귀한 그 곳에서 널 그때까지 두마는 말

아아 안겨다우 내 품에 이게 마지막이냐
이리도 살뜰한 널 내 어이 여희는가

우지 말어라 우지 말어라 나도 따라 울어를지니
어허이구 月아 너는 참말 가구야 말려느냐

昭和十一년 六月「中央」

이찬, 『대망』, 풍림사, 1937.

對岸의 一夜

눈은 퍼다 붓는 듯
바람을 쥐었다 휘갈기는 듯
그나마 밤마저 이슥히 깊어
오오 들든리 北塞零下 三十餘度

첩첩히 답혀진 가가、가가
가가추녀 끝에 어렵프시 끔버기는 點點한 長明燈
道溝의 거리거리엔 한잠이 깃드렷다

오 헤매여서 얼마인가 시향도 없이
얼근히 취한 호주 거지반 깨여 오고
외로 옹기종기 들앉은 包雜酒鋪
그 새에 띄염띄염 三等妓房들

오 妓房에서 떨려 오는 胡弓 소리여
그리고 이름 모를 노래의 애련한 旋律이여
무엇인가 이렇게 내 가슴을 허비며
호소하는 듯 느껴우는 듯 몸부림하는 듯

오호 들어가자 네 寢臺로 異國의 기집애야
이 한 밤 한없는 원한 타오르는 따스한 네 품속에
폭은히 녹여다우
이 괴로운 에드란제-의 서름찬 몸을

昭和十一年 十一月「映畵朝鮮」

이찬,『대망』, 풍림사, 1937.

國境一折

太白의 드높은 눈두던 아래
一抹 검은 자위ㄴ 양 기슭진 마을

어붓어미 등살에 집 못드는 아이같이
澤은 조마하니 洞口 앞에 웅쿠리고

匪賊이 처드다ㄴ 기별 있는 이 마을에ㄴ
잔체ㅅ집 上客같이 조심 가는 손(客)이 많다

그대는 山나무가 많어 걱정이라ㄴ 住民을 들은 일이 있는가

그렇다ㅛ 여기 불 안 때고 살 수 있는 奇蹟이 숨 쉬고 있는 것도 아니다。

그 녀석들은 茂盛한 닢을 따먹고 사는 人種인가 봐
봄、가을에ㄴ 찾어야 코끝도 바라볼 수 없고……

몇 번 낮선 손을 逢別한 내 호주머니는
드듸여 쥬一임껌 사드리기로 작정했다

이런 地帶에

어른의—表情은 禁物이란다

　　於걸치기—

『청색지』, 제3집, 1938.12.

빠! 샹하이[71]

흐늑이는 네온에 봄비 더욱 多恨한 밤
빠-· 샹하이-
시마이 가까운 으스므레한 흐-ㄹ은
젊은 홀어미 眉愁같이 어설프구나
피로로운 웨-드여
폭신한 암췌어 우에 이 한밤 고양이의
午睡를 敬遠하자
테-불이 大理石 싸-늘해 좋고
찐 그래스에 서리는 늬눈초리 차거워 차거워 더욱 좋다。
이러한 氣分에 스미는 溫味는
흔이 막을 수 없는 눈물의 漏斗이어니

오호 이 키다리 우수광스런 연석게ㄴ
뺨 맞은 木乃伊의 서름이 있단다。

알면도 못 떠나는 生活의 길섭에서

---

71 이 시는 『조선문학』 잡지(1939.1.)에 재발표했다.

이 봄날에도 처ㅡㄹ석 빰 맞은 木乃伊의 서름이

昭和十三年.春

이찬, 『분향』, 한성도서주식회사, 1938.7.

北國傳說[72]

汽笛도 어러붙는 北國의 마을
南行車는 용히도 구을너 밤마다 지냈다

들먹이는 窓구멍에 거듭 침발으는
그 處女의 心思는 무엇이겠느냐

휘여 -ㄴ 한 車窓·車窓
미처 그 속의 情景은 識別 못해도 좋왔다

다-만 그때마다 그는
아아련한 南方의 한개 乞女였어도 可였하나니

기-ㄴ긴 겨울
北國은 눈으로 밝고 눈으로만 어둡고

그리운 말방울 記憶조차 머러지는

---

72 이 시는 이찬의 시집 『망양』(박문서관, 1940.6.)에 재수록되었다.

그 岁月과 함께
處女는 언제까지 少女가 아니었다

은근히 자랑삼든 머릿채
내생처음 밉살스럽든 겨녁이 있었나니
뭇강아지의 벌눅한 코도 도시 오늘을 豫覺치 못했도다

함박눈 나리는 洞口 앞에 무덤이 두 개
어설픈 傳說의 무덤이 두 개

顺아 그 한 개 적은 무덤의 일흠은
그러나 傳說도 모르드구나。

『조선문학』, 1939.7.

北方圖[73]

歷史도 權力도 文明도 富貴도
筵隊 數千里 峻嶺으로 隔하야
일즉 人類의 連綿한 가슴속에
한 개 戀情도 불러본 적 없는 北方이여

原始
原始 그대로의 鬱鬱한 樹林
이—ㅇ 잉
나히(北風)는 사철 樹林을 휩쓸고

산새도 흥미 잃은 진재ㅅ빛 하늘 밑
滿目一圖 높고 낮은 山頂이여 좁고 넓은 嶺腹이여
山頂마다 嶺腹마다 깎아 붙인 火田·火田·火田
火田가에 옹기종기 거리 없는 村·村……

봄·여름

---

73 이 시는 이찬의 시집 『망양』(박문서관, 1940.6.)에 재수록되었다.

보낼 곳 없는 시악씨의 애달픈 하소연이 長江을 흘너
七百里 鴨綠江 흐르고 흘너
이름 없는 沿邊溪谷
애꿎은 물방아만 목메게 울니고

秋九月 한 그루 野菊인들 어느 東山에 찾으리
기ㅡㄴ긴 겨울 겨울은 눈으로 밝고 눈으로만 어둡고
北塞零下三十餘度
찾는 이 없는 차ㅡ단 밤밤 꿈길도 아아련한 등빛과 함께 窓틈에 어려……

오호 創世의 靜寂이여 生의 孤惱여
그러나 말없는 山川을 흐르는 歲月이여
여기 撰拔된 住民이 三萬 三千餘!

감자·조·귀ㄹ· 각양의 雜穀 朝夕도
그 어느 偉大한 節米政治의 功績임을 드른 바 없고
勤勞·儉衣의 國民的美風도
그 어느 賢明한 頭腦의 하로 아츰 長廣舌도 要求한 적 없고

때로 그들께 머ㅡㄴ먼 故鄕의 蒼然한 鄕愁를 되씹는 習性은 있다 해도
아즉 한번 그 系譜를 잃어 진 祖上 속에 파뒤저찾는 興味도 제 것으로 한 적 없나니

至純한 것이여 至良한 것이

最上의 人民이여
正히 幸福은 여기 있어 可하고
正히 幸福이란 여기 있을 것

허기에 오늘도
큰 보찜 적은 보찜 들고 안고 지고 이고
다시 奧北千里 異邦 胡地로
지나친 幸福에 지쳐 떠나는 거름들이 자못 數多타。

『조광』, 1940.2.

이포영(李抱影) 편

滿洲處女

束髮 纏足에 靑衣들은 저 處女야
異國의 사내보고 웃음 짐은 무삼일고
그 웃음 풀 길 없으매 잠 못 일워 하노라

言語를 내 모르니 물어볼 길 바이 없고
몃날 후 다시 만나 몬저 웃어 보였드니
샐죽코 돌아서는 양 너머 쌀쌀하여라

이 일을 어찌하노 잘못 보고 빗웃었네
처음에 웃은 處女 후에 만나 또 웃는 걸
그 우슴 아직 못 풀었으매 받을 길이 없어라
-一九三四、六、九、山城鎭서-

『신인문학』, 1934.10.

土城堡의 月夜

자다가 깨여보니 窓이 모다 희였고나
어느새 날 밝었노 옷 줘 입고 밖에 나니
天地에 흐르는 달빛 잠든 나를 속였네
그 옛날 저 달 두고 남과 서로 맹세했네
달 두고 百年맹세 어리석은 일이로다
밤마다 모양 변하는 저 달 어이 믿으랴

月光을 품에 안고 잠 자는게 그 어떠리
팔 베고 눈을 감고 잠을 다시 청했더니
記憶이 몬저 알고와 오는 잠을 쫓나니

방 안에 스며드는 이 달빛을 어이할고
은잔에 가득 부어 한숨으로 고이 쌌다
十年後 님 오신 뒤에 함께 취해 보리라

— 龍井市外土城堡 金龍熙氏宅에서

『신인문학』, 1935.4.

娘娘祭

滿洲情趣가 넘치는 娘娘祭는 陰四月十九日을 中心으로 前後三四日 동안 滿洲各地서 盛大하게 式이 擧行되는데 佛前에 焚香祈禱하면 所願成就한다는 迷信이 있다.

오날이 娘娘祭日 靑衣男女 모여든다
해마다 이 날이면 人山人海 이룬다네
지나든 白衣 손 하나 구경옴을 몰러라

娘娘祭 그 무언고 娘娘廟에 値佛하고
佛前에 祈禱하면 生男生女 하신다네
이 말이 정말이라기 나도 빌고 가노라

빌기는 빌었소만 이 말 어이 믿을손가
도라서 생각하니 죄지은 듯 하오매라
두어라 믿고 못 믿기난 네 맘속에 있나니

— 昭和九年、南滿山城鎭서 —

『신인문학』, 1935.6.

웃고 갈라지소서
(異域에서 싸우는 두 農夫를 보고)

길가다 언듯 보니 힌 옷 입은 두 농부가
이저리 때리면서 논물 싸움 하지 안나
다 같은 白衣兄弟니 싸울 것은 무언고

무심코 지냈든들 가슴이리 아프리오
낯몰을 滿人들은 손질하며 비웃누나
그래도 싸울 터이면 힌 옷일랑 벗으소

그 무슨 짓이야요 물고 차고 하는 것이
두 몸에 받는 수치 二千萬에 믿는 줄을
그네도 암즉하오니 웃고 갈라 지소서
-昭和十年六山城镇서-

『신인문학』, 1935.12.

이해문(李海文) 편

蔣介石

바람이 분다 大陸에
世紀를 運轉하는 바람
地心을 울리며、震陸 歷歷히 騷空 가마득히 분다。

東方에 中原에
바람 따라 웅기중기 서 있는 防風堤、
國交-防風堤의 連絡線이다

그대 北伐의 빛난칼날 男兒勇躍의 氣模 었나니
이제 別個 ×××을 말하는 ×××
그 밖에 山西、廣東、共輩 灰色等 數없는 軍閥의 跳梁

오오 그대여!
타는 心懷 누르는 自重만도 貴重하거니
非難 陰謀、銃釰의 暗中射擊!
그러나
壯然 中原에 停立、蓋世-熱淚도 그 몇 번 이런가。

-私慾의 未練을 떠나 祖國통일의 中正이즘이 單純한 날
晝宵 바라는 平和도 넌즛이 찾어주려니-

東方에 中原에
우-잉 우-잉 防風堤 連絡線이 우는데
바람이 분다 大陸에
世紀를 운전하는 바람
地心을 울리며、震陸 歷歷히 騷空 가마득히 분다。

이해문 시집, 『바다의 渺茫』, 시인춘추사, 1938.1.

임린(林麟) 편

더듬 길을 닦고 간 北國의 女人

北國의 하늘 밑、
零下 二十度를 넘는
北國의 하늘 밑
그대는 잔약한 몸이
햇빛 엷은 벌판에서 떨고 있으리!
松花江畔을
각금 이름 모를 새와 속삭인다더라만
할빈의 鋪道를
거러 거러 北國의 黃昏을 질긴다더라만
그 깔끄러운 人生의 逍遙를 내 왜 모르랴。

가슴속까지 달빛에 저저
그대와 옛城의 담 및을 밤새 돌던 일
가을 저녁 꺼지는 노을에 마음마저 물드러
漢江의 堤防을 그대와 나란히 거러 보든 일
그 옛날 옛일이라야 보름전 일을
그대는 幸福이라 부르며 울엇다던가?

그대 떠난 지 旬日이 몯 되어
이 곧 저 곧서 그대를 찾더니라。
하나 그때는 그대 이미 北國의 하늘 밑에 우든 몸
아하 人間이란 그렇듯 運命의 陵辱을 받어야는가?
오오 도라오지 않는 北邦의 少女여
서울의 겨울도 몯 참든 몸이
北國을 지향 없이 눈 속에 헤매다니!
그대는 제 입으로 저를 카츄샤라 부르는 사람
그러나 朴翁의 카츄샤는 오늘의 그대보단 꽤복스러운 계집애。
오늘의 그대란 무어라 할 鄕土 잃은 집시뇨。
카츄샤 향이 잃은 이 몸도 오늘의 카츄샤 그대를 따를까?
그대와 눈벌을 헤매다 눈 우에 곡구러저나 버릴까?

모든 것을 잃은 그대는
시베리아에 시드는 외로운 꽃이라든가?
내게 期待 받든 그대 역시
凡愚를 몯 넘는 천한 계집애라든가?
아니로다。 아니로다。
행여 모든 것을 잃엇거든 모든 것을 새로 구하라。
제 몸이 凡愚로 늮여기거든 제 몸을 새로 가다듬으라。
우리는 곡구러졌다도 공처럼 뛰여오르기를 約束치 않엿드냐。

찬 바람을 몯 이겨 운다는 그대。
그런데 옷 한 벌 몯 사 보내는 이 몯난이!

아아、그러나 도라올 줄 모르는 그대가 원망스럽다。
아니 도라올진대 그대는 不滅의 浪人이나 되라。
눈 나라의 물밥을 사 먹노라면
썰매 타고 사람들의 구성진 노래가
혹시 고요한 慰安이나 되지 않던가?
그 노래마저 人生의 輓歌로 드를까 끄리노라。
눈보래를 인생의 暴風인 줄 일부러 맞일까 근심하노라。

아무리 양식을 안 주는 朝鮮이기로니
헌신 버리듯 그렇게 쉽사리 제 곧을 버리다니!
아아 한 번 속은 곧이란 그렇게도 원망스러운 것인가?
그대만이랴! 내 또한 그 옛일을 울고 잇노라。
두 번 없을 그 정절한 幸福을 더듬고 있노라。
하노라니 이것은 폭꺼진 眼球에 고이는 눈물을 주먹으로 씨스며 우흐흐 우스랴는 녀석이로다。
아아 朝鮮은 그대 같은 賢良을 그대 같은 天才를 받어 줄 智慧와 힘이 없는 지경이라니。

이미 나를 떠난
아니 朝鮮을 등진 아까운 그대
北國에 피는 不滅의 詩人이나 되라。

몸은 갖인 험한 일을 당터라도 靈魂은 밝은 빛을 더하라。
아무리 그대를 쪼친 무정한 朝鮮이기로니

北國에서 읇흔 그대의 노래조차 안 바드랴。

아무리 不幸한 딸을 내쪼친 朝鮮이기로니

제 딸년의 그 辛苦 그 부르지즘에 反響조차 없으랴。

『예술』, 제1권 제2호, 1935.4.

豆滿江은 어렸을 걸(隨筆詩)[74]

— 북으로 가는 S를 보내며 —

(1)

豆滿江은 어렸을 걸!

신산한 國境 더구나 북쪽이라

강 바람은 몹시도 매울 걸!

豆滿江 푸른 물결은

얼마나 많은 이사군들의 눈물을 실고 흘렀던고?

白衣人들의 낡은 세간쪽을 얼마나 많이 띠워 보냈던고?

그물 우에 그대마저 눈물을 뿌리랴는가

그 강을 외로운 그대마저 울러 건느랴는가!

행여 몸일낭 그물 우에 띠우지 마소。

(2)

[안녕히 계세요. 저는 間島로 가요]

[그러면 언제쯤 오시나요?]

[무엇하러 朝鮮을 또 와요? 더구나 서울을]

떠나가는 女人이여 제 鄕土가 그리도 싫단말가?

---

74 원문에서 (4)부분이 제시되어 있지 않다.

차라리 그 신산한 間島가 그립단 말인가?
곱다는 槿域을 柔順한 女人 그대마저 버리다니!
[間島! 그곳은 白衣人들이 發見한 그들의 故鄕이예요。
그러기에 白衣人의 계집애는 그리로 가요。
제 故鄕을 찾어 가는데、先生님이 웨 우세요? 아이 웃으워 호호……]
하나 그대여! 정말 웃으워 웃는가
겉으로 웃고 속으로 우는 그대를
내가 우노라。
故鄕을 찾어간다는 그대여 가기나 잘 가구려。
[전엔 會寧서 間島까지 輕便鐵道뿐이여서 좀 불편하더니
이젠 滿鐵이 통하기 때문에 아주 편해요。
그리고 추면 얼마나 춥겠어요? 저는 매운 바람이 도리혀 더워요]
이런 말을 하는 그대게 내 무슨 말을 하랴
뜻을 잃고 間島로 떠나는 그대 옆에서 내 默默히 걸을 뿐
이런! 보내는 나보다 떠나는 그대가 더 明郞(?)하구려。

(3)

[여보 오늘 밤은 서울의 거리를 맘껏 걸어나 봅시다。
저거보 기럭이 소리가 들리는구려。
당신은 저 기럭이처럼 북으로 울며 갈테지?]
[제가 울어요? 호호… 이렇게 웃는데요。]
[그렇던가? 그러면 우리 茶房으로 가 마지막 차나 한 잔 나눌까?
그리고 이 밤을 깊도록 노래나 부를까?]
[아서요 先生님 몸에 해러워요。전 가 자겠어요]
[그럼 내가 혼자 이 밤을 술마셔 새우지!]

[그러지 마세요。웨 그러세요? 어서 돌아가 주무세요.]

(5)

아아! 遠行하는 汽笛 소리가 들리는구려。
별이 빤짝 우리의 머리 우를 흐르는구려。
그대는 내일이면 저 수레로 별인 듯 사러질 사람!
오오、어둠을 죽 그어 놓고 사라져 버리는 별 한 송이!
그래 그대는 내 가슴만 북 할퀴여 놓고 가 버린단말요?
여보 잠깐 저 담 밑에 기대서 다리나 쉬여 봅시다 그려。
누가 이 밤중에 寫眞을 찍는지、
밤 撮影場에선 펑 [막네슘]이 터지는구려.
헤지는 우리니、우리드 저 유리집 속으로 들어가 볼까!

(6)

여보 成 不成이 어디 있겠소? 幸 不幸이 어디 있겠소?
제게 忠實한 努力의 生活만 있다면
失敗도 成功일지며
不幸도 幸이 되리라。
努力이 없는 사람이 차지한 成功(?)…
眞實함 없는 사람이 가진 幸福(?)…
그야말로 가장 不幸한 失敗가 아닙디까?
그지없는 첫 겨울 밤을 긴 줄도 모르나니、
그대는 내일 떠날 몸 그만 돌아가 쉬구려。
내나 혼자 그대 떠날 서울을 밤새 걸으리니。
당신은 밝은 理智와 정결한 感情을 넉넉히 가졌고、
게다 악을 쓰고 나가는 意志까지 겸했으니、

이미 成功한 몸 幸福된 몸이 아니요?
제 말에 취해 上氣된 내 얼굴을
그대 잠잠히 바라보다 겨우 보내는
말이란、
잘 알었어요。先生님을 안 저는 幸福스러워요。
그대를 바라다 주느라고 그대의 旅舍까지 이르렀건만、
그대는 웨 안 들어가고 나를 따라
되나오는가?
아아、이런 짓을 두 번 세 번 몇 번이
나 거듭했던가!

(8)

그러나 웨 차시간은 가르켜 주도 안는가!
[새벽]?[아니]。[낮]?[아니]、[밤]아니。
아아、떠나는 몸이 마지막 한번 만나 주도 않으랴는가!
가구 싶을 때 아무 때나 가지요。
그리구 저리구 난 先生님이 미워요
밉구말구요。
미운 사람이 떠날 때 나오면 氣分이 나뻐요。
정말 내가 웨 先生님을 알었을까?
웨 이렇게 알게 되었을까!
정말 미워요。미우니까 차시간도 안 가르켜 드려요。
아아、先生님、驛에서 헤지는 그 가슴
아픔을 어떻게 할나구 그러세요?

(9)

그러나 가는 이를 언제가는 줄도 모르게 보낸다면
두고 가는 사람을 울리고 간다면
더 더 쓰라린 일이 아니겠소?
당신은 추렁크와 우산을 들고 쓸쓸한 北行을 할 테지!
짐이라도 내게 들려 주구려。정말 내일 몇 시요?
아아 아무 말도 마러 주세요。 어서 그만 돌아가 주무세요。
이 사람아! 이 이상 입도 못 버리게 하는가?
골목으로 스러지는 그대를 얼없이 바라보는 이것마저、
그대는 다시 돌아서 쫓어 버리고야 가는가!

(10)

오오 國境을 넘어 다니는 朝鮮人의 어린 딸이여、
그대는 그대가 發見한 故鄕 龍井으로 나가거니와、
이 몸은 제가 發見한 故鄕 그대를 잃고 어데로 가란 말인가?
가진 험한 고개를 넘을 줄만 아는
明日의 處女여、
은혜 받지 못한 몸일망정 그대는 우리의 어린 짠딱크!
아아、그러나 할만은 그대는 어느 길을 어떻게 굴러가랴는가?
豆滿江은 어렀을 걸!
신산한 國境 더구나 북쪽이라、
강 바람은 몹시도 매울 걸!
지난 해 첫 겨울
그 사람을 보내며

『신인문학』, 1935.3.

임연(林然) 편

車票를 뺏을까 부다

— 떠나는 이를 驛에서 울던 일 —

치마 자락을 찢일까 부다。

車票를 뺏을까 부다。

어제는 그대와 닢 진 숲속에 울었고

오늘은 수레 속에서 그대 눈썹에 이슬을 보았노라.

내 어제 늘 이런 조용한 거름을 했으면 하니까.

그대 다리 삔 년얘요。

내 오늘 늘 이런한 수레길을 했으면 하니까

그대 썰매 탈 년얘요。

그대라 이 밤을 奉天으로 떠나는가!

버리힐 벼슬이 없어 말리어 간다던가!

가면서 한번 幸福이라 해 본다。

소라고 얽어 매랴? 풀도 없어라。

나를 愛人으로 알거던 二百金을 보내라。

혼인하고 싶은 마음이 滿洲國軍兵에게 二百金을 잽혀 주고

이제는 그 따위 婚姻도 싫고 돈이나 찾이러 간다는가!

소라고 얽어 매랴? 풀도 없었라。

제건 이 가을이 기상 幸福스러웠시오。

헤헤、또 그 미천까지 잃는 幸福의 抽籤을 하랴는구려。

설마 미천이야 떼일다구요? -二百金이야

설마가 사람 잡는답니다。

저 저는 아마 이 길이 다시 몯 뵈올 버는 길인가 바요。

二百金 차지면 미천 삼아 살고 몯 차지면 몸이 미천이고 몯 살면 죽고。

세상은 속던지 속이던지라더니、그대 속이러 가는 양인가? 또 속으면!

아차 내 비틀거리다 남의 밭을 또 밟노라。

바라 보아야 나는 햇슥 웃고 섰노라。

그대란 꿈들의 맵씨 눈물 씼는 그 소매나 가슴에 남을까?

치마 자락을 찟을까 부다。

車票를 뺏을까 부다。

『신조선』, 1935.12.

임춘길(林春吉) 편

夜行列車

연기를 바람처럼 내뿜으며
기관차는 성난 짐승이다

아마 밤이 벌—써 이슥해 졌지
무섬을 덜 타는 애기들이
커틴도 내리지 않고 잠이 들었다

滿洲로 간다는 여인은
새우잠에 응당 으리으리한 살림을 꿈 꾸렷다

씨—트에 흩어 놓은 채 잊어버림을 받은 이야기들이
귤껍질처럼 마루에 산란하다

버림 받은 우리 애기들이 도란도란 잠을 못 이루는데
기차는 너무 조심성 없이 소란을 부리는군요

이 이야기들은 車掌의 손에 슬어 모이어

오늘 밤새로 어느 낯선 정차장에 下車할 게다

임춘길, 『화병』, 경성출판사, 1941.

임학수(林学洙) 편

曠野에 서서[75]

너는 石鏡도 粉匣도 다 버리고
나는 구렛나룻도 손톱도 자라는 대로
여기 와 다만 둘이서 살겠느냐?
진흙으로 움 이루고 새벽에 이슬을 헤쳐
왼하로 씨 뿌리고 이윽고 걷우며、
모두들 멀리 떠나
东에서 해 뜨고 西으로 달 뜨는
이 曠野에 와
웃으며 살겟느냐?

봄에는 몬지 泰山
겨울에는 눈보라、
高粱이 자랄 제면
밭고랑에 贼도 뛴다。

---

75 이 시는 임학수의 시집 『匹夫의 노래』(고려문화사, 1948.7.)에 재수록되었다.

燈 없이 사는 곳 技巧 없이 사는 곳
소리쳐도、딩구러도
까딱도 않는、反響 없는
曠野、잿빗 하늘—
아、미칠 듯한 이 孤獨을-

가자、거긴
주림이 허리를 졸라매지 않고
근심이 이마에
휘도라가는 실개천을 파지도 않어、
내 몸을 누일 空地 있고
광이 들어 팔 大地도 있다!
이윽고 불볕의 여름해가 지고
저 들가 버들숲 우에 초생달이 걸릴 제
아、밭고랑에 四肢를 내던지고
자잣구나 너와 나와 코 골고。

『문장』, 1939.4.

旷野集[76]

(1) 拉濱線 安家에서

青龍刀로 파 버히고 거미줄 밑에서 자는 陈君、
손톱은 한 치 어깨 우에 몬지는 닷분 구렛나릇은 자라는 대로 검정은 묻은 대로。
이슬을 헷처 씨 던지고
黄昏에 高粱을 걷우는 陈君、
이제 겨울이 와 바람이 휘몰려 오매
아득히 눈 찌그려 들끌을 바라다가
칙、침을 배았고
도라서 여물을 써는 陈君、
-그 옆에는 빙빙
연자매를 끌고 도는 당나귀-
이 고장、이 百姓!

---

76 「旷野集」, 「哈爾濱驛」, 「松花江」은 임학수의 시집 『匹夫의 노래』(고려문화사, 1948.7.)에 재수록되었다.

(2) 哈爾濱驛에서

外套도 없구나
「에리」를 세우고, 義足
단장을 덜그덕이며
待合室을 왔다 ……갔다……
왼하로。

집웅 밑 너의 寢室에는
불이 없겠지、
잠시도 이 폭신한 쏘-파의
신세는 지지 않으려는-
낡었으나 그러나 端正한 차림차리
喪章
죽 내뺏는 빳빳한 氣槪。

이따금 窓앞에 와
멍-
무엇을 바라느냐?
그 푸른 눈으로。

오, 이 밤 맞부딧는
零下 四十度!
찝푸린 北天에서는

오늘도 작고만
눈이 날린다。날린다。
故鄕이 없는
알렉세이君!

(3) 松花江

맞는 이 보내는 이 없이 왔다 가노라
얼어서 千里 눈 덮인「쑹가리」
삽살개야 너 끄러라
방울아 울려라
설매에 몸을 실고 당홍챗직 되우 처
오、가련다 가련다
눈 감고 달리련다。

『조광』, 1939.4.

正陽門火車站에서[77]

기러기 너 어데로 향하나냐、
이른 봄 아침 都市의 上空을
안개 山 넘어 그 우름 날카로히?

아, 汽笛一聲,
달겨드는 黑煙에
그 자최 가리우고 그 소리 간 곳 없다!

덜그렁、머무르는 車박퀴。
쏟아지는 雜踏。

---

77 「正陽門火車站에서」부터 「虞鄕을 버리던 밤」까지는 임학수의 시집 『전선시집』(인문사, 1939.9.)에 수록되어 있다. 『전선시집』은 황군(皇軍) 위문사로 중국의 북지전선(北支戰線)을 방문하여 이 경험을 시로 쓴 시집이다.

北京의 新婦

그는 오지 않는다。
달 지고 초도 다 달었다
사람들 헤여지고 신부도 지쳤다。
족도리가 따에 떠러지고 머리 구름같이 흩어저-
이 모욕과 생채기 난 自尊心으로
반달 눈섭이 모조리 치서고
잇발이 입살을 깨여무렀다。
美의 女神이 一瞬에 山門의 仁王으로 변했다!

그는 이제야 온다。
해가 벌서 東窓을 깨치고
신부 나동그라저 코 골제、
반 나타난 가슴 파-란 靜脈이
그의 五官을 어지럽게 하고
오、雪白!
흘러 나린 紗 위로
드러난 다리에 으시시 소름이 끼친다。

이윽고 해 西山에 기우릴 제야
그는 일어나 珊瑚 얼레빗으로 머리를 간주렸다.
琥珀 瑪瑙 玻璃 翡翠……
가지가지 그 야릇한 땀과 香油의
五色 병 사이를 손가락、속가락이 헤염쳤다。
아른거려 거울에 휘황한 불꽃-
이 놀라운 永遠의 신부외
애달픈듯 또 읊저리는 戀歌를 들으라!

(北京의 歷史…… 遼代 燕京、金代 中都、元 大都、明 北京、淸 北京、民國 北京、民國十七年 遷都 南京後、北平市、臨時政府 改稱 北京。)

娘子關

독수리
너 무엇을 채려느냐、
長松 낙낙
黑風이 휘몰려 오고
蒼穹 찢겨 펄럭어리는
砲壘 우에?

해가 졌다!
달이 푸르다!
-날러서 날러서 아득히
「고비」 구름 넘어 沙場으로 떠가는 잎 하나 ……

層岩이、
斷壁이、
峨峨한 連山이
다시 太初처럼
寂寞하여라!

中國의 兄弟에게

I

봉오리 또 봉오리
層岩 峻嶺 새에
길게 남기는 검은 연기、
다리 또 다리
쇠 欄干을 기여가는 汽笛。

돌모사리 측 넝쿨
얼켜 거치른 턴넬을 돌아 돌아 ……
光明에로 躍動하는 수레박퀴!
오、大地에 흩어지는 木花、高粱!
보라、
흰 옷도 靑衣도 뻙엉 「다스키」도 辮髮도
물 푸고 씨 뿌리고 이읏고 걷울 곳、
다 같이 흙뎅이 처 노래하며 하늘에 感謝할 곳!

II

봄은 오리라、

골작마다 들 끝마다 얼크러저 푸른 모종
五月 陽光을 받어 춤 추며、
방축에 버들 피리
山 빈탈에 당나귀 ……
五億의 백성이
飢餓도 反目도 없이
다시는 軍閥도 戰慄도 없이
그 전날의 적은 誤解도 다툼도
이제는 먼 追憶의 한올、
燭불을 싸고 도라앉어
고요히 이야기하며 생각에 잠기며
서로의 피 흘려 흩어진 勇士를 讚揚하고
快活히 우슬 날。

봄은 오리라、
暴風과 驟雨
우뢰와 벽력
落葉을 휘모라 가는 가을을 통하야、

끊어진 鐵橋 쓰러진 車輛
묺어진 城壁 떠러진 門짝
깨여진 窓을 통하야
봄은 오리라。

오、봄은 오리라
崑山에 黃河에 산 제사 드린 후
永遠한 봄은 오리라。

III

오、내 사랑스러운
『만만디』 되는 대로 살고
『메이파스!』
斷念하야 다시는 꾸물꾸물하지 않는
自然兒、自然의 一片!
黃河 悠久한 물구비에 자라난 풀아 백성아
그대로 地球 먼 歷史의 縮圖여、
아니 氾濫의 旱魃의 『고비』 회호리 바람의 아로삭인
얕은 코 검은 눈 누른 얼굴
三綱의 慈悲의 敎義를 이어 슬픈 마음아!

하루에 두 끼 밀가루 만또오[78]
파 비여 먹고 움에 자는 民衆아、
보라
이윽고 大地에는 곡식이 얼크러질 게다。
山에는 숫이 나고 기름이 솟는다.

---

78 만또오는 중국어 "馒头"의 발음을 한국어로 표기한 것이다. 밀가루로 만든 중국 특색의 떡을 말한다.

이 寶庫! 이 大地!
그럼에도 一生을
몬지와 때와 주림에 보낼 거냐?

너의의 技師는 무엇을 하느냐?
오란 徵稅에 착취에
제 가끔의 軍閥의 노리는 모이에
덜컥 놀래고 감추고
또 不安한 의심스러운 눈초리를 굴리고
내 따스한 友情의 손길에도
좀처럼 너의는 胸襟을 열지 않는구나。

이 하늘 알에는
메마른 山川 수척한 젓가슴이 있다。
광이 있건만 팔 곳 없고
낫은 있것만 빌 곳 없고
그러나 온정과 착한 마음과
물 대여 벼 심을 재조도 있다。
自然을 征服함은 人類의 特權이다!
糧食과 平和와
安住의 地를 찾음은 生의 慾求다!
오라、손 잡고 새 살림 차리자。

우리의 生을 脅威하는 자 누구냐?

우리를 짓밟고 한가히 누어
그믈을 바다 우에 느리는 자 누구냐?
民衆의 敵
綾羅와 阿片과 色慾과、
우리 血汗과 눈물과 원망을
못 본체 얼굴 돌리는
그들을 血祭하자、너도나도
同文의 兄弟여、同族의 姉妹여!

오라、손과 손 마조 잡고
쟁기 메여 바구니 끼여
들로 가자 山으로 들자
이윽고 올 大陸의 봄을
우리 소리 높여 謳歌하자。

牡丹

빛이 붉고 붉고
花瓣이 넓고
해마다 봄이 오면
내 아버지의 뜰에 피여 滿發하던
牡丹。

내 매양 아침
떠러진 꽃잎을 줍고
때로는 몰래
이슬 구으는 몇 잎을 따
내 책 속에 눌러 두던
牡丹。

그러나 오늘
나는 너를 소중히 여기지 않는다、
香氣가 없고
꿀벌이 아니 오고
너무나 艶麗함으로。

아니 그 朱칠을 한 金빛으로 빛나는
엄청나게 큰
나 이제 보고 온 나라의
建築、彫刻과 흡사함으로-

저 妖精의 무리 날르는 海峽
黃昏의 砂漠에 웃둑 솟은
피라믿、스핑스보다도
혹독한 채직 血汗과 눈물이 섞인
그는 오로지 오로지 奴隸의 藝術임으로。

나는 차라리
보잘것없는 진달래
길가에 개나리
이름도 없는 무덤 우에 꼬부라진 할미꽃、
해사하고 연약하나 그러나 어덴지 애닯고 情다운
그들을 사랑한다!

蘆溝橋에서의 歸路 車를 몰아 萬壽山에 이르렀다。

珊瑚와 翡翠와 金과 銅과 玻璃와 大理石!

崑明湖는 조으는 듯 고요히 빛나고 長廊 左右의 柳糸 사이에는 胡蝶이 서로 談話 酬酌을 하는 듯 雙去 雙來한다。西太后의 臥床과 교의를 보고 매양 아침 머리를 간주리든 鏡臺를 보았다。그 전날 西太后의 一笑一嚬을 反映하든 이 거울이 이제는 그 누구의 꽃 같은 양자를 비최려는고! 案內하는 童

子 그의 畵舫을 가르처 가라대 저 大理石 배의 上層에는 모두 玻璃를 껐음으로 거기 앉어 崑明湖에 배띠운 內外 諸國의 선비와 官員을 바라다가 뜻에 合當하면 불러드리고 그 다음 處置하야 그를 아랫층으로 던저 버리든 곳이라고。나는 그 말의 眞否를 믿을 수 없었다。그러나 可히 써 昔日의 豪奢와 快樂을 짐작할 수는 있었다.

五方閣 아래 엄청난(內金剛 妙吉祥만 한) 거울이 있었는데 그는 義和團 亂時에 佛國人이 떼어가고 없다 하며 寶雲閣에 올라 그는 또 자랑스러히 말하되

「저 門樓의 大理石은 모두 雲南에서 갖어온 것이요 이 銅은 모두가 朝鮮에서 갖어온 것이외다! 朝鮮에서 갖어온 것이외다!」

事實 寶雲閣은 지붕과 기둥과 천장과 방바닥과 층층계와 셋가래와 창살과 그 안에 세운 테불과 의자와 모두가 純全한 靑銅이었다。-

과연 豪奢롭고 壯大하고 육중하였다。그러나 萬壽山을 보고서 무엇을 느꼈느냐? 그저 휘황하고 찬란하고 엄청나던 것 뿐이요 돌아서면 아무것도 없다。그는 萬壽山뿐이 아니라 紫金城도 天壇도、심지어 오히려 측은스럽게 보이도록 精緻 細密하게 彫刻을 하여 놓은 적은 骨董品 하나를 보아도 다 그러하였다。보고 나서 무엇이 머리에 남느냐? 아무것도 없다。돌이 玉이 金이-그 바탕은 實로 稀世의 보배이다。그러나 藝術은 그것과 아무런 상관도 없는 것이다。高邁한 精神이 빛나고 幽玄한 情緖가 흐르고 香氣가 품기는 그러한 것이 아니면 眞實로 훌륭한 藝術品이 아닐 것이다。巧妙한 彫刻 奇怪한 形狀 高價의 玉石을 나는 輕蔑한다。그보다도 石窟庵의 彫像 樂浪古墳의 壁畵 高麗의 磁器를 갖인 우리는 얼마나 幸福이냐!

杜鵑

웨 우느냐 杜鵑
萬里
邊城에?

웨 우느냐 杜鵑
코 고는
풀 벼개에?

내 고장 뒤ㅅ 山에
진달래 폈다
우느냐?

汾河의 봄

山 넘어 또 山 넘어
疊疊한 峻嶺 넘어、

푸르른 汾水 가에
조고마한 들 끝에、

때 한창 얼켜 핀
복사 배꽃。

戰友야 잠간 쉬자
나는 그리워
복사꽃이。

石家莊을 떠나서 조곰 가면 井徑驛。그 댐이 바로 娘子關이다。鴨綠江을 건너서부터 가도 가도 끝없는 平原이던게 여기서부터는 層巖峻嶺의 가도 가도 山岳이었다。구부리고 돌고 오르고 오르고 나리고…… 斷壁을 두 줄 레일이 달리는 데 그 알에 맑은 시내가 흐르고 있다。이것이 汾河의 물줄기! 漢武帝가 樓船을 띠우고

『簫鼓 울어 棹歌를 發하니 歡樂이 極하야 哀情 많도다. 青春이 기 얼만고 오는 白髮을 어이하리。』

하여 그 哀切한 秋風辭을 읊저리고 蘇頲이 汾上驚秋라 題하여

『北風이 흰 구름을 쓰러 萬里 河汾을 건너도다。내 마음 落葉을 맛나니 가을 소리 참아 못 듣겠더라!』

한 그 汾河가 아니냐!

서울을 떠난 지 旬日、올해에는 진달래도 개나리도 못 보고 봄을 보내는가 하여 저윽히 섭섭하던 나는 문득 들 끝에 한 포기 연 분홍 복사꽃을 보았다。가슴은 뛰였다。복사꽃은 나와 因緣이 있는 꽃이다。어렸을 때 내 아버지의 뜰에서 봄마다 바라던 꽃이다。故鄉이 생각힌다。얼마 前까지 있던 松都가、그 滿月臺의 개나리가 彩霞洞의 진달래가 그립다。

얼마 후면 家鄉에 도라가리라 믿는 나도 이렇거늘、하물며 내일을 모르고 馳驅하는 將兵이야 긴 行軍의 끝에 문득 바라는 이꽃에 오작 가슴이 뛰였을까?

蘆溝橋羽調

말하라
너는 무삼 運命으로
五千年 기나긴 해를
閑日月 낙대 메고
夕陽에 片舟 매는 어진 處士 다 버리고、
長堤에 비 뿌린다
雨裝 허리에 두른
風雨 歸牧 다 버리고、
그 많은 征軍을 모라
북 울려 旗폭 날려
들게 나게 하였더냐?
北天이 찌푸렸다 星辰도 희미해라
살같이 달려오는 匹馬 저 武士를
欄干 걷어 자게
劍 끝 돌 깨치게、
아니 銀河는 기우러지고
그믐 달 물 우에 흘러
단꿈 깨는 鷄鳴聲에

참소에 罪를 얻어
胡地 萬里 가는 길손
소매 짜는 四五 送客
帝都를 도라보고 발 멈추게 하였더냐?

말하라
너는 무삼 運命으로
丁丑 七月 초일헤ㅅ 날
四方은 고요하고
버들에 꾀꼬리
풀 새에 銀비눌
아직도 잠 困히 든 제
突然히 靜寂을 찢는 한 발의 銃聲!
그 소리 봉우리를 울리고 또 봉우리를 울리고
그 연기 地平線을 넘어 또 地平線을 넘어
해 드는 西山에
잔나비 우는 巴蜀에
悠久한 黃河에 朔風 이는 沙場에
오、발굽 소리 발굽 소리、얼크러진 횃불……
干戈 부디치고 풀 뿌리 재 되고
地軸은 으근 으근
火光 하늘을 녹여
東亞 天地를 싸흠의 도간이에 집어 던저
兄弟와 兄弟와 쫓기고 내달리고

兄弟와 姉妹와 흩어지게 하였더냐?

가슴 치고 하늘을 우러러 통곡하게 하였더냐?

오늘도 바람은 자우욱

駱駝 列 지어 가는

오、蘆溝橋야!

자우욱히 휘몰려 오는 몬지와 저 아득히 砂丘 넘어로 뻗힌 駱駝의 行列-

蘆溝橋는 北京의 西南 宛平縣에 있었다。蘆溝曉月은 北京八景의 一로서 그 옛날 罪를 얻어 멀리 정배되여 떠나갈 제 華麗한 都人들이 여기까지 나와 餞別하든 곳이다。

다리를 건너면 또 萬里 平原。해 저믄 異鄕에는 故人 없고 밤을 타 잔나비 소리만이 처량하였겠지。

서리 찬 하늘에 月輪 외로워 十里川光이 스스로 희미하여 지려고 할 지음 짧은 꿈을 깨우치는 이웃 마을의 鷄鳴聲에 征馬 발 구르든 이 돌 欄干이、이제 외로운 길손의 잠간 다리 멈추고 도리켜 帝都를 그리워하든 곳이 아니냐?

아니 그러나、바로 再昨年 七月七夜 銀河 西으로 기우러지고 그믐달이 꺼지려 할 未明 突然히 터진 一發의 銃聲이 퍼지고 퍼저 저 하늘 가 다은 陝西、四川에까지 干戈 부디치고 戰雲 휩쓰러 東洋의 天地를 動亂의 도간이 속에 집어 넣고 同文同族의 兄弟가 서로 피 흘려 싸흐게 하고야 만 이 다리가 오로지 원망스러웠다。

夜戰

보안다 보왜라
山 우에 火光!
드른다 드렀에라
소리치는 騎馬!
뛰여라 뛰여라 뛰여라 뛰여라

槍劍 부디치고
부러지고、
旗幟
퍼덕이고
피에 젓고、
두리둥 울리는 북 목신 軍號。
뛰여라 뛰여라 뛰여라 뛰여라

彈雨 쏟아지고
黑風、
砲壘 뭉어지고
震動、

오、자지라지는 喇叭 휘몰려 가는 波濤……

보안다 보왜라

불의 도간이!

드른다 드럾에라

城門에 발굽!

夜宴

뛰여라 뛰여라 뛰여라
여러라 城門、
오、城 안에 불길!
青紅幔幕 사이로

부디치는 鐵과 鐵
아우성
우슴
붉은 얼골
數많은 술잔。
胡弓이 운다
북이 울린다、
흩어지는 옷자락、옷자락……

땀 기름 입김……
오、분홍 살!
휘-쓸리는 불꽃 뒤에는-
싸아늘한 우슴、잇발。

河端軍曹

아、山西에 해 이미 지고
壯士의 무덤에 가마귀 날라
征馬는 발 구러 별을 울붓네。

어제는 어깨 맞후어 나어가던 벗、
오늘은 한 줌 풀에 묻히단 말가
馳驅 萬里 떨던 鐵脚이。

八月 불볕에 長江을 뛰고
臘月 朔風에 塞外를 달려
娘子關 지는 잎과 앞 다투던 그。

왼 하로 우뢰 벽력 왼 밤을 砲火
피와 피 鐵과 鐵 먼동이 틀 제、
오、喇叭이다 걷어 차는 鐵條網。

일곱 번 죽을 곱피 열군데 傷處
쓰러진 隊長을 救한 것도 그

찢긴 軍旗를 직힌이도 그였도다。

길은 멀고 물통에 남은 한 방울
타는 목 억제하고 戰友에 미러 줄제
누 아니 感激하리 이 生命水。

어찌 잊을꼬 籠城 五十日
양식 끈어지고 뽕 잎도 다해
참아 주리는 양 볼 수 없는 어린 兵士。

밤을 타 城 밖 敵陣에 기여 드러
한 포기 배추를 캐여 들고 도라올 제、
아름답다 용맹보다 싸홈터에 이 人情!

아、그러나 드디여 갔도다!
異域의 들 끝에 그는 갔도다!
幸福일다、幸福일다、나라 위해 그 목숨 받힌 勇士는-

부러라 汾河에 胡笳、
울어라 邊城에 杜鵑、
새벽 찢는 喇叭에도 그는 다시 깨지 않으리。

도라오지 않는 荒鷺

한 별 또 한 별 西天에 솟아나고
들 끝에 마지막 타는 眞紅 띠、
銀날개 가즈런히 도라왔거늘
어인 일고 아직도 안 오는 一機。

울어러도 마음 조려고 爆音은 안 들리고
찾는 거울에 깜박 나타나는 건
재빛 大海에 또 하나 별뿐、
이제는 모두의 얼골에 絶望。

-아、오늘도 한機는 안 오려는가?
띠워라 偵察機 다리 날랜、
沙場을 도라 一路로 萬里
「엔진」을 닫고 江岸 살피니。

보라、저
굴러、도라、쏘아、닥치는 대로 날를 새
앞을 다투어 각구루 떠러지는 機體들……

다섯 機를 무찌르고 悠悠히 도라설 제、

아깝다 「엔진」에 맞인 最後의 一發、
가란져 가란져……다시 솟지 못하더니
앗、猛烈한 爆音과 함께
쏜살인 듯 떠러지는 저 불뎅이!

아우성、불길、조각나는 戰車隊……
奔馬、黑煙、뭉어지는 砲壘……
갈팡질팡 무리는 흩어지고
-어느듯 悠久한 물구비 죽은 듯 소리 없다。

오、부러라 부러라 黑風、
뛰여라 부푸러라 大河、
敵인들 머리 숙여라 찬양하라 사람들
戰史에 빛나는 이 自爆을!

籠城五十日

때는 戊寅 秋九月 아직도 불볕
虛를 타 에워싼 敵兵 八十萬
通信은 杜絶되고 鐵路도 끊겨。

아、塞外 萬里 沙塵 날르고
가마귀 가옥 가옥 孤城에 운다。
오늘도 部隊 本部 一室에서는

이대로 버릴 거냐 아니 死守냐?
意見이 紛紛하야 초만 다할 제
猛烈히 卓子 치고 혀끝의 불길!

드르라 피 물결 山 이룬 바다
戰友를 뛰여 넘어 아슨 城이다!
기여 굴러 악지로 빼슨 城이다!

그렇다! 오직 死다 버릴까 부냐?
이윽고 눈물 섞인 將軍의 訓示、

씻은 듯 숨 죽여 肅然한 陣中!

그러나 한 달 가고 어느듯 열흘
援軍은 杳然하고 양식도 다해
應戰할 彈藥도 이제는 없다。

밀가루 새알심 그도 없느냐?
왕겨 말류어 한 끼 죽 그도 없느냐?
뽕잎은 쓰디 쓰다、캘 풀도 없다。

부어 누른 어린 兵士 쭈구린 丈夫
冷水로 닷새 있고 또 열흘 갈 제
날 새기가 무섭게 퍼붓는 射擊。

部隊長室 窓琉璃 산산히 깨져
幕僚室 지붕은 연기에 자욱、
砲聲 殷殷히 땅을 흔들고

火焰 悽慘히 하늘을 찢고
물 밀듯 내달아 城門에 喊聲
아、風前의 燈火 籠城 五十日!

나가자 때는 왔다 더 무엇을 기다르랴?
肉彈이다、突聲이다、깨끗이 흩어지자。

술잔 부디치고 軍號 이미 나렸다。

오、때마츰 爆音、하늘 덮은 荒鷺 떼……
友軍이다。友軍이다。嚠喨한 저 喇叭。
뛰여라。맞으라。信號旗 휘둘러라。

蜿蜿한 長蛇陣 굴러오는 戰車隊
森嚴한 槍劍 내닷는 騎馬隊
步兵、砲兵、트럭、그리고 沙煙……

昨年 초가을 ○○에서 作戰의 必要上 五十日間이나 籠城하였음을 아느냐? 後方과의 連絡은 斷絶되고、바로 城 밖 부르면 대답할 距離에 包圍되였었음을 아느냐? 밤낮으로 間斷없이 날라 넘어오는 砲彈……喊聲……。應戰할 彈丸도 이미 다했다。糧食은 끊어진 지 오래다。每日 해질 무렵이면 또 날라와 部隊長의 宿舍 앞에서 쾅 터지는、그 肝膽을 서늘케 하는 野砲、迫擊砲! 오직 焦土化한 孤城을 死守하야 機의 到來함을 기다릴 다름이었다。飛行機로 겨우 날러다 주는 少量의 軍糧도 空中에서 떨어트릴 때 허트러지고 부서지고 또는 城밖으로 떨어져 도저히 믿을 수가 없었다。

처음에는 밀가루 만또오를 짖어 먹다가 다음에는 돌 반 밀가루 반 섞인 것으로 죽을 쑤어 먹고、다음에는 그도 없어 왕겨를 말류어 새알심을 비비고 물을 끄려 그 새알심을 두어 개씩 물에다 띠워 아침에 한 공기 저녁에 한 공기씩 나중에는 그도 못하야 하루에 겨우 한 공기씩을 마셨었다。

날은 찌는 듯 더웠다。병사들의 얼굴은 점점 蒼白하여 지고 풀 없어 이제는 제 몸 하나를 움지길 힘조차 없어졌다。

저 城 밖에는、저 맑은 시내가 흐르고 있는 언덕에는 배추가 한창 파랗게 자랏거늘、到底히 그를 캐 올 수는 없었다。 밤을 타 주림을 못 견디어 城 밖으로 기여 나갔다가 배추 뿌리 하나를 입에 물어、채 飢渴도 풀기 전에 벌써 流彈에 맞어 그대로 밭 고랑에 쓸어져 버린 나이 어린 兵士도 여럿 있었다。

아、아직도 後方의 消息은 杳然하였다。包圍陣은 每日每日 한 걸음씩 오그라든다。이제는 풀 뿌리를 캐고 나무잎을 따는 수밖에 道理가 없었다。將校도 兵士도 이제히 城안을 헤매 풀 뿌리를 캐다 우리고 잎을 쩟다。그러나 우려내도 우려내도 삽주는 먹을 수 없고 뽕잎 뎀뿌라는 쓰디썼다。

한 宣撫官이 이 慘境을 보다 못해 果敢히도 城 위에 올라 섰다。城 밖 敵前哨隊의 將校와의 問答-

『너의는 먹을 것이 없지? 요새 무얼 먹고 사니?』

『쌀 먹고 살지、무얼 먹고 살어。』

『날마다 飛行機가 무얼 그렇게 던저 주니?』

『우리는 날마다 飛行機가 캬라멜과 雪糖을 갖다 준다。』

『거짓말 마라、日前 飛行機에서 떨어트린 걸 보니까 쌀과 김치쪽이 들었던데-。어서 항복이나 해라。』

『우리에게는 이제 곧 援隊가 온다。援隊가 오면 너의가 몰살을 當할 터이니 어서 너의가 항복을 하여라。』

이 말이 끝나기도 前에 핑-彈丸이 날러와 그는 그 자리에서 쓸어저 버렸다。

이리하야 死守한 五十日! 이슥고 援隊가 이르러 瀏喨한 喇叭소리가 밤하늘을 찢을 제、그들은 오직 눈물이 터저 나올 뿐이었다。

亂離의 母子

가도 가도 붉은 몬지 윈하로 벌판
찌는 듯 무더운 列車 안에서
어데로 가느냐 봇짐 진 母子。

아들은 마흔이나 되였을런가
어버이 앞에서는 아직도 少孩
어머니는 이빨 다 빠진 늙은이。

해 거의 기우려서 봇짐을 두저
꼬기꼬기 新聞紙 속 乾柿랑 사탕
광이 잡던 검은 손 볕 탄 얼골로

아들은 아니 들고 어머니에게
은근하다 그 언사 아들의 태도、
눈물겹다 어버이를 즐길랸 마음。

마지 못해 늙은이도 하나를 집고
이따금 한 마디씩 아들에 대답、

아, 나에게도 어머니는 있었던 것을!

汽笛이 설리 운다 保定이란다、
窓 밖에 재빛 먼 城을 바라자
갑자기 쏟아지는 아들의 눈물。

이 어인 눈물이냐 내 뜻을 알자
아들을 위로하던 늙은 老親네
아우가 있었으나 이미 갔도다。

말을 더 아니 잇고 입을 담으려、
멀리 바라보는 保定城。
아、어데로 가느냐 亂離의 모자。

娘子關의 秋風

萬의 메뿌리、
億의 層岩、

흰 구름 허리에 돌고
나는 새 쉬여 가는 곳。

아침에 안개 일고
저녁에 驟雨 막어

天幕은 골작이를 덮고
霜葉 긁어 불 피우니、

아、말의 숨길에
짧은 꿈 깨여질 제、

塞外로 흩어져 가는
滿山의 가을 소리……

동모여 이 밤으로 넘자
黃河에 이르면 눈비 치겠다。

秋日行軍

아침에 娘子關을 넘고
저녁에 汾河를 건너도다。

征馬는 소리치고
旌旗 百里에 連했는데、

長堤에 가을 바람이 오니
휘드러 웃는 壯士의 넋……

동모여 삼가 딛으라、
눈 안에 든 草原 曠野가
이 모다 戰友의 무덤이다。

凉州詞

葡萄 美酒
뛰노는 거품을
드리키고 풀 우에
쓰러지니 달 돋는다。

품 안에 감춘 피리
부러 샌다 허물 말라、
밤 새면 또 千里 征馬
來日 일을 누가 아랴?

荒廢한 臨汾城

주린 개 달리는 곳、
가마귀 떼 우짖는 廢墟。

壁이란 壁 몱어지고
모든 지붕 흩어지고

몰리나니 파리떼
품기나니 이 惡臭。

門 닫혀、소리 없이-
붉은 沙塵만이 휩쓰는 臨汾城。

臨汾서 運城까지는 그야말로 黃塵 萬丈의 世界로、그 옛날의 堯舜禹湯의 聖都도 이미 荒廢 尤甚하여 군데군데 山 꼭대기 토-치카 우에 悄然히 서 있는 步哨 外에는 山野에 人기척 없고 白骨만이 풀 밑에 굴러、임자 없는 개들이 怪異한 것을 물고 橫行하였다。

娘子關을 넘어서

하늘에 별들과……

東海에 자개와……

따에 이 砲壘。

모든 돌

불에 타 재 되고

모든 풀

피에 자라 살찌다。

(天下難險娘子關!

여기서부터는 站長도 列車長도 軍人이었다。 勿論 夜間에는 車를 움지기지 않는다。 乘客은 大概가 軍人軍屬과 第一線에서 旅館業 料理業을 하는 商人들。 左右의 疊疊한 山 꼭대기에는 아직도 敗殘兵이 숨어 있어 군데군데 山上에 모닥불의 검은 煙氣가 하늘을 찌르고 토-치카 우에 黑旗가 펄럭어린다。

밤이면 때때로 그들이 逆襲하여 온다고。)

運城陣中에서

싸홈은 언제나 끝이려는고?

해가 지도록 해가 지도록

車輪과
車輪과 車輪 爆音과
奔馬 喊聲。

몬지 휘날리고
地軸은 으근으근-
戰雲 하늘을 덮어
날씨 悽慘하여라!

東條山追擊戰

엎디였느냐 山 넘어
八萬 大敵이?
피여 널렸느냐 爛漫한
烽燧、烽燧?
달이 지거든、
달이 지거든-

오、旋風、旋風、
때는 익었다!
피 문의 아롱진
劍의 서슬、
풀 우에 낭자한
敵의 首級、
골작이에 진동하는
수레박퀴。말발굽……。

뛰여라 뛰여라 뛰여라 뛰여라
肺腑를 찌르는

새벽 喇叭、
동트자 또 어우러지는
砲煙。
彈雨。

휘몰려 가는 喊聲
뒤따르는 砲兵陣、
山 우에 불길
斷壁에 기는 戰車、
荒鷺 떼 얼켜 날러

닥치는 대로 무찌르고
옆구리에서 내달아
앞길 막는 騎馬隊、
오、野砲 重砲 迫擊砲
天地를 뒤흔들고
沙煙 濛濛히 驟雨를 불러
구을고 넘어지고 기고 달리고
목 찢는 軍號 살 같은 旗ㅅ발……

이리하야
己卯 여름 六月
초엿새 새벽、
만단의 戰備를 이미 갖후고、

指揮刀 한번 번득
傳令의 뛰기를 숨 죽여 기다리던
藤室 山崎 重松 岩切 모든 部隊는
東條山을 에워 싸고
猛 追擊。

아윽고
조각달 알에

멀리 玉門關을 睥睨하고
黃河에 칼을 싯었다。

東條山 追擊戰이 展開되기 바로 數日前-

우리는 李通譯의 案內로 運城 北門을 나가 人家가 悽慘히 破壞된 黃土 길을 二三町 거러가니、거기 낭떠러지 우에 鹽池廟가 섰고 鹽池를 隔하야 中條山脈이 둘려 있는데 낮에도 杜鵑이 와 울고 있었다。

廟 안에는 風伯神殿 鹽池神殿 條山神殿이 있어 그 앞에는 엄청난 香爐와 銅鍾이 있으나 光緖年間에 세운 石碑는 그 알엣두리가 깨여저 있었다。층층계를 나려 기슭에 이르니 조고마한 樓閣이 있고 그 알에 축대 우에 그 옛날 舜帝가 거문고를 올려 놓고 줄을 간주리던 舜帝 彈琴處가 있어、돌 우에 七絃의 자욱이 아직도 남어 있었다。

풀을 헷치고 못에 나리니 周圍 一百二十里、안개에 싸여 가를 분별하기 어렵고 머리 우를 갈매기 두엇이 날라 완연히 조을고 있는 바다와 같은데 몇 해를 두고 싸인 鹽分이 흰 硝石으로 變하여 一面에 깔렸고 그 사이를 짠물과 단물이 흐르고 있다。이 못 하나에서의 鹽稅가 一年 六百萬圓이라 하니 그 規模의 큼을 可히 짐작하리라。

그러나 이때 쾅! 쾅! 갑작이 野砲 二發이 터졌다。勿論 우리의 逍遙하는 이 못이 中條山 꼭대기로부터 充分한 着彈距離에 드러 있음은 말할 것도 없다。彈丸은 우리의 머리 우를 스처 저편 硝石 우에 자욱히 煙氣와 함께 떠러진 것이었다。도라보니 저편 못 가에서는 당황히 뛰는 馬匹이 隱顯하였다。나는 기슭에 올라 와서도 다리가 흔들흔들하였다。

虞鄕을 버리던 밤

달 이미 지고
별빛도 희미하다
城 우에 喊聲
이제 잠간 끝였을 제
夜 三更 틈을 타
고요히 빠저 나자。

아、생각하면
주림에 창자 녹고
입술은 타 조희 빛
死守 二十日、
援軍의 수히 오기를
목 느려 기다렸거늘、

鐵馬 아니 울고
彈藥은 다한 지 오래、
쓰러저 다시는 일지 못하고
그대로 숨 끊던 部下○○名、

원통타 부끄럽다
아까운 犧牲만 내였구나。

오늘의 이 하로가
얼마나 얼마나 苦待하던 날이냐?
사흘 전 飛行機로 전하던 通信
타버린 재에서도 마지막 火焰은 빛났거늘
이제 와서는 빠저나란 本部의 命令、
기리기리 원망하리라 오늘 이날을!

銃 메고 투구 쓰고
營門 앞에 느러서
情든 城市에
最後의 一瞥을 던질 제
丈夫의 눈에서도
피눈물은 돋는구나。

이 城을 처음 칠 때 내달아 앞을 다투어
門樓에 旗 꽂인이 누구 누구냐、
戰友를 뛰여 넘어 말을 걷어차
우뢰같이 소리친이 몇몇이냐、
아、무슨 낯으로
地下에 돌아갈꼬!

가라、너의는 수히 돌아가
이 악물고 반드시 後日을 기약하라、
이윽고 隊勢 整然 波濤 같이 밀려올 제
부대 잊지 말고 앞장 서 달려와
이 자리에 白骨 된
내 屍體를 걷우라。

목 메여 部隊長
더 말을 못 잇고
가지에 와 호을로 우는
이 어인 杜鵑、
물 쏟은 듯 肅然히
말 없는 兵士。

아니다 내 목숨은 이미 받힌 몸
이 자리에 죽으리라 나는 못 간다。
아니다 내 生殺은 오직 部隊長
그대가 안 가는데 어데로 갈꼬?
-이리하야 밤 깊도륵 벌레와 섞여
訣別을 설워하던 오、虞鄉城!

秋風嶺에 올라 北方을 바라보며

그렇다, 길은 멀고
해 이미 저믈었다.
적온 것아, 어느듯 가을
날씨마저 陰하구나.

아, 올빼미 老松에 울고
野草 흔들거리는 곳,
나와 함께 嶺 위에 올라
돌 欄干에 오독 서
바라라, 다시 한번
내 막대기의 가리키는 方向을-
바람 飄飄히
구름은 줄다름처

滿山의 가을 소리……
저 시끄러운 北天을-
그리고 생각하라,
東이건 西건 씩씩하게건 卑怯하게건

이제는 너 스스로

이 廣漠한 大地에 너의 나어갈 길을 찾어야 할 것을!

連山과 저 아득한 雲煙을 헤치고

이제는 너 호올로

너의 갈바를

재촉하여야 할 것을!

임학수, 『匹夫의 노래』, 고려문화사, 1948.7.

장독산(張獨山) 편

上海雜感

이곳은 上海란다 東洋의 런돈
그 무엇인 가르쳐 일흠함인가
宏壯한 埠頭의 出入하는 배(舟)
꼬리를 맛무러 빗살박히듯
南京路의 華麗한 져 建物들라
黃浦灘 길이 튼튼한 져 쇠집들은
銀行이 아니면 會社라 한다
아-東洋 第一貿易港 이로 알괴라.

電車와 自動車 밤낫 달니고
人力車馬車는 끈일 새 업다
電話와 電報機에 불이 生기고
打字機 籌板 소래 귀가 압흐다
二百萬人口가 다 떠러난 듯
낫잠 자고 바둑 두는 者
하나 업는 듯
이것이 果然 산 都會이다。

각색 人種 모혀드러 제 힘 자랑해
金力으로 腕力으로 그 다음 武力
물밀 듯 하도다 生存競爭이
弱肉强食時代遲의 말 아직 適用해
뭇노라 이 땅 主人 그 누구인가?
아-늙은 집 主人恭遜히 손 揖하고서
왼통 드러 밧쳣도다 黃毛鬼의 게 알괴라
이 땅 主人 그 누구임을。

上海六大公園 綠陰이 푸러
蒼翠가 방금 떠러질 듯한다
일흠 몰을 아름답운 꼿
이상한 香嗅가 코를 찌른다
이것도 黃毛鬼들 노름판이라

내가 빌닌 내 땅 안에서
내 옷 입고 드러가면 追出을 當해
아-가슴에 피 고인다 老衰한 집 士人。

공원의 出入禮服 洋服이란다
東洋服(日本服)도 拒絶을 當해
洋服의 그 勢-과연 크도다
그러나 高麗服은 어듸나 自由
이로 보아 우리 옷도 公認이 넓고

어지간한 勢力을 차지하엿다
아니아니 우리네 「꼬리」[79]人들도
世界젹 人物됨이 分明하도다。

紅巾賊가튼 印度의 巡查
靑삿갓 쓴 安南의 巡捕
번잡한 都會길 引導하노라
왼손에 방망이를 들엇다 노핫다
그네들 任務는 그것뿐인 듯
험상스럽게 따아(編)넘긴 수염
凶物스럽게 틀어 부친 그 상투
보기만 하여도 진저리가 난다。

印度의 순사는 斷髮을 禁해
英人의 하는 즛
怪心도 하다
그들는 巡查로 骨董品 만들어
보고서 웃고저 함이 아닌가!
앵글노색손은 앵글노색손끼리
라탄과 슬라브 또한 저끼리
제 각금 제 종(奴)을 잡아 부린다
이 노름판 主人은 분명 그네들

79 「꼬리」는 "고려"의 중국어 발음 "高丽"를 발음대로 적은 것이다.

부럽다 中國의 女子의 活動
아름답다 童子童女軍
生計의 獨立을 엇고저하야
女子의 손으로 事業이 만타
國事와 社會에 몸바치려
머리 깍고 同盟한 女子동맹團
風氣를 矯正코저 男女童子軍
이 나라 曙光은 그들이 된다。

맵시 나게 압머리 자른 中國의 春女
입술과 뺨에 연지 美人들
저녁을 먹고 나서게 되면
馬車로 人力車로 쓸어 나온다
巫山十二峰에 仙女가 논일 듯
蘇杭州美人들은 다 모혀드럿다
그러나 香氣에 석긴 무서운 毒
생각만 하야도 소름끼친다。

玉盤 가튼 레니스코-트에
락켓 들어 처넘우는 洋女人의 팔뚝
寶石반지 아니면 金팔도리라
떨어진 뽈 집어 주기 日課 삼는 것
이 땅 주인 아이들의 景狀이 참혹
비지땀을 흘려 가며 달리는 「왕보쳐」(人力車)軍

그래도 못 간다고 꽁문이를 차!

아--不公平한 世上이다 이 땅의 늣김。(끗)

-一九二二年五月八日 프란쓰 公園에서-

『개벽』, 1923.2.

장응두(張應斗) 편

鴨綠江을 건느면서

鴨綠江 지는 해를 바라본 이 몇이신고
누리에 恨 많으니 落照도 有心하거늘
가마귀 나르는 뜯은 물을대도 없어라

江舍에 배 두어척 뉘를 저리 기다리나
건넛 벌 黃砂千里 울며 간 이 그지없다
이 백성 편이 쉴 때는 어데런고 몰을레

榮華를 자랑하는 그네들은 어데 가고
風笛만 江에 숨어 가는 客을 울리는고
흘으는 물소리조차 그저 듯지 못할 제

예든 길 걸으리까 이 마음을 꺾으리까
세월이 덛없으니 하올일이 더욱 밥버
그립고 아쉬운 마음 날로 깊어 지옵네

『조선문단』, 제4권 제4호, 1935.8.

그댄 울지 마시오

돌길이 험하여도 탓이나 하였으며
路柳 墻花엔들 곁눈이나 떳으리까
허위고 달어온 뜻을 그대 뭇지 마시오
重重山 굽은 길에 이탈 비탈 발을 옴겨
가쁜 숨 걷어 쉬고 한다름에 찾어들 제
비 맞어 늘어진 옷을 그대 뭇지 마시오
뭍길이 百里라니 물길 또한 얼마런고
보고파 병 될 적에 잠간 봄도 藥이어늘
먼 길엔 단인다하여 그대 걱정 마시오
물이면 건너뛰고 山이면 넘어서서
급기야 덜어든 길 낸들 어이 가곮으리
뿌리고 가는 소매를 그대 잡지 마시오
만나서 그쁠 진대 떠나 무엇 서러 하리
떠나야 올 몸이니 만나는 듯 보내 주고
웃으며 돌아올 것을 그대 울지 마시오.

『신가정』, 제5호, 1936.5.

전무길(全武吉) 편

秋夜吟六首

1、追憶

上海의 하로밤은

내 生命을 움직엿네

녯노래 부르옵건

새날의 빗 도라온 듯

깃바라 江山이가도

百姓만은 살앗네

2、(一首略)

3、失友

쉽사리 사괴인 벗

가리기도 쉬워서야

뜻업시 버리심이

원망되기 끗업서도

죄지은 기억 업슴을

홀노 위안 삼고저

4、秋懷

가을날 산들바람

나무닙을 떠러치면
사람의 無常함이
구슯으게 늣겨지네
歲月이 말업시가건
말하는 법 하고나

5、 難行

열 고개 넘어서도
貴한 金石 못 찻거던
百길물 헤여가서
眞珠라도 캐려무나
가만히 안저서 울 새
다시 큰 뜻 세워라

6、 孤獨

가을밤 버레울기
글 읽기로 새우렷 건
겻房의 졂은 夫妻
밤늦도록 즐겨 웃네
큰 마음 가시리오만
외로움을 늣기네

-一九三一、九、二-

『비판』, 제6호, 1931.10.

정래동(丁來東) 편

太平湖의 가을[80]

太平湖는 北京 內城 西南角에 잇는데 前淸 醇王府 現今 民國大學의 한 부분이다. 우리 나라 가트면 小池에 불과하나 湖畔에 풀바티 잇어 明淸의 盛衰榮華를 回憶하는데 조흔 한 幅의 그림이다

太平湖의 夕陽

서편에 잇는 해는
노픈 故城에 가리워

80 이 시는 작자명을 北京國民大學 丁東으로 밝히고 발표했다.

최후의 얼굴을 뵈이지 안코

붉은 구름이 餘光에 비최어 잇다

한 걸음 두 걸음

풀 우 城미를 걸어가며

프른 호수에 비최인

아직 프른 첫가을 버드나무를 볼쩨

흙 틈에 비레가 옛날 王朝의

가을을 이야기 한다

底地의 풀바테

無聊한 청년이

입에 익은 곡조를 부르고

한편 구석에

풀 뜻긴 馬夫가

힘 업시 말에 끌려 간다

성 틈에서 나온

버러진 灌木이

夕陽微風에 날여

累朝의 盛衰를 形容한다

(9.3)

비 뒤 太平湖

비 개고
흰 구름 아직 잇슬 쩨
湖畔으로 가는데
가을 바람이 부도다
어린 아이들이
노픈 바로 城 미테
떼 지어 노는 것
어려서 본
그림 생각이 나도다
바람조차
길 미테 풀바틀 볼 쩨
나무니픈 아직 프른데
일면 풀끄티 누럿도다
가는 물ㅅ결
토인 미소 가티 웃을 쩨
바로 드린 버들가지
空中 버리고 따로 흐르도다
(9.5)

아침 太平湖

머-ㄴ 나무에 안개 끼고
프른 東天에 해 도들 쩨
太平湖畔을 걸어간다
풀닙사귀에 아침이슬
저녁 공중에 별가티
여긔 저긔에 반짝인다
물바로 가에 어린 풀밧
초여름 들에 모밧가티
살 보드랍게 새프르다
(9.16)

太平湖의 가을

홀로 바람을 물읍쓰고
눈 아플 바라보니
누른 잔디 우에
누른 니피 떨어진다
城 틈에 잡초는
말은 줄기를
힘업시 흔드는데
누러가는 둥구나무는
엄숙하게도 조용하게
무엇을 생각하고 잇다
호수 우 빈 공간에는
孤寂 悽慘 苦痛
니플 말리우고 사는
苦痛 悽慘 孤寂이
이리 부드치고 저리 처간다
(24세. 10.27)

『동광』, 제8호, 1926.12.1.

威海의 물결[81]

나의 집은 어데일가?
호을로 바다까 모래 우에 서서
잘잘 소리 내며 드러닷는 물결을
限업시 보고 섯노라

잘잘 잘잘
永遠히 잘잘잘 물결은
단이나 안즈나 자나 늘
「집」을 찻는 가슴속에 부르지즘과도 갓고나!

나의 찻는 집은 어데일가?
사랑 업는 故鄕일가?
서울 東京 北京일가?
아니다 이다지 나의 봇짐을 끌으고
편안히 누워 잘 살 수 업는 곳이다。

81 이 시는 北京 丁東이란 이름으로 발표함.

그러면 天堂 地獄 무덤일가?
天堂은 罪짓고자 살 수 업고
地獄은 어지러서 살 수 업고
무덤은 갓갑하야 들어 안즐 수 업네!

그러면 어데일가 어데?
「집」 찻는 이 가슴은
잘잘한 물결과 가티
永遠히 애타질 뿐이로구나!
六.一六 夜

『조선시단』, 제2호, 1928.12.

비 오는 午前[82]

늦은 봄비는 말 못할 愁心이나 있는 듯이
한참씩 무엇을 생각다 또다시 내리네

이웃집 두두룩한 草家의 창에선
때아닌 午前에 째즈의 低調가 새어나네
레코오드의 바늘을 갈고 앉았는 그대여!
그대는 上下 四方 한 길밖에 안 되는 작은 방에서도
혹 손에 손을 잡고 사랑의 行進을 달리는가?

혹 그대는
안개같이 개인 가정 身邊의 愁心을 휘날리고자
끊임없는 雜音을 울리고 있는가?

혹 그대는 온 終夜의 勞動으로 솜같이 풀린 몸에
새 힘을 잡아 넣으려 그대의 즐긴 노래에

---

82 「비 오는 午前」, 「무엇하러 돌아가나?」, 「杜鵑賦」는 『정래동 전집』3(금강출판사, 1971.6.)에서 뽑아낸 것이다.

合唱을 하고 있는가?

혹 그대는
카페나 妓館을 찾아갈 힘이 없어
一圓짜리 音盤으로 그 癮을 올리고 있는가?
그렇지 않으면 오래 병든 나와 같이
모여드는 雜念을 끊고 단잠에 잠기려
따스한 요 위에서 눈을 깜짝이고 누웠는가?
늦은 봄비는 말 못할 수심이나 있는 듯이
한참씩 무엇을 생각다 또다시 내리네……

(京城에서)

무엇하러 돌아가나?

십 년이나 기나긴 세월에 밤이면 밤마다
찰가락 소리에 잠 못 이루던 마장(麻雀)의 고향에서도
미련한 나는 지금껏 한 번도 만져 보지 못하였는데
고향의 옛 벗들은 밤에 잠보다도 더 즐긴다네.
나는 이 「마장」을 배우러 고향에 돌아가!

이 집 저 집 밤마다 나다시피 하는 阿片 냄새
中國의 온 땅을 옴쟁이같이 하여 논 이 고수한 냄새를
나는 십 년이나 맡으면서 한 번도 입에 대지 안 하였는데
고향의 옛 벗들은 忘憂草라고 밥보다도 더 즐긴다네
나는 이 阿片을 배우러 고향에 돌아가나!

아! 그 전에 흙장난하던 옛 친구들-
벌써 더러는 황천으로 돌아가고
더러는 후방의 외로운 손 되어 있고
더러는 풀죽어 힘없이 파묻혀 있다네.
아! 나는 뉘 손을 쥐러 고향에 돌아가나!

一九三二年 三月 十五日 「朝鮮日報」

杜鵑賦

땅 위에는 봄이 들어 붉은 꽃 푸른 잎 다 피어나고
부드러운 봄바람은 수풀의 요람같이 나무 가지 흔들거든
杜鵑아! 너는 왜 고요한 이른 아침에 혼자서
선지피 토해 가며 灰色都會를 울리고 있느냐!

蜀나라 漢나라도 지금 와선 다 없어지고
묵은 원한 봄바람에 불무처 다 나타났거든
너는 아마 江南의 총소리에 놀라 날아왔나보다
왜 이른 아침에 이렇게도 슬프게 우느냐!

사람 난 지 몇만 년 기나긴 그 동안에
옳은 일이 몇 가지며 바른 사업 몇몇인가!
杜鵑아! 너는 어둔 밤에 人間黑幕 살펴보고
사람이 가엾어 이렇게도 서럽게 우느냐!

一九三二年 五月 四日「朝鮮日報」

남쪽 나라 고향엔[83]

남쪽 나라 고향엔 시방도 봄이 오면
어린 아가씨네 서로서로 짝을 지어
아지랭이 자욱한 프른 보리밭에서
따-ㄹ 같은 입으로 재잘재잘 새살기며
한 폭 두 폭 나물캐여 진흙 털고 안젓는가!
남쪽 나라 고향엔 시방도 봄이 오면
어린 목동 피리 불며 누런 소 압세우고
시내- ㅅ가 언덕 우에 프른 잔듸 발바가며
종달새 날리고 피리 불어 놀여 가며
「세월아 네월아」 노래 불으고 지내가는가!
남쪽 나라 고향엔 시방도 봄이 오면
깊이 잠든 농부들 닭소리에 잠이 깨여
머-ㄴ산에 나무갓다 전역놀에 도라올 땐
아들따님 선물로 진달래꽃 한 다발
나무등에 꽂고서 불이야 재넘어 오는가!

『신동아』, 제2권 제6호, 1932.6.

---

83 '中國 丁東'이란 이름으로 발표했다.

북국에 헤매는 조선 여셩에게[84]

검은 구름 뫼여드러 暴風雨 일녀한 이때에 그대 무엇하러 만리타국 이 땅에 돈도 업시 벗도 업시 헤매여 왓단말가?
이곳은 중국에도 오랜 서울 오랜 곳이라네!
보게 발서 그대의 그윽한 그 눈가에는 거미줄 가튼 실주름이 얼키여지지 안은가?

그대는 울을 뛰여넘고 집을 나서
넓으나 넓은 이들에 마음것 날뛰려 왓건만 이 벌핀에 깔닌 바위 틈 널녀 잇는 풀속에는 해묵어 검으스레한 독사가 그 삼각의 눈을 흡뜨고 연한 그대의 발굽을 게누고 잇으며 굼주린
사랑이 그대의 아담한 젓가슴을 탐내고 잇다네

북국에 헤매는 용감한 그대여!
그대는 그주린 배를 끼여안고 정신을 가다듬어 것츠른 이 압길을 날뛰며 나어가려는가?
그럿치 안으면 어스럼 거리에 양차(洋車)를 달니며 그대의 붉은 입술을 기

84 丁東이란 이름으로 발표함.

다리는 탕자(蕩子)의 가슴 차저 뜨거운 그 피를 綠色의 술잔에 녹이려는가?

북국에 헤매는 용감한 그대여!

이곳은 인간의 따굴! 빠지면 나가기 어려운 곳이라네!

그대 능히 용감하게 그 배암 갓튼 비단옷을 벗어 던지고 그대 능히 그 청춘을 마춰히는 개특한 행내를 씨ㅅ어버리고

그대 능히 달콤한 속삭임을 돌아스며 코우슴 치고 그대의 것츠른 압길을 뛰여나갈 情熱이 남아 잇는가? 업는가?

『조선시단』, 제8호, 1934.9.

정병순(鄭昞淳) 편

세상

태산이로다
내가 오르는 태산이어
내 압헤 만흔 생명이
뒷걸음질하도다

광야로다
내가 것는 광야여
내 뒤에도 만흔 생명이
허득이도다

아아 내가 가는 곳이어
모든 생명이 가는 곳이어
리상은 아즉도
고개 넘어서 부르도다

『중외일보』, 1927.11.15.

間島行

이 어인 사람이
이리 만흔가
집일코 일헛다
흰 옷 닙은 형뎨가
해마다 이 강을
건너가네

금년도 칠 만 명
바다 건너지
해마다 늘어가는
「××발이」성화에
기름진 산천이
거달나네

농사는 잘 된다
강 건너ㅅ벌에
「꽁지」달린 친구의
멋업는 업수임앤

조밥 먹은 살마저
나린다네
〈豆滿江에서〉

『중외일보』, 1927.11.22.

정서죽(郑瑞竹) 편

病院點景

五月의 待合室! 땀진 灰色洋服의 젊은 月给쟁이가
待合室綠色 비로-드 우에서 게으른 낮꿈으로
蜃氣樓를 세우고 있읍니다。
外科顺番을 기대리면서

病院!人造人間의 末梢神經이 낳은
觀樂의 썩은 씨레기통
痲菌들은 手術臺 우에서
凱施歡迎會를 열고 있읍니다
看護婦!그는 地獄에 외로된
그는 可憐한 한 송이 꽃이지요
쌔하얀 衛生昭을 입었기에
더욱 아담한 그들입니다。

入院室! 寢臺머리맡에 놓인 꽃다발에서는
사랑의 불꽃이 뛰여오릅니다.
灰色빛 얼굴의 젊은 女人이 어색한 웃음을

흘리고 있는 入院室은 桎梏된 樂園이라든가?

밤! 수척한 靈魂들의 苦憫이 자최 없이 흘읍니다
平和의 女神이 오랜 옛날이
追放當한 이 곳은
滿鐵病院第二病舍第十五號室。

『조선문단』, 1935.5.

정영수(鄭榮水)[85] 편

가을의 哀傷

안개 덮인 붉은 山도 가을의 哀傷이라
마른 山에 안개 끼이니 가을이 묵업고
귀뚜람이 우는 밤 달빛도 철량하여라
初生달 처다보고 蟋蟀이 우는 밤
東으로 東으로 故鄕을 바라보고 나도 우는 밤
가을의 哀傷-나를 울여 준다。

(無順에서)

---

85 여기에 실린 정영수의 시는 일부 문학지에 게재된 작품 외에 모두 그의 시집 『曠野의 哀傷』(이문당, 1932)에서 뽑아낸 것이다. 시집 머리말에서는 시인은 "6-7년 동안 남북만주에서 추방국민의 설음을 힘껏 받아 가며 시를 쓴 것"이라고 밝히고 있다.

앞흐로

나의 숨결은
좁은 가슴속에서

울움과 우슴으로
앞으로 앞으로 가기만 합니다。

묵직한 슯흠을 가진 이 肉体는
속삭이는 呼吸의 支配를 밧느라고
이리비틀 저리비틀 하여도
가슴에서 뛰노는 숨결은
앞으로 앞으로 나갈 뿐임니다。
보시오!
肉体가 蹂躪을 當하고 엎으러짓거나
現實의 失望이 아모리 咀呪한대도
내 가슴의 뛰노는 숨결마는
앞으로 앞으로 가고 있아외다。

새벽

西쪽 새벽 하늘은
거룩한 이의 눈물 가타여
沈刻한 검은 바탕 우에다
빛나고 가벼운 별빛을 실었으며。

東녁 새벽 하늘은
열여듧 살 먹은 處女의
붉어지는 뺨도 갓고
가슴의 토실토실한 것도 가터요。
뒤미처 들 저 끝에서 솟어오르는
아츰해는
그의 모든 秘密을 말하려하는 듯。

나는 넓은 돌을 안고
찬 이슬을 마지며
이 새벽을 禮讚합니다。

別離

먼 東이 터올을 제
시원도 안코 섭섭도 못할 그이는
나의 生活의 한낫 믿음을 남기도
故鄕을 向하여
힘차게 달니는 火車에 몸을 실엇습니다。

바로 스무일헤의
고양이 발톱 같은
異域 하눌의 蒼白한 겨울의 반달은
어둠 우에 새벽이 얼눅저오는
내 맘까지 뿔닌 구름새에
간들어 짓섯습니다

혼저 높은 理想에 잠긴 處女의
헐개 업슨 치마 속이나 들여다 뵌 듯이
내 가슴 어듸인지
시원섭섭히 하엿어이다.
…… 撫順驛에서 ……

흘인 날(二篇)

찬 바람 몹시 부는 날에도
쇠망치로 돌을 부스며
무거운 돌짐 흙짐을 저나르는
힘찬 쿠리들(勞動者)
그이들 性質은 强暴하고
울멍둘멍한 가슴과 팔다리
진흙빛 얼골은 사우나우나
빼주상 차리고서
도야지 고기에 두부 지저놋코
어대서 왓느지? 慈愛로운 우슴을 흘니여
보는 이마다 잔권하는 그이네들에게서
眞正한 人情 謙遜 禮儀를 봅니다.

滿洲의 거세인 北風에
일흔 봄비도 쫏기여머저
沙河西쪽 하늘에 검은 구름이 깨여진 때
들꽃에 걸닌
終日 못 본 해빛!

붉은 西陽빛은

友情찬 談話가

얼근한 술김에 버러서진

그이네들의 興겨운 얼골을

큰 선물이나 주엇는 듯

잠북 빛어 들어 잇씀니다.

『비판』, 제6호, 1931.10.

이 거리 검은 먼지

滿洲 바람에 휩쓸녀서
우리 힌옷을 더럽히며
눈과 입과 팔다리도 괴롭게 하여주는
이 거리 검은 먼지는
지금 쏘다질 소낙비 밑네
이-하늘의 껌엇코도 푸른
그 소낙이 大衆의 눈에
그 노여운 눈초리에 흘김바드니
아마-갓가울 未來에
소낙이 빗물에 채여서
어느 개천이나
움푹한 더러운 구멍이에
쓸녀가 뭇이여 바릴 것입니다.

『비판』, 제6호, 1931.10.

검은 먼지

南滿洲!
가업는 벌판에 한의바람 부러오니
우리의 白衣人
검은 먼지에 휩싸여 힌 옷이 깜엇케!
닙과 눈도 먼지에 싸여
呼吸도 不自由하는 이 滿洲에 거리
사람의 설엄!
먼지의 괴로움!
또 그리고 追放國民의 설엄을 촉촉이 받으며
우리 白衣人은 무엇을 위하야
아촘 저녁 헤매이는가?

따거스와 쇼거스

따거스의 怒함이란
배암보다 더 미웁고
쇼거스의 우슴이란
眞珠보담 더 귀엽습니다。

따거스의 怒함은
山이나 바다
쇼거스의 우슴은
귀뚜람이 우름。

믿으오릿가

제비는 南으로 千里萬里
기럭이 北으로 千里萬里
두 날개 훨훨 펴고
大空을 헤처서 날아만 가면
제 故鄉 저차저 가넌 것이니
기다리든 그의 님
얼마나 반가희 마저 주리。

이 몸의 갈 곳 어드메이며
이 몸을 마저줄 情드린 님
어드메 잇느뇨?
외로운 이 몸이
萬里를 간들
千里를 간들
사랑이 잇쓰랴
터전이 잇쓰랴。

이 맘은 虛空를 그리고

끝없이 가려만 하노니
갈피살피 찢겨지는
이 몸 이 맘 이 넋
엇지하면 조흐리。

그래도 지내간 그 녯날
노래 부르던 金잔듸에는
내 사랑 내 믿음
그림자이나마
幻影은 잇슬가
읻엇던 마음
아직도 이 가슴 한 구석에
그윽히 담겨 잇서
가 보려 가 보려함이라。

사랑과 미듬이
나를 속이여
믿는 자리에 불이 붙어
이 가슴 나머지를
마저 태우면
이 몸의 갈 곳은
生命江 건너
永遠한 安息 그곳일지라。

어이하리 어이하리
이 몸의 차저볼 象牙塔은
褪色하여 가는 風景畵 같으니
가야 하리 안 가여 하오리
조모조모하는 心臟은
어름이랄지?
불이랄지?

主여!
님이여!
사랑과 미듬을
幻滅하려 하십니가?
이 맘을 갈피갈피 찟즈려 하십니가까?

滿洲의 兄님 누의

어머님이시여
나는 어머님을 뵈오려고
몟 千里인지 몟 萬里인지
물 건느고 山 넘어서
쓸쓸한 이 땅을 차저왓나이다。
어머님 게신 곳은 차즐 길이 업사온데
형심이란 그이는「아편」에 인이 몰녀
이 아우를 맛낫것만
모르는 체하고
고개를 푹숙이고 피하여 가옵듸다。
그래도 반가움에 못 익이여
아우성 치며
형님~부르며 꼿처가 보나
그만 中毒者 틈에 흡 실녀
자최를 감췻사오니
낫설은 이 따에서
어댈 가야 차저보오릿가。
이왕에 兄님은 놋처 버렷거니

누의나 찻저보고저

몬지 나는 큰 길을 지나 좁은 골목 휘여드니

이층의 벽돌집 문간에서

옷이라면 日本옷!!!

말이라면 이랏샤이

그를 자세히 보니

틀님업는 오-내 누의

그러나 누의도

나를 보고 옵바야 하는 말 한 마듸없이

이층으로 뛰여 올나가서

다시는 그림자도 아니 뵈오니

兄님누의 이다지도 야속하오릿가!

黃昏의 異國 거리에

날은 어두어 가니

어대로 가야 하오리가!

(撫順서 柳町游廓을 겆어 다시 아편굴을 지나면서)

滿洲沙河露西亞墓地에서

자욱한 안개는 쓸쓸한 曠野에 둘엿고
구슬푼 봄비는 이 땅 우에 나려지노라
나물 캐는 이 나라 處女의 발자국에도。

오! 이 땅 우에 戰死한 사람들이어
말없이 네리는 이 봄비
祖國을 위하여 몸을 바틴
그대들의 불상한 넋을 吊喪함이어니
말업시 네리는 이 봄비에
굼주린 그대들의 魂이나 축축이 축이여라。

쌰스

안개에 젖은 바람은
일은 아츰
문을 살작엽니다。
날차저 오리업것만
그래도 하고
뛰여나와 여긔저긔 보왓습니다。

길 건너 밧고랑에서
꼬리 치는 쌰스가
나를 반겨 뛰여옵니다。

虛無

이제는 깨다럿다
人情도 自然도 信仰도 알 길이 업다
나의 生도 無心하다
그러니 설어울 뿐이다。

享樂의 우슴도
苦痛의 눈물도
우숩다 우숩다
오직 이제는 虛無이로다。

사랑도 虛無에서 팽이가티 돈다。

廢城의 晩秋

가을은 때무든 녯 城壁에
담장이
넝쿨만 붉고。

가을은 숨 노는 내 가슴
슬어진 넷사랑의 남저지가
퍽으나 쓸쓸만 하외다。

가마귀

푸른 산 불부터 검게 되니
검운 가마귀 날너와 짓음니다
언제나 彷徨하든 사람
눈물겨운 過去
겨울이면 모르련만。

봄이라!
불타는 봄 山이 애처러워서
여위인 두 뺨에 눈물이 흐를 제
가마귀 날너와 또 짓고 감니다
까막까막 구슲으게!

斷腸

窮恨에 쪼들니고
世上에 설엄바드니
半萬里 故鄕이
더욱 그립워라。

가지도 못하고
실엄만 더하여
차듸찬 방바닥에서
누엇다 일엇다 呻吟만 하노라。

내 간장 끈으려고
피눈물 짜어 냄이런가
天井에서 눈 녹은 물
한 방울 한 방울 떠러만 지노라。

조경환(曺景煥) 편

눈 나리는 밤

퍼억 퍽 눈이 쏘다지는 밤거리를
나는 호을노 터벅터벅 것노라

山脈보다 거칠은 내 머릿속 터전에 잠든
녹쓸은 追憶의 破片을 자죽마다 흘리면서

뒤직이같이 땅을 뒤비는 무리의 눈총이
날선 마음을 안고 내집 담벽을 싸고 돌아도
붉은 책을 戀人보다 사랑한다든 나는
술파는 게집의 손목을 잡고
책에 박힌 活字를 暗誦하다가
잔을 들고 朝鮮産임을 限하는 時節
그때도 퍼억 퍽 눈은 쏘다지서
酒幕 거리를 거니는 내 어깨에 쌓이드니

五月의 綠林같이 힘차게 뻐더나든 希望이
七月의 太陽같이 붉게 타올으든 情熱이

싯퍼런 紙貨와 豊艶한 肉臭에 敗北했을 때
斷髮한 都城가시내의 頹廢한 노래에 맞추어
허튼은 발길을 지항 없이 옴겠었나니
그때도 퍼억 퍽 눈은 쏘다저서
都城의 紅燈街를 헤매는 내 머리 우에 왔드니
금덩이의 「윙크」가 거리마다 굴으든 時代에
拜金王國의 國境線을 헤치고 드러선 나
모 含山 地心을 헤치는 「다이나마이트」의 爆音에
鑛主의 子息 내 良心의 鑛脈도 허트러 졌나니
地心을 울리는 메소리가 生命을 자질해도
黃金으로 武裝할 내 勇姿를 夢想하면서
死의 洞窟! 몇 千尺을 드나들든 시절
그때도 퍼억 퍽 눈은 쏘다저서
즘먹는 내 심장에 싸-늘한 嘲笑를 던졌나니
北方 大陸의 크-다란 呼吸이 얼어 부풀는 밤
最後의 發惡인 「滿洲에!」의 野望도 얼어 터지고
밝 -알케 달아올은 煖爐가에서
싸-늘한 心臟에 胡酒를 듸루면서
大陸의 하늘 밑에 퍼드러진 내 理智를 잡고
삶의 가치를 再分折하든 날
마지막 땅판돈을 歸鄕旅費로 받었노니
오오 그때도 퍼억 떡 눈은 쏘다저서
南으로 南으로 南으로 勇敢하게 달리는
歸鄕列車의 앞길을 막고 막고 하드니

자작 소리 숨기는 검은 그림자가
무수껍질 같은 투전쪽을 뽑는 곳 보다도
두런두런 이야기 소리 나는 곳에 눈을 박는 밤
해삼 장사는 구석진 골목에서 더크게 외치고
가마귀가 까악! 주림을 호소하는 무렵
참다운 生活脈을 보는 瞳孔을 찾은 나는
「동키호-테-」 같은 옛날의 追憶 속에서
썩어 빠진 眞理의 破片을 매장하면서
젊은 패가 들이는 초당방을 떠나
찌그러진 내 보금자리로 발을 옴기노라
오오 지금도 퍼억 퍽 눈은 쏘다지는데
山脈보다 거칠은 내 머리 속 터전에 잠든
追憶의 조악돌이 자죽마다 흐르노라

二, 一 鳳漢에서

『비판』, 1937.4.

조벽암(趙碧岩) 편

安東茶寮[86]

情景은 甚히 温和한 듯하면서도
속으로 차겁게 슬픈 底流가 숨이고

卓子 위 개나리는 제법 맑게 봄을 꾸미는데
異國 까시내- 다-샤-는 시럽시 갈대처럼 시드나부다

찌그러진 胡弓이나마 녹쓸은 傳統을 엿들으러 온 곳에
마실 줄 모르는 윗-카를 기우리는 焦躁

화ㅅ토불처럼 달은 뺨을 大理石卓子에 대이고
「沉默의 深淵」에 憧憬의 낙시를 정거보노니

滿醉하면 어쩌려니 울-뜻 울뜻- 싶구나
이렇게 이대로 永永 放浪의 길이 떠나고 싶구나
— (三月一日 安東縣에서) —

『조선문학』, 1936.8.

86 이 시는 조벽암의 시집 『향수』(이문당, 1938.3.)에 재수록되었다.

松花江上의 哀愁

쟁! 얼음장 터지는 소리
바람은 멀리 銃소리를 듣고 온다

때도 모를 目前의 事實도 모를
밤! 검은 밤은 깊어만 간다

오늘 밤도 찬 어름에 얼어붙은 피 덩어리들
이 밤에 까마귀는 울어 울어 어둠을 찟는다

새장(鳥籠) 속에서는 여호빛 웃음이 흐르고
그러고 깜박이는 촛불

오! 「혼냥」(紅娘)의 눈 속에 파묻힌
멀-리 그립고 깊이 섧고 아득히 졸린 哀愁-

어제 밤엔 떠러지는 月夢을 품고
病든 가슴에 눈물이 서리고

아츰이면 또다시 가을의 찬 이슬을 눈에다 파묻고
眞珠 같은 우슴을 뱉는

너의 눈물은 끝없이 흐르는 松花江이다
너의 슬픔은 끝없이 흐르는 人生의 放浪이다

至極히 그리운 네 故鄕의 하늘
멀-리 南方의 半島까

네가 즐기는 龍眼肉을 실은 華舫이 모른 척하고 松花江을 돛다리 가고 오면
龜浦벌에 펄렁이든 너의 아버지의 돛단배-쓰리도록 옛이 그립지

네 몸에 감은 淸女의 때묻은 緞子服
네 몸에 꼬인 鍍金한 「알호슨」(귀고리)

귀고리를 만지적만지적 너를 썩켜 가는 哲學은
三期에 헐덕이는 慢性이 지냈다

구리銅錢은 동-그란데 병든 마음은 나무 가지에 발 -떠노니
來日을 約束 못할 나그내의 兵士를 꼭 - 품고

어깨를 물어뜯으며 時花調 부르는 네 성미
가을의 매서운 서리발에 울다가 아버이가 그리워

松花江을 가로막은 이상한 무지개에 찬 웃음 띠울 제 입술을 깨물어 피를 흘려서

부서진 胡弓을 켜는 늙은 거러지에게 血唾이나 뱉어 주렴

기러기는 길게 울어 江물 뚫아 흐르는데

「혼냥」은 오늘도 새장 속에 半달을 품고 찬눈(雪)을 품고 잠들랴는 哀愁-

松花江上 적은 村이 어드메드냐-고

너는 모를 적이 좋아라고 조선의 큰 애기였지

(壬申 十一月)

조벽암, 『향수』, 이문당, 1938.3.

조영출(趙靈出) 편

國境의 小夜曲

국경에 밤이 짙어 강물이 자네
스산한 밤바람에 달빛도 자네

강 건너 마을의 개 울음도 슬픈 밤
나그네 외론 넋이 눈물에 젖네

남쪽은 내 고향 북쪽은 異域
국경에 지는 꿈은 스산도 하네

님 싣고 사라진 배 물새가 울면
이별이 눈물이라 수건이 젖네

가을밤 지는 잎은 이 마음이지
외로움에 울며불며 강물에 뜨네

국경에 밤이 짙어 총소리 잘 때
異域의 아낙네의 꿈결이 곱네

『신여성』, 1933.10.

鴨綠江

沈黙 새벽의 沈黙이 안개를 그러안고
江물 한 줄기 꿈을 싸고 도나니
白頭의 간밤 이야기가 이 물결에 잠기엇으리
흘러간 二千年 高句麗의 옛꿈이 잠기엇으리

이제 네 가슴에 부여 안긴 船舶의 돛들이어
海洋의 거센 愛撫를 記憶하는 마음들이어
水鳥의 눈물겨운 울음은 어디 갓니
威化島의 옷깃을 닳아 안개 밑에 숨어 갓느냐

東海의 풀은 寢臺를 떠나온 太陽의 스떽롤이
江물에 잠긴 설음을 한 오리 두 오리 낚어 주노니
아! 이 江을 건느는 나그네 이 물에 씻기운 핏방울들이여
××과××의 分水嶺에서 너는 무엇을 하니

오호, 말없이 흐르는 江물에 가슴이 제리다
流浪의 쓴 꿈이여 언제나 이 고잔 關門에 쇠소리 흩어지랴

『동아일보』, 1934.5.27.

亞細亞의 狂想

大陸의 프른 옷은 봄의 부들어운 손으로 입히여 진다

豆滿江水夫의 뱃노래는 프른 물결 우에 흘너간 옛 追憶을 더듬고
괴나리 봇짐의 졂은 나그네의 발자최는 江언덕 沙場三百里에 咀呪의 움물을 파며 벗어저 간다

님자 일흔 楊子江이여
沙漠의 모래 언덕이、
구름은 病든 秦始皇의 넉을 안고 長城 우에 깃들여 落照의 붉은 피를 마신다

바이칼湖水의 苦悶의 얼음은 새로운 봄의 魔手에 녹아진지도 오래다
거울을 깨업고 돌아슨 女人이여
네 子息은 지금 大陸의 地角에서 달은 地角에로 졂은 太陽의 색기를 몰고 단인다
— 가장 위험한 짓이라고 너는 한사ㅅ코고 말니드라만 —

太平洋 우에 날느는 갈맥이들의 平和로운 꿈
꿈이다。꿈

平和는 꿈이다 물결은 東海岸을 따리고 다시 西海岸에 으슬어진다

鴨綠江의 밤 고기잡이에 여윈 불-멜랑꼬-리
불꺼진 大地에 불을 생각하는 조그만 마음들이여!
아! 님자 떠내보낸 港口 눈물에 젓은 燈臺ㅅ불이다 보기 실흔 存在다

大陸의 가슴에 봄을 彫刻하는 뭇해ㅁ마들이여
너이들은 씀바귀뿌리를 찔겅찔겅 씨ㅂ는 맛을 몰으늬?
어서 大陸의 피말은 心臟을 꺼내 놋코 그 우에 봄을 彫刻해라

하늘은 언제나 점잔타
점잔은 탓에 또한 暴風雨를 안은 미친 女人의 거림자를 따우에 보낸다

『조선시단』, 제8호, 1934.9.

北行列車

人造絹 무늬같이
하—얀 얼음꽃이 피는 유리창—

陸路 二千里를 한밤에 주름잡고
북행하는 '히까리' 얼음꽃은 자꾸자꾸 무성해 지다
鄕愁에 情操를 빼앗긴 우울—나의 손끝
이
얼음꽃을 떼고 긁는 음향에
까아만 밤의 吸盤은 흰빛을 밀치고 와 붙다

나라도 없는 집씨의 자손들이
깎고 저미는 사과의 빨간 피부—
정열을 벗기고 차운 愁哀를 씹는 나의 조국이여

푸른 港口의 行列이여 꿈들의 행렬이여
쫓기는 마음의 안식이다 피곤은 얼굴을 내려 덮고
湖水처럼 소란한 음향을 헤치며 침묵은 중중
괴어들다

호흡의 高低, 부풀어 오르는 乳房은
愛戀의 불꽃을 튀기고
그 여인은 하이얀 목도리를 쓰고 돌아눕다

밤의 흡반은 차창에서
보—얀 얼음을 찢고 미끄러져 가나니

얼음꽃은 나비도 없이 피어나고
나의 청춘은 연애도 없이 건강해지다

『조선일보』, 1936.3.3.

꿈

楊貴妃의 밤 化粧은
임이 한 나라의 甘露를 말리우고
玉階 으슬어 지는 말굽 소리에
香긋한 술ㅅ盞은 歡樂의 꿈을 업질으다

『조광』, 1936.7.

조인섭(趙寅燮) 편

國境의 가을밤

가을밤은 기퍼 가네
찬 빛이 슴여 흐르고
언덕에 매인 수만은 배 속에는
고향 꿈길이 아득한 듯 등불만이 조으는데
어디서 들려오는 胡弓 소리 이다지도
이다지도 맘 압히는고.

울면서 키는 胡弓인가 슯허 사못치고
키면서 우는 호궁인가 가슴 저리는데
어버이나 지어미 떠난 사람인가
누구 멀리 보내인 맘씨인고.

갈 때 입헤 기러기 머물을 때 아직도 아니거늘
나만이 他關에 수자리 살던 젊은이의 心情 가튼가
千萬年 길게 흐르는 江물을 부단고
國境의 가을밤은 슯은 속에 기퍼 가네.
이곳은 푸로페라 소리도 하로 두 번 들린다거늘

안 오는 소식 애타게 기다리는 울음이리오
하소도 못할 心情이 胡弓만 울리는가
누구의 키는 胡弓인고 듣는 나이로다.

欲作家書 意萬重은
洛陽에 길손된 옛사람의 노래러니
갈앗든 칼 녹슬엇거든 파리목이라도 자를 것이어늘
글쎄 기퍼 가는 가을밤에 胡弓은 왜 울리는가
恨 만흔 지아비의 울음만 터치우네.
― 一九三五 ―

『조선중앙일보』, 1935.11.13.

조종현(趙宗玄) 편

胡風異域, 遭難同胞를 생각하며

— 遭難同胞를 생각하며

다숩단 말을 듣는 이곳서도 떨리워라
창밖엘 발이 얼른 안 내듸쳐 멈추거든
하물며 만주 저 벌을 말해 무엇 하리요

로인도 로인일사 어린애 떠는 양을
부모 되는 이 참아 어이 보시는고
눈보라 모라치는데 서로 잡고 우는가

이 땅에 부친대도 그런 즉엄 원한일 걸
호풍 이역에 한 줌 흙이 되단말가
저 옳다 웨치는 정의(싸움) 뉘 옳은고 몰라라

조죽 그것인들 제때나 에올것가
베옷 한 벌만 가리워도 행이시리
고국에 잇는 마음이 노일 적이 없어라

1931.12.14 改稿-

『동광』, 제33호, 1932.5.1.

조중하(趙重夏) 편

먼 나라로

가나이다 가나이다 먼 나라로
쓸쓸한 시베리아 그 넓은 들로
등에 업은 아이 배고파 울고
가슴에는 찬바람이 안기웁니다.

가나이다 가나이다 북쪽 나라로
그 넓은 만주땅 헤매이러
하루를 걷고 두 달을 걸어
압록강 건너서 그 나라로.

가나이다 가나이다 저 먼 나라로
아름다운 내 고향 저버리고
쓸쓸한 저 땅에 발을 디딜 때
이 무리의 마음은 어떠할까.

『시대일보』, 1926.1.24.

주영섭(朱永涉) 편

東方詩(序曲)

1

世界의 집웅 파밀-高原에서

스라이만 山脈이 西南으로 뻗어 印度洋에 다었고

天山山脈이 北으로 내달아 증가리아 盆地에 이르러

알타이山脈이 東北으로 뻗고、

다시 야브로노이·스타노보이 山脈이 일어나

亞細亞大陸의 東北端 빼-링 海峽에 突出하였다。

南은 인더스 江에서

北은 빼-링 海까지

亞細亞大陸은 東北으로 兩斷되고

다시 히마라야山脈이

東으로 東으로 뻗혀

大陸을 南北으로 兩分하였다、

히마라야 南方은 印度요

히마라야 北方은 支那라

東洋의 偉大한 두 나라를 大陸에 두고

東으로 東으로 半島를 거켜

黃海와 日本海를 사이에 두고
亞細亞大陸을 두 팔로 껴안을 듯이 늘어선
日本列島-東洋의 防波堤。

2

永却의 白雪을 이고선 히마라야連峯
에베레스트峯을 境界로 하여
南으로 펼처진 大平原
哲學과 宗敎의 나라-印度
숲속의 哲學
흐름의 宗敎
숲 사이 바람 소리를 듣는 곳
瞑想과 靜寂과 微笑의 땅
印度의 心臟을 貫流하는 간치스 인더스의
悠久한 흐름이여
눈 덮인 높은 山과 거문 숲 넓은 平原의
幽遠한 歷史여、

無限한 蒼空과 끝없는 雪原
千古의 氷河가 내리는 히마라야 連峯에서
北半球로 펼쳐진 大陸
倫理와 儒教의 나라 - 中國
大地의 攝理
生活의 倫理
東洋의 政治와 道德과 文學을 낳은 곳

東洋的 停滯性으로 一貫된 긴- 歷史의 땅
支那大陸을 貫流하는
黃河半萬年의 흐름이여
支那南方을 廻流하는
楊子江五千年의 文化여、

3

印度의 哲學과
支那의 倫理가
東方으로 흘러 흘러
悠久한 歲月에
攝取되고 精華되고 生命을 고히 기른 곳
日本列島-太陽의 故鄕
아침 해ㅅ발에 櫻花가 滿發하는 곳
印度와 支那의 精神이 大和의 마음으로 길러진 따
지금 푸른 물결이 防波堤를 넘어
다시 東方으로 흐른다
黃河에 印度洋에、
지금 붉은 太陽이 水平線을 넘어
멀리 東方으로 퍼진다
스마트라에 히마라야 雪峯 우에-。

『조광』, 1942.11.

주요한(朱耀翰) 편

아츰 황포강에서[87]

아츰 황포강에서 긔선이 욻듸다 욻듸다
삽판은 보채고 긔선이 욻듸다 설은 소리로

아츰 황포강에서 물결이 우습듸다 우습듸다
춤을 추면서 금비단 치마 닙고 춤을 추면서

아츰 황포강에서 안개가 거칩듸다 거칩듸다
인사하면서 눈우슴 우스며 인사하면서

아츰 황포강에서 긔선이 떠납듸다 떠납듸다
눈이 부어서 물에 빠저 죽으랴는 새악시처럼

아츰 황포강에서 희극이 생깁듸다 생깁듸다
세판의 자명종이 열시를 칠적에

---

87 이 시는 주요한의 시집 『风仙花』(世界书院发行, 1930)에 재수록되어 있다.

아츰 황포강에서 긔선이 웁듸다 웁듸다
설은 소리로 새노란 소리로 긔선이 웁듸다

『동명』, 1923.1.1.

上海 소녀

맵시나게 자른 압머리와
귀꼬리의 셤세한 됴각은 바람이 슬치며
연지 바른 뺨!
조곰 두터운 입설은 꽃닙인가 한다。
파란션 두른 웃옷은 볼기에 다앗고
소매는 짧아 회고 가느른 팔을 드러내며
연홍색 바지에 치마는 닙지 아넛다。
씰크스탁킹 사이로 희미한 발목의 곡션
눈을 미하는 살빗!
가느른 손가락에 감긴 손수건은 무릅 우에!

그러나 긔운 튼튼한 「아니」가 끄으는
거문칠한 「왕보초」 人力車의 등에 그린
선혈 가튼 벌겅빗 경七촌의 심쟝형은
그 가뎡의 거츤 취미를 나타낼 뿐이로다。
少女의 오직 한 열정은 방황하는 시션 속에
아、뜻깁히 憧憬의 저편으로 던지는 視線 속에 숨엇도다。

(一九二〇.二)

주요한, 『아름다운 새벽』, 조선문단사, 1924.

歌劇

「업드린 물은 담을 수 업다。」
엄숙한 표정、비애의 調、
남장한 녀우의 흐르는 듯한 노래、
힘잇게、애츠럽게、또 슬프게
「업드린 물은 담을 수 업다。」

무엇을 슬퍼하리오、
지나간 번한도 오늘의 부귀도
하로 아츰 봄숨에 지내랴?
애츠럽도다、땅 우에 쏘든 물을
절망의 표정으로 담아 보는 계집애여-
한번은 바람을 밧고 오늘은 바림을 주는
비극 속에 꿈속에 잇는 주마아천(朱買臣)
아、「업드린 물은 담을 수 업다。」

(一九二〇.二)

주요한, 『아름다운 새벽』, 조선문단사, 1924.

불란서공원[88]

아츰-

새날을 맛는 발금과 기름자의 떼가
보드러운 光線과 푸른 影子-녀름날
잔듸밧 우에 늘근 오리나무 그늘에 노닌다
우슴을 띈 太陽이 時計臺의 板面에 反射하고
巧妙하게 整頓된 꼿밧은
프란쓰 사람의 아름다운 情調를 나타내엇다.

낫-

太陽은 이믜 中央을 지냇도다
꼿밧 左右를 지나는 두 길의 合하는 곳이
가벼운 녀름옷에 무릅을 드러낸
白人의 사내와 계집애의 작란터가 되도다
遺傳的인 적은 발노 뻣둥거리는 中國「아마」(乳母)나
或은 얼골에 粉바른 日本 계집의 손에 끌녀
잔디밧을 발바 문지르는 어린애들의
아라사、프란스、아메리카 色色의 말을 짓거림도

88 이 시는『조선문단』1925년 1월 제4호에 재게재했다.

殖民地인 「상하-이」의 氣風을 드러내도다

저녁

바람이 불기 시작하도다

떠러지는 물에 夕陽이 번득이고

그늘진 亭子 밋헤는 水兵 하나、갓을 젝켜쓰고

그의 愛人인 金髮의 少女와 니애기한다

花壇우에 꼿줄기의 던지는 기름자 기러지고

뒷문 각가온 좁은 길을 거르면

聖母院의 鐘소리 멀니 울녀 오도다.

검은 幕친 테니쓰코-트에

遊戲하는 男女는 잠잠히 움즈기는 그림자 가트며

락켓트 쥔 팔을 놉히 드러 공을 밧는 少女의

自然한 아름다운 姿勢는 夕陽에 떠오른 彫刻인가 하도다.

밤

프란쓰클럽의 일류 미네순은 밝고

「R, F」共和國의 첫 글字는 퍼런 빗을 吐하도다

쿠카자 無線電信柱에는 地球 저쪽으로 가는 소식이

니엇다 끄넛다 불꼿이 되며 뛰도다

피아노 소리、흰옷을 닙은 婦人의 떼、

오너라、새로 판 못가、풀언덕에 안저

갈대나무 밋에 波紋을 지어 반짝이는 물面을 보고

지나간 해와 오는 날의 꿈을 생각하고

「사랑하는 쟈여-각가히 나아와

나의 뜨거운 키쓰와 껴안음을 바드라」할 때

로만틱한 녀름밤이 온 몸을 피곤케 하도다。

(一九二〇.二)

주요한,『아름다운 새벽』, 조선문단사, 1924.

달밤 秦淮에서[89]

秦淮에 달을 저어
通濟橋를 올라가니
물속에 비친 것이
등이런가 달이런가
어이한 호금 소리는
업는 애를 도두는다

어이한 호금 소리
처량하게 들리는데
휘황한 등불 밋테
흥겨운 손님들은
십륙야 일께 뜨는 달이
기운 줄을 모르더라

십륙야 일은 달이
아직도 머럿스매

89 이 시는 춘원, 요한, 파인이 편집한 『삼인시가집』(삼천리사, 1929)에 재수록되었다.

通濟橋 다리 미테
등불이 오락가락
구름이 뜻잇슴인지
밝은 달을 가리더라

구름이 벗기니
문그림자 두렷한데
사공의 젓는 노엔
비췬 달이 깨여진다
바람은 수수남게 치대어
달과 희롱 하더라

바람은 자유로아
달비체 맘대로 놀고
운한ㅅ물 시름업서
배 미테 고흔 잠자는데
뱃전에 기대인 적도
밤 가는 줄 모르너라

뱃전에 바람마저
둥불 끄고 안젓스니
일업는 사공은
갈 길만 재촉한다
두어라 밧분길 아니니

달을 본덜 어이리

『조선문단』, 제12호, 1925.10.

새 생활
(00학교에 입학하면서)

상해의 둘잿 녀름이

인제 가면서

지리한 장마를 남겨 두엇다。

한 번 오기 시작한 비가

그칠 줄 모르니

황포강에 가고 오는 배는

안개에 싸여 슬피 소리한다。

상해야 잘 잇거라。

의미 기픈 한 해야 잘 가거라。

거짓과 속임 만흔 네 속에서

나는 참됨을 차즈려 애썻다。

나는 참을 하려고 애썻다。

게으름과 떠드름 만흔 네 속에서

나는 부지런 하기를 힘썻다。

나는 소리 업시 제일만 보려 하엿다。

어려움과 락담만 잇는 곳에서

나는 슬어저 가는 겨레를 위하여

한 줄기의 희망을 가젓섯다。
그러나 지금은 가거라-
거짓된 바람과、요행의 성공、
모든 허영、모든 소란、
다 물러가라、그만하면 넘우 만타。
나는 지금부터 새 바람을 가지고
새로 어든 깨다름을 가지고、새 길로
나의 조국과、나의 민족을 위하여
나의 짧은 미래 길을 가려 한다。
여긔 새길이 잇다、여긔 새 바람이 잇다。
여긔 참된 길이 잇다。

강에서 부는 바람은
긔숙사 방으로 들어오며
벌레 소리가 요란히 들린다。
멀리 상해의 전등 비치
별가티 감박이면서 뵌다-
나의 새로 길 떠남을
축복하는 것처럼
(一九二〇.九.一〇)

『동광』, 제2호, 1926.6.1.

팔월 이십일일

(00신문 창간 한 돌)

속 태우고 애써서

싸혼 지 벌서 한 해、

무엇을 나혓는지

무엇을 일웟는지、

고향 생각

나라 생각

님 생각。

근심만 가득하여라。

작년 이맘때에는

몹시도 덥더니

금년 오늘은

서늘도 하다。

작년 이날에는

금년 오늘이

멀 것도 갓더니

아、어느덧 한 해로다。

작년 이 날에는
용긔가 낫섯다
금년 이 날에도
용긔야 안 나랴。
작년 그 용긔에는
춤을 추엇는데
금년 이 용긔에는
니를 악물고 결심한다。

『동광』, 제2호, 1926.6.1.

金陵의 가을[90]

一

金陵을 세울 적에
빈터될 줄 알앗스랴
대궐 헐닌 자리
기와만 덥혀 잇네
바람이 풀에 얼키어
갈 곳 몰라 하더라
(支那南京一名金陵)

二

五臺山에 달이 밝고
鷄鳴寺에 벌레 운다
秦淮에 가곡 소리
後庭花 아니엇만
지금에 망국원한을
자아낸 듯하여라

---

90 이 시는 춘원, 요한, 파인이 편집한 『삼인시가집』(삼천리사, 1929)에 재수록되었다.

三

아하 북쪽 나라
長江 건너 泰山 넘어
萬里長城과
遼東千里 멀고멀다
금수도 녯 집을 그리나니
아니 찻고 어이리

四

莫愁湖 갈밧 속에 배를 띌까
紫禁山 明孝陵에 나귈 탈까
揚子江을 거슬느랴
열두 洞天 올나가랴
가을이 이미 기펏스니
고향 그려 하노라。

『朝鮮之光』, 제81호, 1928.9.

望鄕一[91]

임 게신 고향 집에
봄발이 들엇거니
강남의 바람 소리
객창에 사모친다
낱닉은 글씨를 보오니
더욱 설워 함네다

望鄕二

봄해도 늦엇고나
뜰 뒤에 살구 열매
선채로 따서 먹던
사월달이 내일이다
늙으신 한머님께선
탈 없느가 하노라

---

91 「望鄕」 시리즈는 주요한의 시집 『鳳仙花』(世界書院發行, 1930)에 수록되어 있다.

望鄕三

버들이 푸르르니
몸 맥이 다 나간다
집에서 봄 지난지
어느덧 십년이라
어린 적 놀든 친구들
지금 어디 갓느냐?

望鄕四

시름을 잊자하야
달을 보러 나갓더니
산모르 부는 바람
옷깃에 추운지고
두어라 행여나 집 소식
전해온가 하노라

望鄕五

객지의 가을맞이
바람이 임일러라
싸히고 싸힌 서름
그님께 실어 보내니
그보다 고마운 님이
더 없은가 하노라

望鄕六

추석날 밝은 달이
파초 닢에 어리웠네
객지에 맞는 가을
고향 생각 없으랴만
아이의 부르는 노래
어이 그리 슯으뇨

望鄕七

찌는 볕 더운 해에
임 작별 하얏더니
어느덧 가을밤이
두 무릎에 추울러라
눈 오고 바람 많아도
평안키만 바라오

望鄕八

바다 건너 오는 소식
그대 얼골 방불하다
떠난 날 어제 같건만
마킨 지 해가 넘엇네
큰 생각 같은 한 뜻을
잊지 말자 하노라

江南一[92]

운핫물에 해 드리워
힌 돗대 붉엇스니
저녁 가마귀
들 건너 갈 때로다
름이 기어오르니
밤비 올까 하노라

江南二

저녁에 구름끼니
짧은 해 새 저므네
헐 덮은 삿 지붕에
바람이 울며 간다
두어라 가을 깊엇스니
울며 간들 어떠리

92 「江南」 시리즈 시는 주요한의 시집 『鳳仙花』(世界書院發行, 1930)에 수록되어 있다.

江南三

비 석겨 눈이 오니
바람은 놀뛰어라
밤눈에 안 보이나
두뺨에 선드긴다
비 맞고 길을 나서니
갈 곳 몰라하노라

江南四

진눈이 길을 덮고
못물이 겹 얼으니
강남에 전에 없는
된 겨울이 왔나 보다
헐벗은 친고네들은
어이 살라 하느냐

望鄕

아하、北쪽 나라 長江 건너 泰山 넘어
萬里長城과 遼東千里 멀고멀다
금수도 옛집을 그리나니 아니 찾고 어이리

莫愁湖 갈밭 속에 배를 띨까?
紫金山 明孝陵에 나귀 탈까!

揚子江 거슬느랴 열두 洞天 올라가랴。
가을이 이미 깊었으니 故鄕그려 하노라。
-(그의 詩集에서)-

『신인문학』, 1935.6.

上海租界進駐日에 王君에게 보냄[93]

王君!
사랑스런 친구
그리운 동무
黑曜石의 눈동자와
한일자로 다므른 입 가진
王君!

大洋과 大陸의 混血兒
珠江의 정긔 받고
南洋群島의 太陽에 걸어서
靑春과 故土와 學問을 찾아서
揚子江 거슬러온
王君!

내가 그대의 어린 사슴 같은 姿態를
처음 사피든 上海의 共公租界가

---

93 松村紘一이란 이름으로 발표.

皇軍의 손으로 無血接收된 消息을
라디오로 듯는 오늘 저녁에
그때 생각 간절하다。

그대 응당 긔억하리라
그 어느 해 여름 쩨스필 公園에
우리 둘이 들어가려고
우거진 나무숲 거닐 쩨
난데없는 巡警이 나타나며
이 公園에는 西洋人만 들어온다。
中國人은 못 드러온다
말하는 그 巡警도 中國人
말 듯는 그대도 中國人
우리들 얼굴엔
왼몸의 끌른 피 치밀어 오르고
우리들 가슴은
千斤의 납덩어리 끄려부은 듯 무거워
아모 말 없어、눈짓도 없이
거름을 돌려 나올 때
「세상은 어두어、아직도 우리 날은 오지 아넜어」
오직 한 마디 던진 그대의
낮고도 날카로운 목소리
오늘도 내귀에
쟁쟁하고나

王君!

오늘 가장 생각나는 동무

그대는 지금 어느 하늘 밑에서

打樂器의 高音階처럼

맑고도 熱 있는 목소리로

東亞解放의 기쁨을

노래하고 있는가

南京城 中山路 넓은 마당에

青天白日旗 휘둘르고 섰는가

하와이 棕梠나무 그늘에

日本空軍의 急降下爆擊에

拍手 보내고 있는가

그렇지 아느면 盤谷街頭에

타이나라 青年團과 손잡았는가

마닐라 城下에

老志士의 눈물 어린 歸國을 기다리고 있는가

그대의 종적이 묘연하고나

大陸의 아들이면서

大洋의 아들인

南方支那의 뻐더 가는 生命、代表하는

사슴과 같은 젊은이

飛魚 같은 熱血兒

우리들의 王君!

黃浦江 누른 흐름에
列强의 旗꼬즌 軍艦 오르나리고
蘇州河 萬國公園에
개와 中國옷 못 드러온다는
패가 부터 있을 그 시절에
뻰드 부두머리에 平和塔 소사오르고
大馬路 붉은 전등 밑에 째즈 音樂이 밤을 새우든 그 시절에
그리고 跑馬廳 잔디밭에 洋女가 골푸치고
마제스티 호텔 걸상 우에 猶太부지 내밀은 배를 주체 못할 그 시절에
그대의 주먹 불처럼 달았고
그대의 두 뺨 풍로처럼 떨었었다。

아아 共公租界
그야말로 侵略者가
그들의 半植民地를 짜고 비틀고
빨아드리든 엄정난 도가니、
奇妙不可思議의 機械가 아니든가
一九二五年五月三十日
술 취한 英國人警部가
實彈 재운 中國人巡捕隊에 號令을 걸어
中國의 自由를 부르짓는
靑年學生의 行列에 發砲해서
南京路 아스팔트에 그들의
피와 살덤이 문지르든 날

그날 저녁에 王君아!
五百名 同學을 앞에 두고
그것을 報告하든 그대의 앞은 목소리
그대의 비틀리든 몸짓
그대의 뿌리든 눈물
지금에 암암하고나 내 눈에
아아 王君아!

王君아!
그 共公租界가
오늘에 우리 皇軍의 손에 드러왔다。
中國의 經濟를 結縛하였든
黃浦灘 七八層 洋屋들은 빈집이 되고
國際銀行團의 두려운 陰謀는
英國의 砲艦과 함께
皇軍의 大砲앞에 깨어저 버렸다。
王君아!
太平洋의 聖戰은 이미 시작되었고나
앵글로색쓴의 最後의 날은 왔고나
東亞사람의 東亞는
이제로부터다
이제는、王君아!
그렇다「이제는 우리 날이 왔소」하고
푸른 하늘을 向해 맘놓고

웨칠 날이 마츰내 왔너니라
黃河와 揚子江을 지켜 온
半萬年의 그대의 同族은 勿論이요
安南과 타이와 비르마와
三億의 印度 族屬과
一億의 馬來人種과
빌립빈과 濠洲와 하와이와
太平洋의 크고 적은 섬들에 사는
모든 바닷사람들이
다 같이 오래 매었든 멍에 버서 던지고
새로운 새벽의 榮光 노래할 날이
마츰내 왔나니라

기뻐하라 王君아!
그대가 태어난 大陸의 땅도
그대가 길러난 南洋의 섬들도
그대가 사랑하는 太平洋의 물결도
도로 제 主人의 아름앏에 안기게 되었나니
太陽의 깃발 앞에 날리고
東亞의 모든 백성 발마초아 나가는 곳에
搾取와 壓制의 舊秩序는 슬어지고
歡喜와 光榮의 새 秩序가 세워지리니
우리 나가는데 두렴이 없다。
우리 나가는데 마킴이 없다。

東洋은 깨었다。
東洋은 힘차 젔다。
동양은 驀進한다。

시방 서울의 겨울 아직 깁지 아니하고
북악산 바람 아직 맵지 아니한데
거리의 戰況速報는
이날의 空氣를 刻刻으로 充電하며
길 것는 젊은이들 感激의 물결、無言中 하늘까지 사모친다。

눈보라와 살버이는 사람의
모진 몇 달 아직도 앞에 있으나
겨울이 永遠하랴
太平洋의 春節머지 아냈나니
아아 봄이 오면
龍華의 복숭아꽃 다시 또 滿發하겠지
十七年前에 우리 눈물 적시든
그 복숭아 밑에서
亞細亞의 새봄을 그대와 함께
잔들어 노래하고 싶고나

王君!
사랑하는 친구
오늘에 가장 생각나는 동무

그대의 黑曜石 눈동자

그대의 가므잡잡한 얼굴빛

모두 보고 싶고나

모두 그립고나

오늘 東洋의 怪物、우리들의 쓰라린 追憶

上海共公租界가

어머니 품으로 돌아온 날

나는

그대를 생각한다

飛魚 같은 青春

사슴 같은 好男兒

나의 王君!

『조광』, 1942.2.

천청송(千靑松) 편

黃昏의 曠野에서

放浪의 하로 해도 끗업는 地平線 넘어로 깃드릴 쩨 저무러 가는
붉은 노을은 뒤ㅅ재를 넘어가는 漂迫民의 힌 옷을 물들이고
힌 곰의 노리터 차저가는 한 줄기 기럭이 소래만
푸른 穹蒼에서 迷徨히 사러지네

黃昏의 曠野로 휘모라치는 北風에 놀내어
부스러진 꿈 쪼각을 좃든 별빗은
보이지 안는 幻想의 戀人을 차저 꼬리를 휘젓는데
고기 그리는 獅子의 우름 소래는 집 업는 流浪民의 가슴만 조리게 하네

당떠러진 반비탈에서 哀愁에 저즌 마음
象牙의 고개를 등지고 北風을 딸아
가도 가도 끗업는 黃昏의 行路를 더듬나니
날근 馬車의 다름박질하는 길바닥엔 故鄕 그리는 눈물만 고여 지네

녹쓴 現實의 銅像을 부시려는 아우성 소래
마른 나뭇가지에서 목메여 우나니

白雪에 깨끗이 씻기운 北國의 눈바다를
나는 마음의 설매 타고 自由의 회파람 불며 새 世紀의 어머니를 차저가련다

『조선문단』, 1935.12.

불꽃[94]

높고 낮은 뫼일랑 넘고 넘고 또 넘어가서 게딱지인 양 마을집들이 해바라기를 닮어 앞쪽 뫼기슭에 옹기종기 품었고

드메라도 싸움통에 놋쇠로 남은 것은 숟가락하나 오직 하나요
안악네들이 힌 주머니를 두르고 샘물 질러 단였다고 말성이 왁자자 하는 집 되창으로는 부엉이 울음 소리가 들리였다네

아름드리 소나무 사이 오솔길을 돌고 돌고 또 돌아 다리 부러져 가는 오막사리를 찾어 들랑이면 솔강불가에 둘러앉은 젊은이들의 마음은 불꽃 같대요

담배내가 자옥이 서린 좁은 방아나에 옛성을 도로 찾은 흰옷 입은 사나이들이 둘러앉었는데 최 이 박 김 뜻맞는 벗 정다운 벗들

실로 오래간만에 맛 보는 막걸레 이마에 주름쌀은 펴지고 이야기 열렬한 이야기의 실마리는 한없이 풀려 가는데—왜놈 농민 소작료 들려오는 소리

94 「불꽃」과 「봄」은 중국 연길시 한글연구회에서 펴낸 시집 『颱風』(1947.3.)에 수록되었다.

드높은 소리

뭇별이 자리를 드티어도 안악네는 밤을 새어 가며 바누질하는데—바지 저고리 치마 한 벌 두 벌 쌓여져 가는 옷 겨울옷들

바로 그 이튿날 아침 돌도 들으면 외인다는 옛말마따나 여섯 살 난 어린 일꾼 차돌이가 밥상을 주먹으로 내려다 치며 외치는 말「소작료는 이팔제로 해야 한다」

허무러진 옛성터에 펄펄 일어나는 횃불!
새로운 나라를 이룩하려는 불꽃
오! 불꽃은 새로운 불꽃은 해빨처럼 빛나는구나

봄

봄이라도 올 봄같이 기꺼운 봄이라곤 없었기에
마을 늙은이들은 양지쪽 돌각담 서리에 앉어
매듭 많은 옛이야기를 되푸리하고

등굽은 버드나무 밑 개천에는 냇물이 흘러나리는데
겨울내 입은 듯 때묻은 옷들을 빨고 있는
안악네들의 방망이 소리 「또닥 또닥 또다닥」

오랜 옛날로부터 밭가리 제촉을 하여왔다는
용감스러운 뻐국이 소리 「뻐국 뻐국 뻐뻐국」
얼마나 정다운 소리냐

고양이가 집웅에 오르나리게 되면
아침 온눈이 점심 무렵에 녹아 버리고
집집에서는 보습날 세워야 하고
대뜨백(씨떠리) 그리고 씨앗너흔 망태의
몬지를 떠러 버리어야 하는 이른 봄이란다

살찐 둥글소 검은 암소를 몰고
아버지와 아들이 안개 낀 남쪽산기슭을 돌아간 후
들려오는 소리 「이라 이라……」
인젠 제법 범나비가 날라 들겠지

겨울내 길삼을 일삼던 마을 시악씨들은
냉이달래 미나리 등 속 봄나물을 캐러
뒷산 앞들로 강남서온 제비처럼 날려단이는데
바구닐 끼고 초록치마를 떨쳐 입고

탐스럽게 냉이국을 끌여 놓고 둘러앉을
아버지 어머니 아들딸……
네 식구가 아담지게 차려 놓은 오붓할 봄 잔치는
실로 아롱진 그림 폭 병풍에 그려도
좋을 그림 폭이 아니랴

「쿵—쿵—」 발방아 찟던 늙은 안악네가 집으로 들어갈
저녁때엔 씨갓도 심어 노앗거니
의레히 비가 솔솔 가랑비가 나려도 허물될 것 없겠는데
금년 따라 유난히도 구름 한 점 없는 봄하늘
달빛 어린 밤하늘을 보고
요란스럽게 짓는 강아지가 있어
강동 갔다 돌아온 나그내는
한결 더 옛 봄을 그리워하겠구나

최남선(崔南善) 편

世界一週歌[95]

漢陽아 잘 잇거라 갓다 오리라
앞길이 질펀하다 水陸十萬里
四千年 옛도읍 平壤 지나니
宏壯할사 鴨綠江 큰 쇠다리여

七百里遼東벌을 바로 뚤고서
다다르니 奉天은 옛날 瀋陽城
東福陵 저 솔밧에 잠긴 연기는
二百五十年 동안 꿈 자최로다

南으로 萬里長城 지나들어가
벌판에 큰 都會는 北京城이라
太和殿上 날니는 닷동달이旗
維新政府 새빛을 볼 것이로다

95 六堂이란 필명으로 발표함.

萬壽山 동산 안은 쓸쓸도 하다
떨어지는 나무입 나붓기는대
依舊한 正陽門밧 雜踏한 市街
누른 띠끌 하늘을 가리웟도다

黃河天津 지나서 大徐帝國의
끼친 터를 左右로 指點하면서
揚子江口上海의 繁華한 市況
東洋第一貿易港 두로 본 뒤에

船窓에 몸을 기대 黃海渤海에
白鷗로 벗을 삼아 旅順口오니
二百三高地에 肉彈血戰을
지는 해에 依稀히 짐작하도다

大連港은 南滿洲 大關門이라
예서 南滿鐵道의 손님이 되니
一千七百里 와서 新京 끝 되매
가튼 車로 東清線 接續하더라

松花江 다다르니 하루빈이라
北滿洲中心으로 施设이 큰대
東으로 海蔘威에 잠간 들러서
돌아서니 까마타 시베리아벌

여기까지 이르는 無邊廣野는
前肅愼後渤海의 半萬年舊疆
一望無際 길 넘는 강낭이 밧이
부질없이 옛 자최 파무덧도다

興安嶺뫼부리에 걸닌 해 보고
바이칼 가람 속에 잠긴 달 보며
점으는 날 새는 날 들에 지내기
몃 날이냐 於焉間 우랄山이라

긴 등 우에 境界標 얼는 뵈더니
넘어서니 유로파 땅이라 하고
볼가江 얼는 지나 모스크바에
二萬里의 鐵路를 다 왓다하네

크레믈린 언덕에 石築큰 집은
八百年 옛都邑을 表하는 宮城
市內外에 散在한 四百餘寺院
이 나라에 聖地口을 可히 알네라

武器庫 담을 둘은 大砲九百門
夕陽에 지나는 손 눈물이 지고
우쓰펜쓰키寺의 世界最大鍾
딴 고장 구경군이 혀를 빼무네

南으로 야쓰야나 폴리야나에
大先生 톨쓰토이 幽宅을 찻고
하로밤을 汽車에 몸을 누이니
어느 덧 에베드로 그라드府라

네바江卑濕한 땅 이룩하야서
大都會 만들어 논 뻬쩨르大帝
西方文明 들올 길 便히 하랴는
큰 뜻을 代로 니어 二百年근사

百三十尺 널은 길 十五里 뻣고
官公廳富商大賣 甲第가 千甍
네브쓰키거리의 繁華한 것이
一朝一夕偶然히 생긴 것이랴

大凱旋門大劇場 大水道 자리
로마 大帝國자최 依然히 잇서
世界文明源流를 보려 할진대
아니 볼 수 업슴을 새로 알겟네

一億萬圓들엇단 聖바울會堂
壯麗함을 어찌다 그려 내리오
二億萬天主教人 總本山이매
그만함도 까닭이 업지 안토다

파라탄 언덕 우에 케사르 생각
大英雄도 뒤끗은 荒城에 落日
가리발디騎馬像 웃둑 하게서
새힘 잇슴 보임만 든든하도다

美術文學中心地 프로렌쓰야
아모런들 모른 체 지내떠리랴
미케로안젤로여 詩聖딴테여
精誠스런 이 아이 절 바듭소서

께누아에콜롬보 녯집을 찻고
미라노에大寺院 구경한 뒤에
「엑셀쇼어」부르며 알프쓰 넘어
스위쓰로 名山水 遊覽가리라

나라의 三分二가 놉흔 뫼 큰 못
溪山의 奇勝이 窮함업스니
西洋의 金剛山은 許諾해 줄가
世界의 樂園이야 過한 말 알듯

아모런 窮峽에도 놀이터 잇고
아모리 놉흔 山도 鐵路로 昇降
遊覽上의 利便이 이리가지니
天下사람 모여듬 偶然 아닐세

우리의 이 나라를 부러워함은
天然한 큰 마천을 가짐뿐이랴
실레르의 스위쓰 勇民傳보고
景慕하는 至意를 못 익엿노라

丘陵溪谷 雄大한 中央公園은
泉石花木 제 각금 競技하는대
말 탄 婦人곱비를 서로 聯하야
洋洋히 다니는 양 구경스럽고

나무기슭 차저서 쉬는 사람들
어린애 보아주는 게집애까지
제제히 신문 들고 보고 들잇슴
教育程度볼지라 부러웁도다

헛손江邊그랜트 將軍의 墓所
平民國人의거로 壯麗도 하고
이스트江上에 무지개가치
길게 빠친五大橋 宏壯도하다

거리거리 온 가지 大會社銀行
낫낫치 보는 수는 업스리로다
떼파트멘트 商廛처 싸힌 貨物

路上에 오고 가는 사람을 보니
것는 이는 닷는 듯 탄이 나는 듯
이러틋 交通敏速 要求함으로
空中땅속 물밋이 모다 鐵路라

南으로 차저가는 필라델피아
過客도 늣거울사 麒麟閣破鍾
또 잠시 나려가면 와싱통이니
유니온 停車場이 世界第一等

눈 띠는 모든 物象 오즉 점잔하
아모리 보더라도 大國의 首都
가진 設備完全탄 國會圖書館
平民대권 白宮을 歷覽한 뒤에

扁舟 띠고 마논山 들어가 보니
崇嚴타 建國偉人 幽宅과 故居
春風秋雨 오늘이 몃 百年이냐
千萬世 ㅣㄴ들 香火가 끄님 잇슬가

포트막江 눌러선 大記念碑는
五百五十六尺의 純石築이니
조곰하면 하늘을 다켓다마는
功烈의 놉흠이야 비길가 보냐

오던 길을 北으로 도로 올라가
北美大陸文化의 本源이라는
보스톤을 차지니 여러 設備가
智識崇尙하는 줄 과연 알네라

感謝하다 하바드 에일두大學
네 功績은 史記에 不朽할지라
나라움이 도치던 福된 땅으로
永遠히 큰 榮光을 가지게 하라

西向하는 路次에 한시 밧부게
나야가라 큰 瀑布 구경을 가니
百丈絶崖나료는 數百間 넓이
天地間奇壯快活 여긔그칠 듯

天柱도 그 形勢에 움즉일지오
地軸도 그 울님에 흔들닐지라
펼처넌 힌 비단필 모닥이 우뢰
꼴과 소리 萬分一 못 그리겟네

五湖를 두로 보고 치카코 오니
三百方里大市街 大工業地라
늬유욕의 盛大를 본 눈이언만
무시무시하고나 물나라 形勢

한올이 검은 연기 水平線 뒤에
남기고 다라나는 우리의 압길
움즉이는 山岳과 울니는 요뢰
보이고 들니는 건 도모지 물결

물의 입김 바다로 바다 입김은
太平洋이란 말을 드럿거니와
이제야 實地를 臨하야 보니
무시무시하고나 물나라 勢力

後太平洋八千里 安穩히지나
닐해에 호놀룰루 다라랏스니
하와이 열두 섬中 가장 큰 都城
全太平洋中間에 別乾坤이라

탁치고 물너나는 작고 큰 물결
快男兒캡텐 쿡 幽恨綿綿코
나무 끗 부는 바람 띄골 씻는 비
카메하메하一世 英風이 漠漠

꽃조코 입새 盛한 熱帶植物의
알고도르는 여러 樹林을 뚤코
水族館 차저가니 奇種도 만타
世界第一 헛말이 아닐지로다

寄留하는 兄弟의 고마운 마음
新聞을 내이거니 學校세거니
新世紀舞臺上에 好模範이라
바라노니 그 정성 日進하소서

둥그런히 물 하늘 맛단속으로
山 가튼 鯨波鰲浪 씨름하면서
열흘 동안 온 길이 一萬三千里
반갑다 東洋風物 横濱港이라

『구루마야』다리를 잠시 비러서
올나가는 汽車에 몸을 더지니
品川灣 싸혀 잇는 武藏野 한 귀
瞬息間東京市가 여기로구나

그윽할사 二重橋『호리』도깁고
繁華하다『銀座通』저자도 크다
本鄕臺三田 언덕 早稻田숩에
濟濟하다 多士는 學問의 權威

泉岳寺四十七烈 吊慰하고서
凌雲閣登臨하니 眺望도 조타
隅田川邊吉原의 不夜城景은
三百年太平꿈이 오늘이어제

한나절 겨워서야 新橋驛 떠나
잠속에 五十三次 다지나오니
名古屋城富士山 엇지지난지
어느덧 京都府는 一千年故都

바둑판 가튼 街衢 整齊도 하다
둘러싼 山과 물은 景槩도 非凡
金銀閣東西本願 여러 名刹을
두루 보고 奈良을 잠간 들러니

正倉院과 博物館 만흔 寶藏은
王朝時代文化의 귀여운 遺物
月瀨梅와 吉野櫻 여기 왓다가
못 보고 돌아가니 섭섭하도다

밧븐 길에 神戶를 거저 지내니
白沙靑松경조타 須磨明石개
일홈 놉흔 錦帶橋 어대쯤이냐
白馬橋 생각나는 馬關이고대

車 나리자 聯絡船 가라타고서
하로밤 玄海灘에 風浪격그니
반갑다 압장나서 맛는 五六島
故國의 봄빗이 지금엇더뇨

新京을 곳장 가는 歐亞聯絡車
마조막 나그네 몸 부처실니고
꿈 가튼 지난 길을 돌아보는 中
洋洋한 漢江물이 눈에 보이네

그립다 南大門아 너 잘 잇더냐
아모래도 볼스록 깃븐 제고장
坤輿를 두로 돌제 만흔 늣김은
말슴할 날 잇기로 아즉은 이만
-大正五年

『삼천리』, 1938.8.

최재석(崔在錫) 편

땅 파는 젊으니

오날도 광이를 메고 땅을 판다
異城의 北國大地 우에서
언제나 혼자서 無盲의 日課를 치른다

굳게 담은 그 잎은 무세통 같고
피ㅅ끼 없는 그 얼골에 구슬땀이 흐르다

꾸부린 그의 등에는 黃昏이 지르고
피곤한 얼골에는 눈물이 흐르다

『조광』, 1939.1.

피천득(皮千得) 편

上海風景[96]

겨울날 아침에
입었든 掛子를 전당잽펴서
따빙을 사 먹는 苦力가 있니라

저녁 한끼만 사주면 하로밤을 밧치겟다고
밤 늦인 빼스 정유장에서
나어린 『野鷄』(야기)가 애원하드라

알라 東西 니마장시 치롱 속에
넉마와 같이 파라 버릴 어린 아해가 둘!
한 아해는 나를 보고 웃드라

---

96 이 시와 비슷한 작품으로 「1930년 上海」가 있다. 「1930년 上海」의 전문은 다음과 같다. "겨울날 아침에/입었던 꽈스(掛子)를 전당잡혀/따빙(大餅)을 사먹는 쿠리(苦力)가 있다//알라 뚱시(東西) 치롱 속에/넝마같이 팔려 버릴/어린 아이가 둘/한 아이가/나를 보고 웃는다."(『피천득 시집』, 1987). 그 후에 편찬된 시집 『생명』(1993), 『생명』(1997)에도 동일한 시가 수록되어 있다.

「무쏘리니」같이 생긴 洋鬼子가

할더거리는 조롱말 같은 黃包車꾼을

「쾌쾌듸」라고 재촉하드라

피천득, 『抒情詩集』, 상호출판사, 1947.1.

하심(何心) 편

故國夢

— 十五年前 移鄕햇던 엇던 親舊의 편지 밧고서 —

一

神農적 백성이냐 堯舜적 백성이냐
寸鐵을 못 지닌 배달의 백성이라
간대족족 씨 뿌리여 秋收冬藏 일삼는다。

二

風便에 들니는 말 滿洲벌이 넓다고서
가자 가자 너도 가자 沃野 찾어 너도 가자
땅 잃고 굶는 무리의 生門方이 거기란다。

三

情든 故鄕 떠날 때에 시집간 딸 보고 싶고
길 매던 그 田土와 빨내하던 시냇물이
가지 말나 하는 듯해 애연한 뜻 못 참어라!

四

언덕에 내친 거름 멈추기도 어려워라
낮선 胡地 찾어드니 개좇아 무섭더라
배달 할범 날 다려가소 웨처 봐도 所用없다。

五

十年이란 그 歲月도 가기는 잠간이라

그러나 그때 樣子 못 지님이 설어워라

故鄕에 내 同甲들 이다지야 늙어스랴!

六

桃源夢 찻던 백성 총소리 무서워라

보찜 싸서 同程차니 찾어갈 곧 어데인고?

故國의 녯 집터엔 옥수수가 차스리라。

七

分水嶺 올나서서 다시금 생각하니

空手來 空手去는 날 두고 일넛던가

十年間 피땀 값이 허룩한 뷘 봇짐이라。

『농민』, 1933.4.

한죽송(韓竹松) 편

豆滿江의 抒情

속삭이던 그날 밤 맺은 그 언약、
달빛에 아롱졌던 임의 그 모습、
한 많은 이 강 위에 세월은 가도、
내 어이 잊으리까 그리운 그대。

물길 千里 두만강 버들이 피고、
뜸북새 목메 우는 처량한 밤엔、
꿈 자취 애달파라 새로운 옛날、
아득한 만주 하늘 별빛만 차다。

당홍치마 적시며 풀려진 닻줄、
남은 정 원수라오、참아 못 잊어、
나룻가 실버들에 옛꿈을 엮어、
임 가신 그 나라로 흘려 보내리。

(昭 一三.四. 二三 作)

한죽송, 『방아찧는 처녀』, 한성도서주식회사, 1939.

異國의 밤비

젊은 가슴을-
애꿎이도 울리는 처량한 밤비、
아아、가 버린 시절 그대의 모양。
피리 불던 그 언덕 즐겁던 옛날、
만리 타국 이 벌판에 비만 쏘치네。

고달픈 신세-
깨고 나면 팔베개 아롱졌건만、
아아、아득도 하다 南邦의 하늘。
험한 고개、산 비탈、끝없는 들판、
허물어진 꿈을 안고 울며 헤매오。

황혼도 짙어-
胡弓 소리 처량ㅎ다、외로운 청춘、
아아、쓸아린 마음 어이 달래랴?
술잔 속에 떠오는 임의 그림자、
비에 젖는 酒幕 거리 밤도 길구나。

(昭 一三.四. 二六 作)

한죽송, 『방아찧는 처녀』, 한성도서주식회사, 1939.

松花江 뱃사공

정들어 사는 곳이 내 고향이련마는、
옛 고장 그리운 맘 칼로서도 못 끊소。
이 강에 노를 저어
그 몇 해나 흘렀나。
二八의 피던 얼굴 주름이 졌네。

기러기 철이면은 하도나 서글퍼서、
大丈夫의 가슴에도 피눈물이 한 동이。
돌벼루 구멍 나도
다 못 아뢸 심사를、
말 없는 쑹훠장아[97]、너는 알리라。

선창에 달 밝을 땐 접동새도 운다네。
향수를 달래 보는 휘파람도 구슬퍼。
뼈 저린 추억 안고
소매 젖는 밤은요、

---

97 "쑹훠장"은 "송화강"의 중국어 발음을 한국어 발음대로 표기한 것이다.

얼룩진 임의 얼굴 꿈에 봅니다。

장하다、松花나루 이 나라의 젖줄기、
넘치는 황금 파도 王道福地 여길세。

한죽송, 『방아찧는 처녀』, 한성도서주식회사, 1939.

流浪의 哀愁

오늘도 구름 따라 흘러가는 나그네、
달리는 방울 소리 젊은 마음 울린다。

고향은 南쪽 만리 바라보면 그리워、
황야를 헤매는 몸 하룻밤 꿈 새롭네。

고달픈 젊은 가슴 휘파람도 구슬퍼、
머나먼 타관 거리 별빛조차 외롭다。

한밤을 울며 샌들 맺힌 한이 풀리。
임 없는 광야의 길 자국마다 설음뿐。

黑龍江 언덕 위에 버들꽃도 새롭다。
진달래 피는 고향 마음속에 어리네。

유랑에 시달린 몸 자나깨나 외로니、
갈거나、고국 산천 젊은 가슴 뛰노네。

(昭 一二.一二. 七 作)

한죽송, 『방아찧는 처녀』, 한성도서주식회사, 1939.

새로운 地域에서

[三行略]

「맘 착하고 곧으면 굶는 법 없으니, 네 아예 딴 마음 갖지 말라……」고
숨 거두실 때 하시던 아버니 말씀!
그 敎訓 새겨 듣고、
그날 그때껏 입술을 깨물며 一心으로 지켜 왔건만、
끝끝내 모든 꿈은 바닷가 모래城 되고 말았나니、
오! 故鄕은 눈물 속에 그려진 한 篇의 敍情詩였던가。

진달래 피던 언덕 구성진 뻐국새 노래도、
황소 타고 불던 興겨운 피리 소리도、
댑싸리 빗자루 들러메고 반딧불 좇던 追憶도、
모두가 神秘로운 傳說 같은 옛꿈이어니、
未練을 불사르자。
슬픔도 이제는 낡은 것。

浪漫의 조각, 哀想 慷慨 憂愁의 조각, 失望 頹廢의 조각、
이 모든 녹쓸은 마음의 조각이여!
물러가라、내버린 故鄕과 함께。

우리들은 明日의 北方 大陸을 成長시키고、
沃野 萬里를 開拓할 朝鮮의 「파여니어」들!

웃 가슴에 오려 붙인 五色의 班票를 떼는 날부터、
힘껏 잡아다인 활(弓)등 같이 뭉킨 그 決心!
「네나 내나 모두 한食口니 서로 돕고 믿고 살자」고
새 地域 모닥불 가엔 언제나 힘센 建設의 꿈만이 맴돌고 있다。

생생한 참나무는 도끼질도 힘드누나。
젖은 소나무는 톱질도 땀이 나네。
흙 이기는 총각의 코노래 웅성깊고、
물동이 인 處女들의 발거름은 재바르다。
오늘 뿌린 피땀이 빛날 날도 멀지 않으리니、
千代 萬年이 和樂을 누릴 久遠한 福地도 여기로다。

젊은 壯丁들의 억센 손에 얽어 잡힌 빛나는 광이가
北滿 沃土를 힘차게 갈고 나갈 때、
移住民 一萬 心臟엔 更生의 凱歌가 우렁차다。

한죽송, 『방아찧는 처녀』, 한성도서주식회사, 1939.

향산(向山) 편

頌安重根先生

사나이 이 세상에 한번 죽는 것을 긴파람 큰 소리로 國讐의 목을 베혀
찌르릉 山川이 울도록 한 우슴을 치드라니
龍의 눈 부릅뜨고 三千愁雲 몰아다가 哈爾濱 힌날 아래
마른 霹靂 치단말가
卞合에 罪지 흔놈들 魂飛魄散하여라
어허 壯하시고 天下에 떨친 烈義 長天이 느끼시사 그 갚음이 크시어라
三千里 큰 鍾 울리워 나라 다시 크더라

『평론』, 창간호, 1946.10.

허문일(許文日) 편

보내는 이 가는 이

「북쪽 나라 긔후가 찬 줄도 알고
서백리아 바람이 매운 줄도 알 것만
목숨이 야속하고 구복(口腹)이 원수 되여
따뜻한 금수강산 리별하고서
멀고 멀은 북간도로 나는 갑니다。
돈이라는 상전(上典)에게 축출 당해서
정든 고향 떠나서 나는 갑니다。
인정과 풍속이 다-거츨다는
멀고머-ㄴ 북쪽 나라 만리타국에
행복을 바라고 가는 것은 안이나
그래도 구복(口腹)이 원수가 되여
가다가 죽드라도 갈밧게 업소。
형뎨여! 자매여! 부대 안녕히……」

「잘 가오 잘 가오 부대 잘가오
우리도 따라갈 날 멀지 안으니
눈 싸히고 바람찬 만주들ㅅ길을

잘 가오 잘 가오 부대 잘가오
우리도 명년에는 따라가리다」

보내는 이 가는 이 두 눈에 눈물
말인지 울음인지 분간 못하게
목 메여 짜내는 구슯은 소리
뿌리는 더운 눈물 끌는 피눈물
그것이요 내 몸의 눈물이라오。

(二月二日에)

『조선농민』, 제5권 제2호,1929.3.26.

허준(許俊) 편

長春大街

내 마음을 외 이리 엎누르노 거리의 賣淫女야
雄辯家야 政治周旋家야 나리아가리야
한 팔에 短杖을 끼고 솨포 없이 나서면
長春大街의 黃昏이 부르는 줄 모르니
나는 모른다 내겐 아모것 없다
短杖을 보내라 短杖을 보내라

微風에 나붓기는 街路樹 常버드나무와 함게
樓閣은 부이고 오피쓰는 다친다
胡同과 胡同에 끌고 밀고 곤두막질을 시키든
去來와 陰謀가가 헐버슨 生活의 殘燈이 남는 때면
나는 모른다 내겐 아모것도 없다
短杖을 보내라 短杖을 보내라

올려다 보아야 그러치 五月 하늘의 星空이렸지
悔悟ㄴ들 있겠는가 苦痛은 무슨 苦痛 羨望은 무슨 羨望
馬車의 소리가 꿈이란 소리ㄴ들 나는 모른다

오죽 슬픔! 까닭을 모르는 오즉 이 漠然한 슬픔
長春大街의 黃昏이 길다는 單 한 가지 救援 속에
눈물로 변할 줄 모르는 오즉 이 慫容한 슬픔
나는 모른다 短杖을 보내라 短杖을 보내라

一九四五, 五, 十一日 稿

『개벽』, 통권 제74호, 1946.4.

황순원(黃順元) 편

鴨綠江의 밤이어

물、물、물。

흐른다、눈에 充血 되듯이 붉은 흙물이 흐른다。

성난 듯이、우는 듯이、鴨綠江아、-

길 떠나는 나그네의 心懷를 욱여내는 國境의 밤하늘、

뵈누나、저 어렴픗한 배ㅅ전의 燈들이、

들리누나、저 물ㅅ소리가、그리고 國境巡警의 발ㅅ소리가。

내 홀로 느즌 봄 강ㅅ가에 서서 마음 가다듬고 잇나니、

鴨綠江의 밤ㅅ경치에 새로운 맛을 찾고 잇나니。

이 곳은、바로 濁流가 밤ㅅ공기를 짜개는 이 곳은、

소란한 말굽 소리가 大地를 흔들어 노을 때마다

夷狄의 槍과 활ㅅ살을 막아 물리치든 自然의 大塹壕엿고、

아침햇빛 마즌 집웅에 입 마추고 잇는 한 쌍의 비달기에게 눈을 줄만 한 平和한 때면

가을ㅅ달 나린 물 우에 천만 사랑의 노래를 불러 띄워 보내든 곳이다。

한데、아 맛당히 崇嚴함에 머리를 숙일 만한데、이것이 웬일일까、

한번 싸움에 진 숫닭이 항상 쫓기우듯이
오늘에는 다못 서러운 눈물의 愁嘆場이 되고 말엇단 말이。

그랫드니 정성을 노코 다시 마음을 살펴드니만、-
나제、꾸리ㅅ빗 웃통을 벗어 제친 勞動者群은
炎天에 糧食을 날러 드리는 개아미 떼나 된 듯이 兩江畔을 徘徊하엿고、
떼목 타고 나려 올 남편을 위하여 빨래질하든 女人은
첫아이 죽인 어머니의 憔悴한 얼골이 되여 수심을 지코 잇지 안엇든가。
아하、漁夫의 아내가 狂風에 가슴 떨듯이
겹겹히 싸히여 줄지여 달리는 생각 생각에 몸서리 친다。

鴨綠江、鴨綠江、鴨綠江의 밤이어、
그러면 그대는 변함업이 달빗까지 흐리게 할 눈물을 품어야 하고、
새길을 못 찻겟다고 쏘다놋는 찬 한숨만을 가저야 올흔가。
안이다。
눌리워 쫄어 들엇든 우리의 가슴이 터지는 때、아하、그때
그대는 이쪽 움ㅅ 속에서 갓난애의 힘찬 울음 소리를 들을 것이다。

물、물、물。
흐른다、눈에 充血 되듯이 붉은 흙물이 흐른다。
성난 듯이、우는 듯이、아하、鴨綠江아、-
(一九三三年六月)

황순원,『放歌』, 삼문사, 1934.

황재건(黃載健) 편

北国의 겨울

감도는 치위에 헐벗은 야윈 몸을
옴키옴키 비꼬던
물길러 간 이웃집 갖온 색씨의 머리엔
어름고졸이 주렁주렁 달리고
도끼든 어린 것의 주린 배는
김빠진 공처럼 한없이 조여들며
木石이나 아닌지
四肢는 싸늘하여 버리였었지
어머니 豆滿江의 겨울은 왜 그리 쓰린가요?

젖 안 준다 왼종일 울기만 하다
제 우름에 지처 잠들은 어린 것 등에 없고
남다자는 어두운 밤 뉘볼가 두려웁다
뒤우란에 쪼그리고 홀로 나앉어
주린 배 움켜 안고 떨리는 몸 다잡으려
해여진 치마 쥐여 당겨 업여 놓으며
그 긴밤 울어 새엿다든

수집은 北京의 새악시
누나의 눈은 어머니 얼마나 부었었수?
어머니 豆滿江의 겨울밤은 왜 그리 길었든가요?

千길 萬길 몰려오는 돌개바람에
거북등처럼 납작한 초가집 깨여진 나무 굴둑엔
約束이나 한 듯 煙氣는 자취를 감춰 버리고
苦生살이 하다 못해 中風 걸린 지 三年에
뒷방에 누었던 늙은 영감은
얼마나 가빳스며 이른 아침 冷突房에
黃泉客이 되였쓰매
아기 난 지 사흘만에 미역국이란 내도 못 맡고
飢寒에 왼종일 울기만 하든 어미 애기는
얼마나 설었으며 원통하였으리
쌀 구러간 남편이 오기도 전에
그들도 꿈나라의 나그내 되었슴매
어머니 豆滿江의 겨울은 왜 그리 무서웁디가?

쪽보 따리 개가죽신에 어린 것 등에 감고
아아 이 해 이 겨울에 누가 积善하오리
밥빌 바가질 허리에 보이며
눈보라 휘날리는 남다잔 깊은 밤
情든지 數十年 어찌하리
星火 같은 빗바짓군 몰려오는 飢寒에 못 이겨

「어디멘들 이다지야 굶으리? 버스리?」 숨 지으며
노마낸 갔었지…… 그 곳엔 봄이라는 北國의 들을 찾어서
어머니 男정네 말소린 풍금 치듯 몹시도 떨렸었지
안악네 우묵눈엔 눈물이 비 오듯 흘렀었지오
어머니 豆滿江의 겨울은 웨 그리 서러웁디까?
- 一月二十五日 -

『중앙일보』, 1936.3.

엮은이
소 개

장영미(张英美)

중국 연변대학교 조선어학과 교수, 중국한국(조선)어교육연구학회 상무이사를 역임하고 있다. 주요 관심분야는 중국에서의 한국어교육 연구와 한국 근현대문학과 중국 관련 연구이고 저서로는『해방 전 재중조선인 시문학의 디아스포라 성향연구』(2012),『문학사의 명명과 문학사관의 성찰』(역저, 2019) 등의 연구서가 있다. 논문으로는「해방 전 재중조선인 시문학에 나타난 북쪽 이미지 연구」등 20여 편이 있다.

김 강(金剛)

중국 연변대학교 조선언어문학학과 전임강사. 연변대학교 조선언어문학학부를 졸업하였고 동 대학원 석·박사 과정을 졸업했다. 다년간 한국 근현대문학 및 한중 비교문학에 대한 연구를 진행하고 있으며 연구논문으로는「김안서의 격조시형론과 중서시학 관련연구」(2016) 등이 있다.

'한국근대문학과 중국' 자료총서 ❺
시 I

초판 1쇄 인쇄 2021년 9월 17일
초판 1쇄 발행 2021년 9월 27일

지은이 유치환 외
옮긴이 장영미·김 강
기 획 『'한국근대문학과 중국' 자료총서』 편찬위원회
펴낸이 이대현
편 집 이태곤 문선희 권분옥 임애정 강윤경
디자인 안혜진 최선주 이경진
마케팅 박태훈 안현진
펴낸곳 도서출판 역락
주 소 서울시 서초구 동광로 46길 6-6 문창빌딩 2층
전 화 02-3409-2060(편집), 2058(마케팅)
팩 스 02-3409-2059
등 록 1999년 4월 19일 제303-2002-000014호
전자우편 youkrack@hanmail.net
홈페이지 www.youkrackbooks.com
字 數 211,367字

ISBN 979-11-6742-020-6 04810
979-11-6742-015-2 04810(전16권)

* 책값은 뒤표지에 있습니다.
* 파본은 구입처에서 교환해 드립니다.